# SAFİYE SULTAN

## Ya İpek Urgan
## Ya Gümüş Hançer

### "The Sultan's Daughter"

*Ann Chamberlin*

Tarihteki Kadınlar Dizisi / Roman
*Ann Chamberlin / Safiye Sultan - Ya İpek Urgan Ya Gümüş Hançer*

Yazarla İletişim Adresi:
e-mail: setzers@email.msn.com
internet adresi: www.annchamberlin.com

Dizgi
M. Pamukçuoğlu

Kapak resmi
"Flaming June", c. 1895 (yağlıboya) Frederick Lord Leighton (1830-96)
© *Museo de Arte, Ponce, Puerto Rico, West Indies/Bridgeman Art Library*

Kapak
Ömer Küçük

Baskı
Yaylacık Matbaası
2. Matbaacılar Sitesi, Topkapı-İstanbul

ISBN
975-10-1550-2
00-34-Y-0051-0087

10. Baskı Eylül 2000

00 01 02 03 04 05 06 07   17 16 15 14 13 12 11 10

::: İNKILÂP
Ankara Caddesi, No: 95
Sirkeci 34410 İSTANBUL
Tel: (0212) 514 06 10 - 11 (Pbx)
Fax: (0212) 514 06 12
Web sayfası: http://www.inkilap.com
e-posta: posta@inkilap.com

# SAFİYE SULTAN

## Ya İpek Urgan
## Ya Gümüş Hançer

### "The Sultan's Daughter"

❧ ❧

# Ann Chamberlin

Çeviren
**Solmaz Kâmuran**

**10. BASKI**

İİ İNKILÂP

Volga Nehri

Don Nehri

Rusya'ya

Hazar
Denizi

Kafkas

*rum*

r a d e n i z

Dağları

*inopolis*

Ermenistan

A n a d o l u

Osmanlı

İmparatorluğu

İran'a

• Konya

Kıbrıs   Mağusa

Osmanlı İmparatorluğu
Kanuni Sultan Süleyman
ve
Venedik Cumhuriyeti
1562

Nil Nehri

Mekke'ye

Mısır

# *Bölüm I*

# Abdullah

# I

*"Gökyüzünde aramayın beni*
*Ben haremde bir yıldızım*
*Aldanmayın kahkahama, şıkırtıma*
*Ah, ben yapayalnız, zavallı bir kızım*

*Umutsuzca özlerim sevilmeyi*
*Boğazın mavi suları sürükler kederimi*
*Gümüş aynalar bir türlü göstermez benliğimi*
*Bilsem ki açıktır kapısı, yine de terkedemem kafesimi*

*Görmedim sarayda bir gün şefkati*
*Altındandır buranın kölelik zinciri*
*Yediklerim özendirse de cümle âlemi*
*Ben özlerim bir an önce ahireti*

*Gökyüzünde aramayın beni*
*Ben haremde bir yıldızım*
*Aldanmayın kahkahama, şıkırtıma*
*Ah, ben yapayalnız, zavallı bir kızım"*

İSMİHAN SULTAN, İstanbullu kadınlar arasında çok yaygın olan bu şarkıyı, daha küçücük bir çocukken dadısından öğrenmişti herhalde. Bunu sık sık söylemekten hoşlanmasının nedeniyse, şarkının acıklı bir gerçeği dile getiren sözleri değil, çok hoş ve yumuşak olan melodisi olmalıydı. Çünkü o bir köle değil, bir köle sahibiydi. Benim sahibimdi.

*"O benim sahibimdir."* Sahnede, aşk ateşiyle kendinden geçmiş sevgililerin bu cümleyi tekrarlayıp durdukları şarkılarla dolu oyunları kim bilir ne çok izlemiştim... Ama çok çok zaman önce, daha önceki hayatımda...

Arada sırada, İsmihan'a bakıp ilişkimizi düşündüğümde "aşk" kelimesi aklımdan şöyle bir geçiyordu. Bir de bu kelimeye eşlik eden garip bir yürek çarpıntısı vardı. Yürek, yüreğim... Orada yitirmekten korktuğum bir şey gizliydi. Belki de hayatın kendisinden bile daha çok değer verdiğim bir şey. Böyle anlarda onun benim yalnızca sahibim olmadığını hissediyordum. Ya da kelimenin o güzel anlamında sahibimdi. Birlikte ne kadar çok şeyi paylaşmıştık. Onun uğruna ölümü bile göze almıştım. O benim bu yabancı ülkedeki tek yakınımdı...

Ama hayır, bu olamazdı. Aşkı, İtalyan çocukluğumun bana öğrettiği o güzelim, o müthiş fısıltıları ebediyen unutmalıydım. Vahşi bir el, tüm aşk umutlarımı acımasızca kökünden koparıp atmıştı benim.

İsmihan Sultan benim bedenimin sahibidir, diye kendi kendime tekrarladım. Ama yüreğimin, ruhumun değil. Çünkü o hâlâ taze olan acı, bunları birine veremeden öleceğimin simgesiydi.

İsmihan bana döndü. Yüzü, odanın ortasında duran ipek örtülü alçak masanın üzerindeki Çin vazosuna yerleştirilmiş lalelerin rengi gibi kızarmıştı. Sabahtan bu yana belki yirmi kez onları düzeltip durmuştu.

"İşte arabaların sesi..." diye bağırdı. "Oh, Abdullah! Onları kapıda karşılamadığını görünce kim bilir neler söylerler."

İsmihan Sultan, yaşlı vezire umduğumdan daha iyi bir eş olmuştu, hatta adamın yaptığı kocalıktan bile daha iyiydi onun karılığı. Ama sonuçta her ikisi de yaşamdan üzerlerine düşen görevleri yerine getirmekte, sahibesinin değerli yardımcısı ve biricik hadımı olan benden daha iyiydiler.

Kaderlerimiz için seçim yapma şansımız yoktu, seçimlerimizi başka alanlarda yapmayı öğrenmiştik.

Tüm İstanbul haremleri, İsmihan'ın Sokullu Paşa'dan hamile kaldığını biliyordu. Yeni kış odasının dekorunun böyle inceden inceye kontrol edilmesinin gerçek nedeni uzun zamandır beklenen bu ziyaretti. Ama babasının hareminin kadınlarının esas merak ettikleri, konaktan çok İsmihan'ın yeni durumunu nasıl değerlendirdiğiydi.

Kanuni Sultan Süleyman'ın, diğer bir deyişle Muhteşem Süleyman'ın torunu olmasına karşın, İsmihan Sultan bir oğlan bile doğursa bunun saltanatla doğrudan bir ilgisi olmayacaktı. Çünkü o, şarkıda söylendiği gibi "giysiden yana zengin, ilgiden yana yoksul" büyütülmüş bir kız çocuğuydu. Yine de asil Osmanlı kanıyla becerikli Vezir-i Âzam'ınkinin karışmasının ürünü olan birinin önümüzdeki yirmi-otuz yıl içinde, Allah'ın yardımıyla, iyi yetiştirilirse ve kader izin verirse nerelere tırmanabileceğini kimse tam olarak bilemezdi.

Saray kadınlarının geciken ilk âdet gününden itibaren bu tür hesaplar yapmaya başladıklarını biliyordum. Öte yandan, iyi bir gelecek vaat eden oğlan çocuk, erkek dünyasının kıyısında birdenbire yetişkin biri olarak beliriveriyor ve ona diğerleri tarafından rahatsızlık veren bir atsineği gibi davranılıyordu. Genellikle onu hesaba katmaları gerektiğini anlayana kadar da çok geç oluyordu.

İsmihan'ın hamilelikle daha da yuvarlaklaşan küçük yüzüne, kapkara gözlerine, minik çenesine, yanaklarındaki gamzelere, burnundaki ize sevgiyle baktım. Kadifelerle kaplı bu odada inciye benziyordu. Sedef ve fildişi işlerle bezenmiş zeytin ağacından kaplamaların ortasında lalelerin kızıllığıyla pembeleşmiş bir inci...

Telaşına güldüm. *Bunlar önemli şeyler değil.* Yüzüne düşen siyah lüleyi kaldırırken konuşmak istiyordum. *Merakları tatmin olup da evlerine gittiklerinde ben hâlâ burada olacağım. Sivri dilleriyle neler icat ederlerse etsinler, ben senin kölenim.*

"Abdullah" diye beni uyardı, elimi tombul eliyle kenara çekti. "Haydi!"

Onun isteği üzerine avluya indim ve ziyaretçi hadımların ipek perdeleri germelerine yardım etmeye başladım. Bu perdeler, çarşaf ve peçelere bürünmüş olsalar da kadınların arabadan inip bizim hareme girmeleri sırasında yanlışlıkla bahçıvanlara görünmelerini engellemek içindi.

Tüm bu örtülerin altından bile kadınları ayırdetmekte giderek ustalaşıyordum. Oysa bu ülkeye öldürülen amcamın ticaret gemisinin ikinci kaptanı olarak ilk kez geldiğimde kadınlar benim için görünmezdiler. Şimdi başka başka duyular geliştiriyordum, tıpkı kör bir adamın görünenden daha fazlasını algılayabilmesi gibi...

Bugün kokulardan iz sürüyordum. Selim'in haremi burnum için bir demet değişik çiçek gibiydi.

İlk duyduğum, hanımımın üvey annesi, Sultan Süleyman'ın tacının gelecekteki sahibi Selim'in büyük şehzadesinin anası Nur Banu'nun gizemli kara amber kokusuydu. İsmihan'ın henüz bekâr olan kardeşleri gül, sandal ve karanfil sürünmüşlerdi. Hizmetkârlar ise cıvıltılı bir menekşe, mimoza ve portakal çiçeği buketi gibiydi.

Ama birden, araba tarafındaki ucunu benim, harem kapısına doğru ucunu bir başka hadımın tuttuğu ipek koridorun içinden acayip biri geçti. Onu tanıyamamış-

tım, peçesini ve çarşafını her an dağılacakmış gibi taşıyan
bir kadındı. Yeni bir köle, diye aklımdan geçirdim. Çün-
kü, doğuştan Müslüman bir Türk kadını cinsiyetini sak-
lamakta böylesine beceriksiz olamazdı. Nur Banu'nun ti-
tiz eğitiminden geçecek yeni bir köle... Yine de Nur Ba-
nu'nun böyle yol iz bilmeyen birini nasıl kendisiyle dışa-
rı çıkardığına şaşmıştım.

Üstelik mimoza ve menekşe demetine benzeyen
hizmetkârlar saygıyla kenara çekilip ona yol vermişlerdi.
Kokusu da bir tuhaftı. Kış ortasında olgunlaşan ayvala-
rın kokusu... Bu sanki hilesiz, dobra bir yalınlığı açığa
vuruyor gibiydi. İlaçlar... İnsanların bildiği tüm ilaçlar
ve bir de yalnızca kadınların bildikleri. Onların acı tadı
ancak ayvanın kokusuyla maskelenebilirdi.

*Ya bu bir işgüzar, hanımımın haremindeki huzuru
yok edebilecek bir fitneyse?*

Kendi kendime, bunun benim gibi denizin bin türlü
vahşi macerasından geçmiş bir adam için gülünç bir kuş-
ku olduğunu, pireyi deve yaptığımı söyledim. Ama bana
bırakılan erkeklik, korsanların ve güverte adamlarının-
kiyle kıyas edilemezdi artık. Kafes arkasındaki bir kutsal-
lığı korumaktan başka bir işlevim kalmamıştı benim. Bu
yüzden de zihnimin bu çeşit saçmalıklar türetmesine en-
gel olamıyordum.

Belimdeki değerli taşlarla süslü merasim hançeriyle
sahibemi korumaya çalıştığım en önemli tehdit aslında
benim kaybetmiş olduğum şeydi, yani erkeklik, erkek-
ler... Çarşaflar içindeki bu garip kişi bir erkek olabilir
miydi? Ya da kadın kılığına girmiş, benim adını bileme-
diğim bir başka musibet?

Tekrar bu saçmalığı kafamdan uzaklaştırdım. Nur
Banu'nun arabasına aldığı biri rahatlıkla İsmihan Sul-
tan'ın haremine de girebilirdi mutlaka.

Bu giz kısa zamanda ortaya çıkacaktı, birazdan onun kim olduğunu öğrenecektim nasılsa. Birden kafilenin en arkasındaki arabadan burnuma ulaşan koku bana esas tehlikenin gelmekte olduğunu gösterdi. Yasemin... Güçlü, baskın, kışkırtıcı yasemin kokusu daha önceki her şeyi silip süpürerek genzime dolmuştu. Yasemin, yalnız ve yalnız Safiye'nin kokusu olabilirdi, ya da bir zamanların Sofia Baffo'sunun. Venedikli Madonna Sofia Baffo... Safiye benim hanımımın ağabeyi Şehzade Murad'ın gözdesiydi. Onu her peçeli gördüğümde yaptığım gibi kendimi toparladım ve sertleştim. Bakışlarını görmeyince nelerin peşinde olduğunu anlayamıyordum.

Safiye etrafına hiç bakmadan, her zamanki aldırmaz tavrı içinde kapıya doğru hızla ilerledi ve merdivenleri çıktı. Çok kısa bir an durdu, ayakkabılarını çıkarırken bana kırmızı şalvarının altından beyaz bileklerini şöyle bir göstermeyi ihmal etmedi. Belki de bana öyle gelmişti, kim bilir?

Ziyaretçi hadımları alt kattaki odama götürmek üzere geri döndüm. İpek perdeleri katlayıp arabalara yerleştirdik. Yelken toplayan gemicilere yardım edişim şöyle bir an geldi geçti gözlerimin önünden, yeni arkadaşlarım asla ve asla gemi direklerine tırmanamazdı. Tombul, bol yüzüklü parmaklarıyla tatlılara nasıl saldırdıkları bunun somut bir kanıtı gibiydi.

Nur Banu'nun hadımlarından ikisi, minderlere yayılırken göbeklerindeki kuşakları teklifsizce gevşettiler. Kenarı kürklü uzun, ağır, mavi giysileri ve beyaz kavuklarıyla ter içindeydiler. Odamın havası bu yağlı ter kokusuyla acılaşan kadınsı parfümlerle ağırlaşmıştı. Onlara şerbet ikram ettim.

Uzun gorilimsi kollar, pençemsi eller, çıkık göğüs kafesi gibi zenci hadımlarda sıkça rastlanan bedensel bozuklukları fazla kilolar kapatıyor gibiydi, ya da en azından bunlar şişmanlayınca dikkati çekmiyordu.

Dış dünyadan kendimi olabildiğince uzak tutmaya çalışmıştım, ama şimdi görüyordum ki bu aslında zamanla ilgili bir şeydi. Sıcak bir öğleden sonra hep birlikte minderlere yayılmaksa kaçınılmaz karşılaşmayı çabuklaştırıyordu. Bu nedenle onların yeyip içip yeterince rahatladığını görünce işlerimi bahane ederek izinlerini istedim. Merdivenlerden yukarı çıkarken tuhaf ince sesleri hâlâ kulağıma geliyordu ve bunlar bana geceleyin gemi güvertesinde çalan flüt nağmelerini anımsatıyordu. Yasemin kokusu, raflara dizilmiş kadın ayakkabılarının olduğu sahanlığı hâlâ terketmemişti.

Konukların oh ve ahları arasında ilk duyduğum hanımımın, "Ne yazık ki hava çok sıcak, mangalların marifetini göremeyeceğiz" diyen sesiydi. İsmihan zaten bütün bir sabahtır mızmızlanıp durmuştu. "Ama sen haklıydın Nur Banu Kadın, Abdullah'a tam da bunu söylüyordum."

"Neyi hayatım?" Kara amberin sorusu, gözlerinin keskinliğini saklayan burun kemerinin üzerindeki ince beyaz tülün arkasından hâlâ genizden gibi çıkıyordu.

"Yaz odalarını çoktan yapmalıydım. Burası çok sıcak ve rüzgârsız. Şimdi tek bir havuzu bile olmayan bu kadife kaplı odada yazı geçireceğiz."

İsmihan yeleğinin bir düğmesini daha çözdü, aslında karnı büyüdüğünden son üçünü hiç iliklemiyordu. Yaz onun için bebekle aynı anlama geliyordu. "Üşürken insanın aklına yaz gelmiyor ki..."

"Allah'ın izniyle her şey güzel olacak tatlım," dedi Nur Banu.

"İnşallah", diye ekledi İsmihan.

"Hava sıcak hanımım, haklısınız," dedim ben de. Bir yandan da henüz eğitemediğimiz hizmetkârları kadınların peçelerini almaları için itekliyordum. Onların sıkıntısını bir parça hafifletebilirdik böylelikle.

İsmihan'la bakışlarımız karşılaştı, hizmetkârların ap-tallığını kapatma çabamın farkındaydı ve gözleri minnetle ışıldıyordu. Telaş ve tedirginliğimin ne kadarı İsmihan, ne kadarı Safiye içindi bilemiyordum. Belki de daha çok Safiye içindi bu kaygı. Evimizle ilgili bir eksikliği fark etmemesi en büyük arzumdu.

Ama İsmihan'ın bakışları da bana sevgi taşıyıvermişti birden.

O sabah erken, ortalığı düzenleme telaşı içinde İsmihan beni pencere önünde erken gelen baharı seyrederken yakalamıştı. Bir hadımın tipik duruşu içinde ellerim omuzlarımdaydı. Koluma dokunup mırıldanmıştı, "Bir yıl oldu, değil mi?"

Söylememe gerek yoktu. Işığıyla, sıcaklığıyla, kuş sesleriyle ilkbaharın bana Türkler arasındaki ilk günlerimi hatırlattığını hissedebiliyordu. Bu güzelliğin ve canlılığın müthiş bir çelişkiyle bana Pera'nın karanlık odalarında çektiğim acıları ve ölüm arzusunu, ruhumu paramparça ederek bir kez daha yaşattığını anlayabiliyordu İsmihan. Koca bir yıl nasıl geçmişti... Sofia Baffo'nun entrikalarının, ya da benim toyluğumun ve salaklığımın peşinde ailemi, yurdumu, erkekliğimi her şeyimi yitirmiştim.

Hanımım, arkadaşlarının ve ailesinin baskılarına karşın çektiğim bu acının farkındaydı ve ona minnettardım. Biz böyle bakışırken Safiye'nin pis bakışlarıyla irkildim. Küçük hizmetkârımız onun gözlerini kapatan peçeyi, tiyatro perdelerini açarcasına geri çekerek kaldırmıştı. İğrenç bir cinayetin sergilendiği bir sahne oyununu başlatır gibi...

Bu yüz, kaderimin değiştiği, onu ilk gördüğüm andan beri hiç değişmemişti. Hatta işin doğrusu daha da güzelleşmişti. Tanıştığımız o manastır bahçesi, bir kadının serpilmesi için imparatorluk haremi kadar elverişli değildi galiba. Yine de güzellikleri için dört bir yandan hareme getirilmiş bu kadınların arasında Sofia Baffo bambaşka bir cazibeyle duruyordu.

O muhteşem altın saçlar ve badem gözler ilk karşılaşmamızda gökyüzünde bir yarımay gibiydi ve şimdi artık dolunaya dönüyorlardı. Bu soğuk, şeytanımsı ay her erkeğin aklını başından alırdı. Tıpkı bir vakitler benimkini aldığı gibi. Onun nefes kesici güzelliğiyle neler yapabileceğini çok iyi biliyordum, gözlerimi dehşetle başka bir yöne çevirdim. Hanımımla aramda geçen sessiz anlaşmanın farkında olmadığını anlamıştım.

Ama yine de gözümü ondan ayırmamaya yemin ettim, ne yapacağı hiç belli olmazdı. Ve ilk kez, beni hadım edenlerin, işlerini beni onun zehirli etkisinden koruyabilecek biçimde yapmış olmalarını diledim.

Yeni başlayan karşılıklı iltifatlar Nur Banu'nun sesiyle kesildi: "Ayva'yı hatırladın mı İsmihan?"

Emreden bakışlarla peçe ve çarşafını kölelerimize verdi. Hâlâ hoş bir kadındı. Bir zamanlar kuzgun siyahı olan saçlarındaki beyazlar artık kına kızılıyla boyalıydı ama o gözler, ilk günkü kadar çakmak çakmak parlaktı.

"Haremin ebesi, Kalfa Kadın'ımız mı?" diye sordu hanımım. Daha önce hiç görmediğim ilaç kokulu kadın, İsmihan'ın eteğini öpmek üzere saygıyla eğildi. "Evet efendimiz, saygılarımı kabul buyurunuz," dedi. İsmihan başıyla bu selamlamayı kabul etti. "Annemi benden kurtarmıştın değil mi?"

"Evet efendim öyle, bu benim için büyük bir şerefti."

Haremde pek az kadın kalfa kadar güçlüdür. Kadındaki garipliğin açıklaması da buydu. Onun haremde bulunuş nedeni güzelliği değil, zekâsı ve becerisiydi. Onu ilk gördüğümde hissettiklerim için utanmıştım, neyse ki aptallık edip saçma bir hareket yapmamıştım.

Lakabı nasıl da uygundu kadına. Hiçbir kadında böyle yumruya benzeyen bir vücut olamazdı. Ayva yüzeyini andıran teni sarıydı ve başına taktığı kenarı küçük altınlı zeytin yeşili yemeni bunu sanki daha da vurguluyordu, yüzü ince ince tüylerle kaplıydı ve tıpkı ayva gibi kokuyordu.

"Nur Banu Kadın bebeğin doğana kadar Ayva'nın seninle kalmasına karar verdi sevgili İsmihan."

Bu Safiye'ydi. Deminki konuşmadan sonra oluşan kasvetli ortamı yumuşatmak mı istiyordu acaba? Herkes kederlenmişti, çünkü hanımımın annesi doğum sırasında ölmüştü. Baffo'nun kızına bu tavrı nedeniyle minnet mi duymalıydım? Çok emin değildim. On beş yıl önce olan bir şeyi nereden bilebilirdi, ya da bilse bile buna aldırır mıydı sanki...

"Benim için mi?" İsmihan, Nur Banu'ya döndü.

"Bu Safiye'nin fikriydi."

"Ayva'nın marifetlerini kimse inkâr edemez," dedi Safiye.

"Neredeyse bir sihirbazdır o," diye onayladı Nur Banu.

Oda sıcaktı ama nedense ben ürpermiştim.

Nur Banu devam etti: "Ayva, şehzade ve sultanların doğumlarında bulunmayı hak eder."

Hanımım, "Ayva'nın bana yollanması, bir iki saatliğine bile olsa, hatta elimi tutmaktan başka bir şey bile yapmasa bir onurdur." dedi.

"Bu asıl onun için büyük onur. Bu, kocan Vezir'in oğlunun sünneti için bir adamı kirveliğe daveti kadar büyük bir onurdur."

"Evet, o senindir", dedi Nur Banu. "Evinde daimi

bir misafir olacak ve gece gündüz senin sağlıklı bir hamilelik geçirmen için elinden geleni yapacak."

"Bu gerçekten benim için büyük bir onur," diye cevap verdi İsmihan.

"Sultan'ın ilk torunu olarak bundan daha azını aklına bile getirmemeliydin."

Kadın burada Safiye'nin sürüp giden çocuksuzluğuna bir taş mı atmak istemişti? Safiye kendinden emin, aldırmazlık içinde açık camlardan birine döndü. Hanımımsa evsahibeliğinde bir kusur yapmamak için çırpınıp duruyordu.

"Çok teşekkürler," dedi. "Sana da teşekkürler Ayva. Abdullah, onun için hemen bir oda hazırlayabiliriz değil mi?"

Ben daha cevap veremeden Safiye lafa karıştı, "Ah benim sevgili İsmihan'ım, bir hadıma soru sorulmaz, ona emir verilir tatlım."

Bu ziyareti kazasız belasız atlatabileceğimi düşünürken Safiye'nin sözleriyle ümitsizliğe kapılıvermiştim birden. Ama rahatsızlığımı nasıl ifade edebilirdim ki?... Kafam birden karmakarışık olmuştu ve tek kelime konuşamayacak haldeydim.

"Abdullah bak göreceksin, Ayva benim odama bitişik olanda kalırsa daha rahat edecektir." Hanımım kusursuzca Baffo'nun kızından söz sırasını kapmıştı.

"Nasıl emrederseniz." Sanki hayatımda bu hareketi ilk kez yapıyormuş gibi sertçe eğildim ve umutsuzca devam ettim, "ama size hatırlatmalıyım ki, yaz odaları için çalışan ustalar tüm malzemelerini oraya depoladılar. Temizlenip düzenlenmesi tüm günü alabilir."

Safiye'nin bakışlarını okuyabiliyordum: *O halde ne duruyorsun, git ve hemen işine başla hadım.*

Ama konuşmadı, İsmihan'ı sevgiyle izler gibi yapıyordu. Hanımım, "tabii Abdullah, haklısın," dedi, "O halde Ayva benim odamda kalsın. Ne dersin kalfa?"

"Daha da iyi olur. Böylelikle, Allah korusun herhangi bir terslik olursa anında müdahale edebilirim."

"Ne kadar iyisin kalfa."

Hanımım konuşurken Ayva ve Safiye arasındaki kısa bakışmayı farkedememişti, aslında odadaki hiç kimse bunu farkedememişti. Evdeki bu yeni düzenlemeyi engellemek için bir şeyler yapmak istiyordum, ama elimden ne geleceğini bilmiyordum. Bu arada İsmihan, Safiye'nin çoktan koluna girip sohbete dalmıştı.

Safiye, "Eğer istersen İsmihan, Ayva sana kızın mı yoksa oğlun mu olacağını bugünden söyleyebilir," dedi.

"Bunu yapabilir mi?" İsmihan ebeye doğru heyecandan yanakları kızararak döndü. "Gerçekten bunu yapabilir misin?"

"Yeteneklerimden kuşkunuz mu vardır hanımım?"

"Hayır, hayır, tabii ki yok."

"Böyle tahminler bir ebe için işin en kolay kısmıdır, inanınız."

İsmihan benim onaylayan bakışlarımı farketmişti, elini şöyle bir salladı ve "Ama önce hepimiz oturalım. Lütfen. Hoşgeldiniz. Misafir, Tanrı'nın olduğu kadar evsahibinindir de..." dedi.

Kadınlar divanların üzerine bağdaş kurdular. Ellerini heyecanla ovuşturup duran hanımımsa artık bu şekilde oturamıyordu. Birden patlar gibi, "Allah izin verirse, sanatınla benim gebelik işaretlerimi okumanı istiyorum kalfa," dedi.

İsmihan'ın yüzündeki ifadeyi görünce ebe kadını kıskanmaktan kendimi alamadım.

# II

$\mathcal{S}$AFİYE, AYVA'NIN ONA UZATTIĞI safran sarısı ipek kesecikten bir tutam tuz alarak hanımımın siyah saçlarının üzerine serpiştirdi.

İsmihan yıkanacağı zamanların dışında başını nerdeyse hiç açmazdı, bu yüzden herkese böyle örtüsüz görünmekten mahçup, yüzü kıpkırmızı oturmuş, kafasından çıkardığı tüllü küçük başlığı parmakları arasında evirip çeviriyordu. Alnına düşmüş lüleleri sıcak ve sıkıntıdan ter içindeydi. Gelin olduğu gün bile böylesine zorlanmamıştı.

"İşte kıpırdanıyor," dedi Ayva.

"Yalnızca sinirinden," diye cevap verdi Safiye, kolunu dostça İsmihan'ın omzuna atmıştı. "Öyle değil mi hayatım?"

İsmihan konuşmadı, yalnızca biraz daha kızarmıştı yüzü.

"Kaşınmıyor," diye karar verdi Safiye.

"Kaşınıyor ama bir Sultan olduğu için kendini tutuyor," diye karşı çıktı Ayva.

"Tuz kafanı kaşındırmıyor, değil mi İsmihan?"

"Hayır, hayır, henüz değil," diye cevap verdi hanımım. İşe yarayacaksa bir kaşıntı yaratmaya hazır gibiydi.

"Gördün mü? Oysa pire ısırmış gibi kaşınmasını gerektiğini söylemiştin Ayva."

"Hayır kaşınmıyor, bu kötü mü?" Hanımımın sıkıntı ve sinirden sesi titremeye başlamıştı.

"Yeteri kadar zaman geçti," diye kalfa kadını uyardı Safiye. "Kaşınmıyor."

Ayva, "Evet, kaşınmıyor," deyip konuyu noktaladı. "Bir oğlu olacak."

Herkes bir ağızdan bağrışıyordu şimdi. "Bir oğlan! Maşallah! Bir oğlan!"

Mutlu bir şaşkınlık içindeydim, o sırada Safiye'nin badem gözleriyle sanki Ayva'yı göreve davet eden bakışlarını farkettim. Kadın omzunu silkti ve bana dönüp fısıltıyla bir makas ve bir de bıçak istedi.

Bunları getirip uzatırken, *keskin aletler,* diye düşündüm, *tehlikeli aletler.* Elim kendiliğinden kuşağımın kenarındaki hançere gitmişti.

Bu arada kadınlar İsmihan'ın saçlarını fırçalayıp, tuzu temizliyorlardı. Şapkası ve tülleri tekrar başına takıldı. Onlar bu işlerle meşgulken, Ayva kimselere göstermeden makası ve bıçağı değişik minderlerin altına saklamıştı. Hançerimin sapına daha bir sıkı yapışmıştım. Hanımımı korumak için eşkıyaya karşı mücadele etmiştim, bunu bir ebeye karşı yapmaktan geri duracak değildim elbette.

Safiye'nin, "sola oturuyor, sola oturuyor" diye bağırmasıyla kendime geldim.

Şaşkınlık içindeki İsmihan, oturduğu minderin altındaki sertliğin nedeni olan bıçağı bulup eline almıştı.

Ayva tekrar omuz silkti ve açıkladı. "Bir oğlan. Bıçağın üzerine oturdu. Bu oğlan çocuk demektir."

Zararsız bir eski âdetti bu da, Safiye'nin etrafımızda olması benim sinirlerimi gerçekten çok bozuyordu galiba.

"Maşallah, maşallah, bir oğlan ha?" Oda birden şenlenmişti, yalnızca Safiye'nin yüzünde üzüntüden değil de talihsizlikten kaynaklanırmış gibi görünen bir ifade vardı.

"Çok şükür," dedi İsmihan, " ama işin aslı, Ayva'nın burada kalacak olması beni yine de üzüyor."

Nur Banu şaşırmıştı, "Niye böyle konuşuyorsun İsmihan?" diye sordu.

"Çünkü onun burada olması, önümüzdeki aylarda bir başka asil bebeğin doğmayacağının da işareti." İsmihan, Baffo'nun kızının elini tuttu. "Sevgili Safiye, bana oğlumun birlikte oynayacağı bir yeğeni olacağının sözünü veremez misin?"

Safiye'nin hamile kalmakla ilgili bir umudu yoktu herhalde, omuzlarını silkti ve "eğer Allah isterse..." demekle yetindi.

Nur Banu'nun kölelerinden Azize hüzünlü bir sesle, hanımımın sabah söylediği şarkıyı mırıldanmaya başlamıştı:

*"Gökyüzünde aramayın beni*
*Ben haremde bir yıldızım*
*Aldanmayın kahkahama, şıkırtıma*
*Ah, ben yapayalnız, zavallı bir kızım*

Azize'nin sesi gerçekten güzeldi, kendisi de... Ama ne var ki bir zamanlar Safiye uğruna Şehzade tarafından reddedildiği için böyle hizmetkârlar sınıfında kalmıştı. Sanıyorum birlikte olduğu bu insanların ilgi ve beğenisini kazanabilmek için elinden gelen en iyi şeyi yapmaya çalışıyordu. Böylelikle bir yalnızlığa mahkûm olmadığını gösterecekti.

Safiye, amacına ulaştıktan, yani İsmihan'ın doğacak bebeğinin cinsiyeti hakkında bilgi aldıktan sonra odadan tamamen kopmuş gibiydi. Dalgın dalgın kaplamalardaki süslemelere bakıyordu. Daha önce düğün dernek dolaşmış tok bir misafir bile sunduğumuz harika tatlılara, tuzlulara hayır diyemezdi. Ama o bunlara elini sürmüyordu.

İsmihan üzerinin unlanmasına aldırmadan sık sık mutfağa gidip geliyor, kendi elleriyle birbirinden lezzetli

yiyeceklerle donanmış tabakları misafirlerine sunuyordu.
Neler yoktu ki bu tabaklarda. Kadın göbeği, hurma tatlı-
sı, vezir parmağı, dilber dudağı, lokumlar, çeşit çeşit re-
çeller... Ve tabii ki tepsi tepsi lokma. Bu tatlı Safiye'nin
en sevdiği tatlıydı ama bugün, lokma bile onun ilgisini
çekmiyordu.

Safiye'nin bu tavrından alındığım ve etkilendiğim
için kendime şaşmıştım. Ama öte yandan misafirleri mü-
kemmel bir şekilde ağırlayabilmek; onlara hem lezzetli,
hem de duvarlardaki sedef işlerinin güzelliğinde ikramda
bulunabilmek için az buz çalışmamıştım ve şimdi biri-
nin, bu Safiye bile olsa gösterdiği kayıtsızlık canımı sık-
mıştı. Aslında görevimi tam olarak yerine getirmiştim.
Ne garip geçen yıl böyle bir görev aklımın ucundan bile
geçemezdi. Üstelik bütün bunları, "Ne olacak, herhangi
bir kadın bunları kolaylıkla yapar," diyerek küçümser-
dim. Her kadın bunları bir ölçüde yapabilirdi tabii, ama
bir hadımı olmadan her şeyin üstesinden gelmesi de
mümkün olamazdı. Ve o hadım bendim, işimi iyi bir şe-
kilde yapmıştım. Bu ağırlamada payım büyüktü, yoksa
burada ne işim vardı, gidip aşağıda diğer hadımlarla bir-
likte ben de yan gelip yatardım.

Hanımımla birlikte, uyumlu bir biçimde çalışmayı
artık ikimiz de öğrenmiştik. Hesap kitaptan hiç mi hiç
anlamıyordu. O bir sultan torunu ve vezir karısıydı, aklı-
na gelen bir şeyi hemen istiyordu ve ben de bunu ger-
çekleştirmenin yollarını buluyordum. Onun zevk ve is-
teklerine uygun şeyleri almak için dünyanın en renkli, en
zengin pazarı olan İstanbul sokaklarına çıkıyordum. Zo-
runlu olduğum için değil, ama âdet olduğundan pazarlık
yaptığım da oluyordu. Zavallı amcamın daha önceki İs-
tanbul deneyimimde bana öğrettiği şeyleri hatırlıyor-
dum. Evet, pazarlık bu kentte çok önemliydi, en zengin

tüccarlar da, en yoksul ev kadınları da aynı usullerle bir malı daha ucuza almanın peşindeydiler.

İşte böyle uğraşların sonucunda görevimi başarıyla yerine getirmiştim.

Kendimle övünüyordum, konuk kadınlar beğenilerini yalnızca hanımıma yöneltseler bile gerçeği bilmenin huzuru içindeydim. Odanın üç tarafını kuşatan divanların parlak mor kadifeleri, yastıklar üzerindeki altın ve gümüş süslemeler, yerlere serilmiş pırıl pırıl İran halıları, bütün bunlar benim sayısız çarşı turlarımın sonucuydu. Bu arada ev içi çalışmalarımı da unutmamak gerekti. Hizmetkâr bölümlerinin kadın-erkek dünyalarına uygun düzenlenmesi doğrusu çok zamanımı almıştı. Hamileliği nedeniyle sık sık tuvalete giden hanımımın yorulmadan bu gereksiniminin sağlanması bile göründüğü kadar kolay bir iş değildi. Bir de Sokullu'nun yaşlı annesi vardı tabii. Bu hemen her şeye karşı sağır ve dilsizlik ölçüsünde ilgisiz kadın alıştığı ortamdaki değişiklikler söz konusu olduğunda yüz seksen derece değişip kıyameti koparıyordu. Her şeyin onu huzursuz etmeden yapılması gerekmişti. Eh bu da doğrusu az bir çaba değildi.

İsmihan'ın konuklarının evin iç dekorasyonuna ve mutfağa karşı beğenilerini dile getirmekten adeta kaçınmaları inanılmazdı. Mutfak deyip de geçmemek gerekti. Burada da en güzel sonuçların alınması için inanılmaz çalışmıştım oysa.

Kimse zeytinlerin, balın, nar ekşisinin kalitesine aldırmamıştı. Bu ani sıcak bastırıp da buzcular zora düşünce, atlılarla dağlardan nasıl kar getirtildiğini de kimse merak etmemişti. Adamlar nerdeyse 20 fersah ötedeki karlı tepelere gitmişlerdi soğuk şerbetler uğruna. Onlara ufak çapta bir servet ödendiği de tabii ki kimsenin umurunda değildi. Tek yaptıkları İsmihan'ın özenle hazırladığı içeceklerden hoşlarına gideni seçmekti. Gerçekten de çeşit çeşit içecek vardı ortada: gül suyu, limonata, vişne suyu, tarçınlı karanfilli şerbetler neler neler...

Hanımım titizlikle çalışmıştı bu konuda, tıpkı iddialı bir şarap üreticisi gibiydi. Aslında bu çeşit çeşit baharat ve esansla tatlandırılmış içecekler bana hâlâ ters geliyordu. Bunların yerine bir bardak sıradan şarap olsa, diye içimden geçirdiğim olmuyor değildi. Ama bunun olanaksızlığını biliyordum, İslam'a göre büyük bir günahtı şarap içmek ve kesinlikle yasaktı.

Sonunda çaresiz, İsmihan'ın hazırladığı bademli limonataya bir parça da ıhlamur katarak yetinmeyi öğrenmiştim. Şerbetlerin buz gibi ikram edilmeleri gerekiyordu, yoksa tadı olmuyordu.

Konukların iltifatlarından çok, ikramdan hoşnut olmaları İsmihan için daha önemliydi. Bu bir Türk düşünce biçimiydi, başkalarını memnun etmek... İşte ben de böyle bir ruh hali içindeydim şimdi.

Gerçek bir erkek olduğum günlerde böyle şeyleri değerlendiremezdim, yiyecek ve içeceklerin mükemmelliği ilgimi bile çekmezdi, ya da bunları zaten olması gerekenler olarak kabul eder ve manzaraya dalardım, tıpkı Safiye'nin şu an yaptığı gibi. Onun bu aldırmazlığı beni sinirlendiriyordu, kendimi aşağılanmış hissediyordum. Bunları bir kadın olarak bal gibi biliyordu ama aldırmıyordu.

Aldırmazlığı neredeyse İsmihan'ı hiçe sayan boyutlardaydı. Güç ve entrika dünyası, benim küçük ve tatlı, kendi varlığının dahi farkında olmayan hanımımı hiçe sayabilirdi. İsmihan yalnızca başkalarını memnun etmenin peşindeydi, özellikle de Safiye'yi. Onun güzelliği, canlılığı ve ilgisi İsmihan'ı da herkes gibi çok etkiliyordu. Aslında hanımım saflığıyla çantada keklik cinsindendi insanlar için. Baffo'nun kızı da böyle mi düşünüyordu acaba?

Yoksa Baffo'nun kızının canını sıkan bir başka kadının hamileliği miydi? Safiye'nin badem gözlerindeki ifade, onun, hanımımı kutlayıp sevindirmek yerine kendi yaşam çemberinin dışında tutacağının belirtisi gibi geliyordu bana.

"Ah, şehzadesini düşlüyor."

Nargilesini fokurdatan Ayva, Safiye'ye bakarak böyle dedi. Kadın kendi tütününü getirmişti nargile için ama onun kokusunu bu sıcak ve bin bir kokuyla dolu odada ayırdedemiyordum.

Pencerenin dantel perdesi şöyle bir havalandı. Gökyüzü masmaviydi, çamların üzerinden deniz, adalar ve uzaklardaki dağlar görünüyordu.

Safiye'nin bu manzarada Murad'ı görebilme şansı yoktu. Gördüğü, harem bahçesinde, insan dünyasındaki güç kavgalarına hiç mi hiç aldırmadan, sessizce açmakta olan yeni bir laleydi. Aklının Murad'da olduğundan emin değildim, belki de böyle düşünmemin nedeni benim aklımın Murad'da olmamasıydı.

Dışarda bir yerlerde çimen biçiliyordu, odaya bir anda taze ot kokusu doluvermişti. İlkbaharın bu güzel müjdeleri beni bir kez daha Safiye ile birlikte bu kente ilk geldiğimiz güne götürüvermişti. Lalelerle dolu bahçeden geçişini bana anlatışını hatırladım ve Sultan'ın haremini tarif edişini... "Canavarın Karnı"...

Ama Safiye bunları düşünecek kadar duygusal biri değildi, bunu biliyordum. Yalnızca İsmihan'ın hamileliği nedeniyle belki de Tanrı'ya ona da bir çocuk vermesi için gizlice dua ediyor olabilirdi.

Yine de bu konuyla ilgili bir şeyler söylememişti. Konuşan şaşırtıcı bir biçimde Nur Banu oldu.

"Allah Murad'ımı korusun. Ayva, hatırlıyor musun doğduğu geceyi?"

"Hiç unutur muyum?" Kadın gülümsedi, İsmihan'a dinlemesini işaret etti. Bir anne adayının öğrenmesi gereken şeylerdi söyleyecekleri.

"Emzirene kadar akla karayı seçmiştik, değil mi? Hepimiz ne çok uğraşmıştık emsin diye ve hep aksilik çıkarmıştı."

"Evet. Aslan yavrusu tam üç gün meme emmemişti..."

"Hayır, hayır dört gün."

"Evet, aşağı yukarı dört gündü."

"Meğerse karnının tam acıkması gerekiyormuş, kene gibi yapışmıştı memeye acıkınca."

"Allah'a şükür, ondan sonra bir sorun olmamıştı."

Kalfa Kadın düşünceli bir ses tonuyla devam etti, "Ben daima bir bebeğin doğduğu ilk günlerdeki olayları kutsal işaretler olarak değerlendiririm."

"Bunlar dikkate alınması gereken şeyler midir?" diye sordu İsmihan.

"Tabii ki," diye cevapladı kadın. "Ağabeyin, her konuda emme konusundaki gibi davranmıştır. Uzun yıllar onun bir konuda yoğunlaşmasını bekledik durduk. İşte en sonunda, geçen yıl mucize gerçekleşti. Şimdi her yerde o var. Divanda vezirlerle, din adamlarıyla konuşup tartışıyor, kendi parlak fikirlerini onlara kolaylıkla kabul ettiriyor, geç oldu ama iyi oldu en sonunda."

"Onu buna *o* zorluyor." Azize şarkısına son vermişti ve düşüncelerini söylemek için yerinden doğrulmuştu.

Safiye kendisine yöneltilmiş bu keskin cümleye aldırmadı bile. Nur Banu kızı susturmak için lafa girdi.

"Her şeyi kendini geliştirmek için yapıyor Şehzadem. Atalarının şanını yürütmek uğruna..."

Dumanların arasından Ayva, " Ya da aşk uğruna," diye mırıldandı.

Azize yaşlı kadının kendi söylediklerinden yana çıkmasından memnun olmuştu, bundan aldığı cesaretle sözlerine devam etti, " Sultan Süleyman'la birlikte alacakları kararlarda bile hep *onun* etkisiyle hareket ediyor."

Ayva bu sözlere, "Sultanımız torunundan kat be kat üstün bir adamdır ve Murad'ın onun gibi olabilmesi için daha çok zaman gerekir. Şehzadenin önerilerinin pek azını dikkate alır efendimiz," diye cevap verdi.

"Bayağı da alıyor," diye savunmaya geçti Nur Banu. "Torunuyla iftihar ediyor Sultanımız."

"Evet, belki de bu son isteğini ciddiye almak zorunda kalmıştır," dedi Kalfa Kadın alaycı bir tavırla. "Bir sivrisinek de seni ısırırsa onu ciddiye alırsın." Ayva haremde Nur Banu'yla bu şekilde konuşabilen tek kadındı. "Murad artık memeyi ısırdı, şimdi dadısının, önündeki sofradan kafasını kaldırıp ona bir şamar atması gerek, şehzadeliğini öğrenmesi için."

"Bu yaz onu ve Safiye'yi Kütahya'ya götürmesi için bir gemi istedi, bunda ne var?" diye savunmasını sürdürdü Nur Banu. "Gerçi bu yıl sen İsmihan'la birlikte İstanbul'da kalıyorsun ama, o yolculuğun ne zor olduğunu unutmuş olamazsın."

"Ne tehlikeli olduğunu, yolların eşkıya ile dolu olduğunu..." Azize bunları söylerken imalı imalı Safiye'ye bakıyordu.

"Ve bundan korunmak için yollar aranmasında kınanacak bir şey olmadığını da..." diye sözlerini noktaladı Nur Banu.

"Ama bütün ordu Avrupa'nın dinsizleriyle savaşırken ve kıyılarımızın güvenliği için her bir gemi büyük önem taşırken bir kadırga istemek olacak iş değildir," diye karşı çıkmaya devam etti Ayva. "Bunlara bir de Murad'ın hareminin direğinin bir Hıristiyan kızı olduğunu ekleyelim. Hem de Venedik Cumhuriyeti'nin en güçlü valilerinden birinin kızı, babası onu geri getireceklere büyük paralar vereceğini ilan etti. Hayır dadı, Süleyman, bütün kış onu emip durmuş Murad'ın şimdi de memesini ısırmasına izin verirse ancak ve ancak artık bunadığını düşünürüm ben."

Bu sözler üzerine Safiye odada bulunanlara döndü. Yüzündeki ifade, onun düşündüğümüz gibi dalıp gitmediğini, tam tersine ilgisizmiş gibi bir pozda tüm konuşmaları büyük bir dikkatle dinleyip üzerinde kafa yorduğunu gösterir gibiydi.

"O halde, Allah korusun ama, Sultan bunamış olmalı," dedi. Sözlerini bir simyacı titizliğiyle seçiyor ve söylüyordu, herkesin yüzünü reaksiyonları tam olarak kavrayabilmek için dikkatle inceliyordu. "Çünkü, efendim Şehzade Murad, bu sabah namazdan hemen sonra bana haber gönderdi. Perşembe öğleden sonra onunla limanda buluşacağız. Ona kadırganın sözü verilmiş ve yılın bu mevsiminde kıyı boyunca harika bir gezi yapacağız birlikte!"

Nur Banu sanki bu onun kendi zaferiymiş gibi keyiflenmişti, demin karşı çıkan diğerleriyse suratlarını asarak derin bir sessizliğe bürünmüşlerdi.

Yalnızca Ayva pes etmeden son sözlerini söyledi, "Eh, göreceğiz bakalım, haydi hayırlısı..."

Ve konuşmalar yavaş yavaş başka konulara kaydı.

Aslında Ayva'nın nargilesinin dumanından kehanetler türettiği söylenirdi, belki bu kez de yine aynı yöntemi denemişti ve yine yanılmıyordu...

## III

"*ꞆORUNUM AŞKI KENDİSİNİN Mİ* icat ettiğini sanıyor?"

Süleyman'ın muhteşem öfkesi haremin en derin köşelerine kadar yolunu bulmuştu. Sultan'ın, karısı Hürrem'e duyduğu aşk şiirlere konu olmuştu, şimdi aşkı yeniyetme bir delikanlıdan mı öğrenecekti?

"Allah izin verirse Murad da tahta geçmeden önce aklını başına toplayacaktır," diyerek sözlerini noktaladı Sultan.

Murad, perşembe öğleden sonra Safiye ile limanda buluştuğunda bir kadırga yerine kendilerini bekleyen eski bir mavna buldu. Hizmetkârlar ve eşyalarla birlikte buna binerek ancak Boğaz'ın karşı kıyısına geçebilirlerdi. Açıktı, onlar da diğerleri gibi Kütahya'ya aynı yoldan karadan gideceklerdi.

Bu hikâye dalga gibi yayılarak bizim kafeslerden içeri girdiğinde kendimi tutumayıp yüksek sesle güldüm. Sofia Baffo ile bir zamanlar bir gemi yolculuğu yapmıştım ve bunun pişmanlığını ömür boyu taşıyacaktım. Gülüşüm yine de hanımımı üzmüştü, üç gün boyunca bana sitem etti. Eve geldiklerinde Safiye'ye laf sokuşturduğumu söyleyip duruyordu.

"Sofia Baffo'nun haddini bilmesi gerekiyor, tek yaptığım kibarca ona bunu söylemekti," diye savundum kendimi.

"Ama senden ona karşı nazik olmanı istemiştim."

Gerilmiştim ve İsmihan bunu hissetti. "Ona karşı daima naziğim," dedim.

"Hayır değilsin."

"Onun hakettiğini veriyorum ben. Hatta onun bana gösterdiği nezaketten çok daha fazlasını gösteriyorum."

"Aldırmamaya çalış bunlara."

"Tıpkı onun bana aldırmadığı gibi mi?"

"İyi halleri de var."

"İyi halleri mi? Ayağının altında bir halıymışım gibi davranıyor." Sanki sözlerimin anlamını kuvvetlendirmek istercesine yerdeki halıyı iteklemeye başlamıştım. Safiye konusu daima sinirlerimi bozuyordu.

Hanımım divana oturmuş, bir yandan elindeki tavuskuşu tüyünü uzatarak yavru kediyle oynuyor, bir yandan da beni gözlüyordu. "Korkarım ki bir hadım, hayatı boyunca ihmal edilmenin acısını sıkça yaşar."

"Kötü hallerine ne demeli?"

"Siz ikiniz birbirinize çok garip davranıyorsunuz."

"O başlatıyor."

"Sana yalnızca ters bir bakışı yetiyor ve aklın başından gidiyor."

"O gözleri yüzünden."

" 'Zehire batırılmış bademler', bir zamanlar öyle dememiş miydin?"

"Ve o saçlar..."

"Tereyağı."

"Ona dokunan soğanlı ellerin bile kokusunu alan tereyağı..."

"Abdullah yalnız şunu biliyorsun ağabeyime çok sadık."

Hiçbir şey söylemeden homurdandım ve kendimi onun yanıbaşına divana attım. Hadımların sahibelerinin yanına gelip oturmalarının âdetten olmadığını biliyordum, ama bizim ilişkimiz tipik bir hadım-hanım ilişkisi değildi. Bana o garip 'Lülû' ismini koymaya kalktığı ilk günkü itirazımdan sonra her şey farklı olmuştu ve İsmihan bana bir daha asla ne emir vermiş, ne de şekillendirmeye kalkmıştı. Kendisi şekillenmeye çok daha alışıktı ve burada Sokullu'nun hareminde de beni eline alacak bir başka kadın yoktu.

Bu durum zaten başıma normalden daha geç geldiği için benimle uğraşmak, beni şekillendirmek güçtü. Dedikoducu bir hadım olmaktansa susmak daha iyi olacaktı, ayrıca onun temiz duygularını acı gerçeklerle allak bullak etmek istemiyordum. Safiye'nin sadakati konusunda sessiz kalmaya karar verdim.

Hanımım gülerek kedi yavrusunun tüyü alıp kaçmasına izin verdi. Bana döndü, yüzümü avuçlarına aldı, ona bakmak zorundaydım ama gözlerimi kapadım. Hissettiğim pürüzsüzlük yalnızca onun tenininki değildi, utanmıştım. Artık belliydi daha fazla sakalım olmayacaktı. Yüzümde daima bu hafif gölge olacaktı. Beni çok uzun bir zaman önce, Safiye'yle yani Sofia Baffo ile karşılaştığım o ilk gün mahçup eden, kömür isi gibi hafif gölge.

"Ah tatlı hanımım," dedim, gözlerim hâlâ kapalıydı, "hiç kimsede kötülük görmek istemiyorsunuz."

Elini çekmek istedi ama yakalayıp kısırlaştırılmış delikanlı yanağıma dayadım tekrar.

"Sanıyorum kavga etmekten zevk alıyorsun."

"Tuhaflıklarımıza bakıp, sanki biz boğuşan kedi yavrularıymışız gibi gülüyorsunuz, sanki bunları sizi eğlendirmek için yapıyormuşuz gibi mi geliyor?"

"Öyle değil misiniz?" Elini çekti, ben de engel olmadım. "Eğer ille de kavga edecekseniz, bunu İtalyanca yapmasanız olmaz mı? Daima bir şeyleri kaçırıyorum gibi geliyor bana."

"Bırakın size İtalyanca öğreteyim."

"Belki de bunu yapmalısın, evet. Bebekten sonra..."
Yeleğinden bir düğme daha çözdü. "İtalyanca öğrensem
bile yine de bir şeyleri kaçıracağımdan eminim."

Bakışlarımı odada gezdirdim, "Sizi temin ederim,
kaçırmıyorsunuz."

"Kıskanıyorum."

"Kıskanmayın," dedim. "Sofia Baffo hakkında kıs-
kanılacak bir şey yok."

"Venedik'te senin hakkından gelir miydi?"

"Asla."

"Sözlerini önceden hazırlasa bile mi?"

"Bunu yapıyor mu?"

"Sanırım."

"Asla," dedim emin bir şekilde. "O asla benim hak-
kımdan gelemez."

"Bu iyi."

"Yine de dilerim ki..."

"Ne dilersin?" İsmihan ısrar etti, yuvarlak küçük
çenesini omzuma dayamıştı. "Onu asla davet etmememi
mi? Dünyadaki en iyi arkadaşım Safiye'yi?"

"Hayır bunu dilemem."

"Onu davet etmemezlik yapamam." Hanımım yüzü-
nü kaldırdı ve camdan dışarı baktı. "Hatta senin hatırın
için bile sevgili Abdullah."

"Onun varlığının beni sinirlendirdiğini inkâr ede-
mem, yanında daima tetikte olmak zorunda hissediyo-
rum kendimi. Bunu yapmazsam hemen silahlarını kuşa-
nıp saldıracağından eminim."

"Ama artık senin tüm düşüncelerini etkileyemiyor
değil mi?"

"Sofia Baffo hiçbir zaman benim tüm düşüncelerimi
etkileyememiştir."

Sustum çünkü İsmihan düşünceli bir şekilde çevresine bakıyordu, kendi kendime konuşur gibi olmak gülünçtü.

"Sana kendini kötü hissettirmiyor değil mi?" diye tekrar sordu İsmihan.

"Bunun için Allah'a şükrediyorum. Az bir zafer değildir bu."

"Seni kötü düşünmeye tahammül edemem, hangi nedenle olursa olsun."

"Bunun için minnettarım hanımım."

"O halde lütfen, lütfen, Safiye'ye karşı elinden gelen en büyük nezaketi göster."

"Sizin hatırınız için deneyeceğim."

"Onun hatırı için, Abdullah. İçimde büyüyen bu çocuk bir yandan da beni üzüyor. Safiye aylardır ağabeyimle birlikte ve hamile kalmıyor, oysa ben Paşa'dan hemen hamile kaldım. Onun adına üzülüyorum."

"Şimdi ne olup bittiğini anlıyorum," diye güldüm.

"Başka ne olabilirdi ki?"

"Benim iyi yürekli küçük hanımım." Boynundaki eşarbın ucunu tutup çektim, bana dönen yüzünden anladım ki gerçekten Safiye'nin durumuna üzülüyordu. İsmihan bedenen ve ruhen sıradanlığa sığmayacak bir yücelikteydi.

Konuyu değiştirdim ve odayı ilk kez görüyormuş gibi dikkatle bakmaya başladım. Kaplamaların süslemeleriyle en küçük detayına kadar ben uğraşmıştım.

"Pirinç işleri tamamlanmamış da olsa, kızkardeşlerinize ve arkadaşlarınıza burayı göstererek gururlanmakta çok haklısınız," dedim. "Yaptıklarınızla kıvanç duyabilirsiniz."

"Yaptıklarımızla Abdullah. Sensiz bunları asla başaramazdım, biliyorum."

"En azından buraya ilk geldiğimizden bu yana pek çok şeyi değiştirip güzelleştirdik," diye onayladım onu.

"Oh, evet. O ilk geceyi hatırlıyor musun Abdullah? Bana, Sinan tarafından yapılmış bir saray demiştin..."

"Evet, doğru, öyle değil mi?"

"Ama daha duvarlar bile kurumamıştı. Hiç eşya yoktu. O rutubetli ve boş odalarda yere serdiğimiz halıların üzerinde uyumuştuk."

"Bir maceraydı."

"Sana rastladığımdan bu yana hep maceralar yaşıyorum."

Sıcak bir mangalın ateşinden kaçarcasına yüzümü ondan çevirdim. "Gelişmeyi sağladık."

"Ve şimdi Safiye yaz için gittiğine göre..." Bakışları yine dalgınlaşmıştı.

"Ailenizi ve arkadaşlarınızı özleyeceksiniz hanımım, değil mi?"

İsmihan yeleğinin bir düğmesini daha çözdü, sonra tekrar ilikledi. "Ama Ayva burada. Bebek, inşallah. Ve sen."

"İnşallah," diye tekrarladım, bunu söylememin nedeni, inancımdan çok, o bu sözü sıkça tekrarladığı içindi. "Eğer Allah izin verirse." Onun bu saf inanışına gülümsedim ama kızdıracak bir şey söylemedim, yalnızca içimden şunları geçirdim: Ben ölene kadar onun bu "inşallah"ı diyebilmesi için uğraşacaktım ve ne yazık ki bu kelime dileklerin yerine gelebilmesi için yeterli değildi, hele de benim dileğimin.

# IV

$\mathcal{A}$YVA DA KENDİ KONTROLÜ ve bilgisi dışındaki şeylere pek inanmıyordu. Bunu anlamıştım. Çünkü birkaç gün önce yeni kış odasındaki bazı dolaplara ilaçlarını yerleştirirken ona yardım etmiştim ve bu arada biraz sohbet de etmiştik.

"Hayır, hayır, yara lapaları için kullanılacak ilaçlar ağızdan alınacaklardan mutlaka ayrı bir yere konulmalıdır," demişti. "Onları daima farklı bir rafa koyarım, yoksa gece acilen yollayacağım bir yardımcı yanlış ilaç alıp gelebilir. Böyle bir şey olmasa bile en azından zaman kaybı olur."

Bunları söylerken Allah'ın adını ağzına almamıştı. Oysa ben nerdeyse böyle bir kaza olasılığı karşısında yalnızca Allah korusun değil, Allah yasaklasın demeyi bile içimden geçirmiştim. Ayva, kavanozları, kutuları, kaseleri büyük bir dikkat ve titizlikle yerine yerleştiriyordu, hiçbir şeyin yanlış yapılmadığından emin olmak istiyordu.

Ona yardım etmeyi bırakıp seyretmeye başlamıştım, bu güçlü maddelere karşı gösterdiği sade disiplinden etkilenmiştim. Paketlerden çıkardığı kavanozları yumuşak hareketlerle sallıyor, kokularını bir annenin yeni doğmuş bebeğini kokladığı gibi kokluyordu. Her birinin yerini gayet iyi biliyordu. En iyi hizmetin verilebilmesi için elinden geleni yapıyordu.

Ne çok ilaç olduğunu söylediğimde elini şöyle bir salladı ve, "bunlar yalnızca burada bana gerekebilecek olanlar," dedi, "buraya gelmeye karar verdiğimde tabii ki saraydaki işimden vazgeçmedim. Evet, haremin bir kısmı Nur Banu ile Kütahya'ya, bir kısmı Mihrimah'la Edirne'ye, bir kısmı da adalara gidiyor ama yine de geride kalanlar var. Bir de bahçemdeki şifalı otlarımı unutmamalısın, yaz sıcağında bol bol sulanmalılar, sonra da en iyi zamanlarında toplanmaları gerekir. Yeni kızlara çiçek aşısı yapmalıyım, yaşlı sadık hizmetkârların ağrılarını dindirmeliyim, bir de daha değişik hastalıkları olan hadımlar var tabii ki..."

"Benim gibi kesilmiş birini iyileştiremezsin değil mi?"

Allahım kendi sesimdeki acıdan nefret ediyordum.

Neyse ki bana cevap veren sesin keskinliği ve katılığıyla rahatlamıştım, konuyu eğip büküp uzatmıyordu Ayva. "Hayır, yapamam. Ve sen de hadım, asla ve asla sana bunu söyleyenlere inanma. İlerde durumun iyileşecek ve zengin olacaksın, o zaman sana bunu teklif edenler olacaktır. Tekrar ediyorum, bunlara asla kulak asma. Böyle şarlatanlara inanmış pek çok hadımı tedavi ettim ben. Bir yığın yanık olayı... Düşünebiliyor musun, dağlanmışlardı. Sonra zehirlenmeler, bıldırcın otu... Bıldırcın otuna aşk zehiri de denir. İnsanlar aşk lafını duyarlar ve gerisine sanki sağır kesilirler. Bu otun tek yaptığı nedir bilir misin? Ahmakları öldürmek. Umutsuzca, delice, hayaller içinde bağıra bağıra ölürler. Daha başkaları da var, canavar kemikleri, içten dıştan biber..." Listesi uzadıkça uzuyordu.

"Çinliler'in uğruna adam öldürdükleri o beş yapraklı bitkiyi de unutmamak gerek. Derler ki geceleri kıpkızıl parlarmış, gündüzleri topraktan yukarı fışkırırmış. Bahçemde birkaç tane var, hiç böyle bir şey görmedim. Şarlatanlar sana bunlardan söz edeceklerdir ve şunu söyleyebilirim yalnızca sağlığını ve paranı yitirmekle kalırsan şanslı sayılırsın. Eğer tümden kesilmemişsen, evet belki bir küçük kalıntı varsa, nadiren bir şeyler olabilir, belki...

Adamlar geride uğraşabilecek bir şey bıraktılarsa. Ama genellikle bu da bir işe yaramaz. Hayır, umutsuz bir tedavi için hayatını ziyan etme. Öyle bir şey yok."

Sanki bunları duymak bana iyi gelmişti, hayatsız bir hayat... İçimdeki o küçücük umut, beni yiyip bitiren duygu, "aşk zehiri"yle ölüvermişti.

Devam etti: "Ölümden kaçış yoktur. Hastaların acılarını hafifletmeye çalışırım ama asla onları kandırmam. Ben bir ölüyü ayağa kaldıramam. Senin yok olmuş parçalarını da yeniden yaratamam. Hiç kimse yapamaz bunu. Eğer bu yüzden acı çekiyorsan sana bir parça haşhaş verebilirim. Pek çok hadıma verdim daha önce. Ama şunu da unutma, seninki gibi gencecik bir hayatı esrarla tüketmemelisin. Hayatın en büyük kaybı insanın bacaklarının arasında saklı değildir. Bir kadın olarak ben de esrar çekebilirim. Yapanlar çok ama bana sorarsan bu daha büyük bir kayıp."

Ayva, "bu arada," diye devam etti, elinde bıçak ve makas vardı. "Sanırım bunlar sizin."

"Evet," dedim, onları alıp yerlerine götürdüm ama hemen geri döndüm ve sordum, "yani bir erkek mi?"

"Nereden bileyim?" Kadın şifalı otlarıyla arkadaşlığı bana tercih ediyordu galiba.

"Ama dediniz ki, hanımım bıçağın üstüne oturunca erkektir ve öyle yaptı."

"Kocakarı hikâyeleri... Hokus pokus..."

"Ama siz..."

"Evet ben yaptım, çünkü öyle demem isteniyor. Özellikle de Safiye öğrenmek istiyordu."

Bu sözlerin üzerine yüzüne daha dikkatle bakarak bir şeyler kapmaya çalıştım ama başaramadım. Bana aldırmadan devam etti: "Minder altında bıçaklar, makaslar, saça tuz ekmeler, bunlar şarlatan oyunları ama zararlı işler değil. İlerde senin karşına çıkacak cinsten değil bunlar."

Bana zaten yapacakları en büyük kötülüğü yaptılar, diye düşündüm ve dedim ki, "Ama böyle bir şey bir kadını olmayacak umutlara sürükleyebilir."

Bu sözlerim üzerine Ayva ilk kez sanki benimle göz göze gelmekten kaçınıyormuşçasına başını çevirdi. "Aslında böyle durumlar iki olasılık taşır. Ya da biri diğerinin tersidir. Aslında ben cinsiyetsizliği bilmeye çalışırım."

Kendi şakasına benim yerime de güldü ve devam etti: "Hanımındaki belirtiler hep erkek olacağı üstüne. İlk kez iki denemede de aynı şeyi söyledim. Bunun bir büyük nedeni de Safiye'nin gerçeği öğrenmek için beni zorlamasıdır. Her neyse ben aslında ikincide farklı bir şey söyler, kadını diğer olasılığa karşı da hazırlarım. Böylece anne sonuç ne olursa olsun memnun olacaktır."

Elindeki melek otu kavanozunu okşar gibi tutuyordu. Melek otu kadınların âdet dönemlerini düzenlemekte kullanılıyordu. Ayva konuşmasını sürdürdü, "Garip, nedenini bilemiyorum ama kendimi kadınlara daima daha yakın hissetmişimdir."

Kadınla bu konuşmadan sonra, onun evimizde olması konusunda bir endişem kalmamıştı. Eğer ülkemde kalmış olsaydım oradaki ebelere güvenerek yaşamımı sürdüremezdim. Ama bu yeni, değişik ve çelişkileri dürüstçe ortaya koyan kadın beni şaşırtmıştı. Ayva'nın duygusal sömürü yapmadan ve hatta acımasızca umutlarımı yok etmesi garip bir biçimde ona duyduğum güveni artırmıştı. Onun sert ve saçmalıktan uzak dünya görüşüne güvenmiştim. Artık hanımım ya da doğacak bebek için endişe duymam yersizdi.

Tehdit ondan değil Safiye'den gelebilirdi. Ve şimdi Baffo'nun kızı bizden fersah fersah uzakta olduğuna göre bu olasılık da söz konusu değildi.

❦

Bebeğin karnındaki ilk kımıltısıyla hanımım, kadınların kocalarında bulmayı hayal ettikleri cinsten bir aşk duymaya başlamıştı çocuğuna karşı. Bu gerçek olmayan bir âşığa duyulan, hayali bir sevgiydi. Ve bu duygu, âşığa acı değil sakin bir mutluluk veriyordu, aynı zamanda da büyük bir direnç. Kendini herkesten daha şanslı buluyordu ve diğerlerine acıyordu. Bu nedenle Safiye'nin gemi yolculuğu hikâyesinin tadını tam olarak çıkarmama İsmihan izin vermedi.

Öylesine büyük bir merhamet duygusu taşıyordu ki kimsenin incinmesine gönlü razı değildi.

Bu yeni ve yüce acıma, ne yazık uzun ömürlü olamadı.

Oğlu, doğduğunda sağlıklı bir çığlık atmış olmasına karşın bir saat içinde öldü.

Önce şu düşüncelerle teselli bulmaya çalıştım. *Zaman bunun hakkından gelir. O çok genç. Evladını kaybeden ilk anne değil. Zaman içinde tekrar hamile kalacaktır.*

Ama ne yazık ki zaman bir cehennemdeki gibi devam etti İsmihan için. Yeniden hamile kaldı, karnı büyüdü ve yine bir küçük oğlan kaybetti.

Doğum odaları hakkında hiçbir fikrim yoktu. Tek gördüğüm sessizce mezarlığa taşınan küçük, beyaz tabutlardan ibaretti. Ayva'nın sert bakışlarını görüyordum ve İsmihan'ın inlemelerini duyuyordum. Allah'a yürekten inanan ve sabırlı olan hanımım yine de bu acı tufanından yaralanmadan çıkamayacaktı.

Bu zaman içinde neredeyse oda oda dolaşıp loğusa kadınları ve bebekleri alıp giden cinlere inanır olmuştum. Kadınların fısıltılarla bundan söz ettiklerini duyuyordum. İsmihan ise bu cinin adını ağzına almamakla birlikte gözleriyle odanın karanlık köşelerini incelerken sanki korku içinde buna inanır gibiydi.

Ama Ayva'nın bakışlarında böyle bir şey yoktu. O, bana kendi hayatımın gerçeğini kabul ettirmişti ve ben de onun sözlerine inanıyordum. Safiye ise yaşadığımız bu acılı süreçte ortalarda yoktu.

Evet, o uzun sıcak yaz günleri... İstanbul'u sarıp sarmalayan o dumanlı tatlı sarılık... Tıpkı erkekliğimi kaybettiğim günlerdeki gibi... İşte yine böyle bir günde sahibem de oğlunu kaybetmişti. Ve böyle günlerde, genellikle insana ölümsüz bir kutsallık içinde gibi gelen İstanbul, ölümlü olduğunu her kaya dibinde beliren, gelip geçici acı yeşillerle gösteriyordu.

# Bölüm 2

# Safiye

# V

ÇARŞAF VE PEÇE İÇİNDEKİ SAFİYE, bacaklarını uzatarak bir parça rahatlamaya çalıştı. Bir ziyaretten dönüyorlardı. Bedenindeki tutukluğun yalnızca daracık bir arabada üç kadınla birlikte yaptığı kısacık yolculuktan kaynaklanmadığını biliyordu. İşte bir kış daha geçmişti. Saray bahçesindeki laleler parlak renkleriyle tekrar belirmişlerdi. İlk adımını attığı anda büyüklüğünü hissettiği o mermer harem canavarının içinde bir başka kış daha geçip gidivermişti. Henüz istediği kadar olmasa da yavaş yavaş onu daha çok tanımaya başlamıştı.

1564 yılıydı ve Safiye on altı yaşındaydı. İki yıldır Türkler'in arasındaydı, yaşamının en zorlu, en gayretli iki yılı olmuştu bu süre.

Her geçen gün özendiği gücün büyüklüğünü ve bunun ona sağlayacağı olanakların sınırsızlığını daha iyi kavrıyordu. Egemenlikle bütünleşen böylesi bir üstünlük yanında, Venedik'te kalmış olsaydı elde edebileceklerinin lafı bile edilemezdi. Ona tümden sahip olacağı günü tutkuyla bekliyordu, ama ne yazık ki zaman Safiye'ye çok ağır ilerliyormuş gibi geliyordu.

Yüksek konumlardaki kadınlara ziyaretler yapmanın, onları armağan ve iltifatlarla kendine bağlamanın önemini biliyordu. Bu konuda doğrusu bayağı ilerlemişti. Giderek saraydaki kadınlar arasında yeri sağlamlaşıyordu, onu ciddiye almayacak tek bir kişi bile yoktu. En sıradan sözleri bile dikkatle değerlendiriliyordu. Ama onun esas istediği bir an önce erkek dünyasında da aynı etkiye kavuşabilmekti.

Bunu nasıl yapabilirdi? Bacaklarındaki uyuşmalar bedeninin sıkıntısını dile getiriyordu, ama aklı henüz bu duruma bir çözüm getiremiyordu. Biri dikkatle ellerinizi kınayla süslerken uzun saatler boyunca kımıldamadan oturmak gibiydi bu. Türk kadınlarının pek çoğu belki de çocukluklarından bu yana kınayla haşır neşir olduklarından hareketsizlik içinde beklemekten şikâyetçiye benzemiyorlardı. Safiye'nin aklına hemen İsmihan geldi. Kız, yaşamı boyunca divanda bir köşe yastığı gibi durabilirdi.

Kuşkusuz Venedik'te de bu çeşit kadınlar vardı. Manastırdaki uzun ibadet saatlerini düşündü, nasıl da ağrırdı dizleri. Artık anayurdunu düşünmemesi gerektiği bir kez daha aklına geldi. Hayatının o sayfası kapanmıştı. Hareketsiz kalması söz konusu olduğunda nerede olduğunun bir anlamı yoktu zaten.

Onu bu hareketsizliğe mahkûm eden şeyin ne olduğunu biliyordu aslında. Bu, kesinlikle o ihtiyar adamdı. Sultan Süleyman tahta çıkalı kırk yıldan fazla olmuştu ve hâlâ ölmeye niyetli değildi.

Onun ölmesi isteği bir kez daha içinden geçti. İşte o zaman her şey değişecekti. Karmaşanın ardından en zeki ve güçlü olan, gücün yeni anahtarına kavuşacaktı.

Düşünceleri bir adım daha ileri gitti. Zehir, bir kadının bir erkeğe uygulayabileceği en kolay yöntemdi: Kolay, sessiz ve fiziki güç gerektirmeyen bir yöntem.

Ayva bunu sağlayabilirdi.

Safiye, Sultan'ın hangi yemekleri sevdiğini ve bu yemeklerin ona nasıl sunulduğunu gizliden takip edip öğrenmişti ve tabii ki bunların zehirli olup olmadıklarına bakan sadık çeşnicileri de...

Dilediği gibi atını oynatmasına engel olan bu peçelerden, çarşaflardan nefret ediyordu.

Süleyman'ın yediği her lokma Celadon porseleninden tabaklarda getiriliyordu önüne. Bu soluk yeşil sırlı tabakların ufacık bir zehirle bile temas edince siyaha dönüştükleri söyleniyordu. Safiye'nin aklı zehir işine yatıyordu ama bu garip, sihirli tabaklarla nasıl başa çıkılabileceği konusunda hiçbir fikri yoktu.

Nur Banu da bu değerli porselenleri kullanıyordu.

Büyük imparatorluğun her ferdi gibi Safiye de –kalın perde ve kafeslerin arkasından gizlice görebildiği– Sultan'ın ölümünden sonra neler olabileceğini çok net hayal edemiyordu. Süleyman gençlere taş çıkartan bir enerjiyle imparatorluğun engin sınırları arasında mekik dokuyordu. Bunların sayısını ve sırasını ezberde tutmak Safiye'nin zekâsını bile yoracak çokluktaydı. Bu yıl içinde önce kuzeyde, Viyana kapılarında savaşmıştı, daha sonra doğuda İran şahının hakkından gelmişti, ardından denizlerde güvenlik sağlanması için donanmaya gerekli direktifleri vermişti. Bir bakıyordunuz İspanya'yı dize getirmenin peşinde, bir bakıyordunuz Yemen ya da Etiyopya'da isyancıların izinde ya da Portekizliler'le İpek Yolu pazarlığında.

Bu muhteşem adam şöyle tanımlıyordu kendisini: Bağdat'ta Şehinşah, Bizans'ta Kayzer, Mısır'da Sultanım. Allah'ın üstünlüğü ve Muhammed'in mucizeleri bana yoldaştır.

Onu çok değişik durumlarda gözlemlemişti Safiye. Kalabalığın içinde yüzünü her zaman net olarak görmek mümkün olmuyordu, ama genellikle o büyük, insanın gözünü alan beyazlıktaki kavuk hemen farkediliyordu. Tepesindeki tüylerle adamın üçte biri kadar vardı. Bu kavuk için padişahın burnunun ucundan parmağının ucuna kadar olan uzunluğun on beş katı, özel olarak keten ipiyle birlikte dokunmuş has ipek kullanılıyordu. Bunun eşi ikinci bir kavuk da uzun bir sopanın ucunda, itibarlı bir ağa tarafından halkın tezahüratlarına uygun bir tempoda sallanarak taşınıyordu. Bunun amacı padişahı yakından göremeyenlerin hiç olmazsa kavuğunu görerek sevinmeleriydi.

Safiye onu yakından görebilme şansına sahip olmuştu. Keskin hatlı kanca burnunu, derin bakışlı gözlerini, kemikli yüzünü, aklaşmaya dönüşmüş sakalının saklayamadığı güçlü ağzını ve çenesini... Evet bütün bunlar davulların gümbürtüsüne karışınca kalbi hızla çarpmıştı Safiye'nin. Dedikoducular Sultan'ın hastalığını saklamak için yüzünün boyandığını söylemişlerdi ama Baffo'nun kızı bunun hiçbir belirtisini görememişti. Tam tersine güneşten yanmış cildi sağlıklı bir şekilde parıldıyordu.

Ve bu yüzü çevreleyen nasıl büyük bir debdebe vardı. Bütün atlar, eyerler, silahlar, her şey mücevherle kaplıydı, bu değerli taşlardan yerine iyi tutturulmamışların kalabalık ve curcunanın içinde kopup düşmesi sıkça rastlanan bir durumdu. Padişah alayının her Cuma geçişinden sonra bunları toplayabilen en az birkaç kişinin zengin olduğu söyleniyordu.

Ondan ihtiyar diye söz etmesine karşın Safiye içinden Süleyman'ın ne denli muhteşem bir erkek olduğunun bilincindeydi. Başarıları harem odalarından Hıristiyan âleminin meydanlarına kadar dalga dalga yayılan bir büyük güçtü o. Safiye her şeyin anahtarı olan bu müthiş insanın olduğu yerde kalmasının belki kendisi için daha iyi olacağını düşündü, en azından onu izleyerek gücü ve bunu kullanmayı öğrenebilirdi. Dünyanın gösterdiği saygıyı, hatta çok fazlasını hak ediyordu Süleyman. Ona şahsi olarak beğenisini söyleyebilmeyi ne kadar da isterdi. Sultan'ın gücünün kendisine geçmesi için her şeyi yapabilirdi Safiye.

"Keşke onun yatağı için satın alınsaydım." Bu Baffo'nun kızının kendisiyle çelişerek de olsa zaman zaman aklından geçen bir şeydi. "Torununun yerine onun olsaydım. Şimdi Sultan'ı yakından tanıma şansım yok."

"Bu doğru değil," diyordu Nur Banu her defasında kıza. "Onun zaten bir oğlu var, neredeyse senin baban olacak yaşta yetişmiş bir oğul. Ve bir de torunu var, senin efendin olan bir torunu. Sıranı bekle ve sana söylenenleri yerine getir."

En zor şey işte buydu: Beklemek. Ve özellikle Muhteşem Süleyman'ın ölümünü beklemek. Çocuklarından çoğu ondan önce gitmişlerdi bu dünyadan. Sultan üç oğlunu çoktan toprağa vermişti ve ona kalan tek şehzade, Osmanlı'nın veliahtı Selim de uzun yaşayacağa benzemiyordu.

Şehzade Selim babasına göre çok daha kolay fethedilebilecek bir kaleydi. Onu ilk gördüğünde Safiye tahtın varisinden de babası gibi etkilenmişti. Ama aradan geçen sürede adamın sağlığının ne kadar kötü olduğunu anlamıştı ve şimdi geleceğin padişahının saltanatının uzun sürmeyeceğini tahmin etmekte zorlanmıyordu. Onun Kanuni'nin öz oğlu olmadığına dair dedikodular bile vardı. Hürrem'in kendine bir gizli âşık bulduğu ve Selim'i ondan peydahladığı gizli gizli söyleniyordu. Baba oğulu kıyaslayınca bu inanması kolay bir iddiaydı.

Ama Hürrem'in de kocası gibi güçlü ve akıllı bir kadın olduğu düşünülünce, kendisini aşağılayacak bir ilişkiye evet demiş olması hiç de inandırıcı değildi. Aslında her ailede güçlüler ve güçsüzler olabilirdi, burada da siyasal bir güç kavgasının yarattığı rekabette güçlüler birbirini yok etmiş, meydan da böylelikle zavallı Selim'e kalmıştı.

Selim için zehiri düşünmek gereksizdi, o zaten kendisini zehirleyip duruyordu. Öyle ki, Müslümanlar için şarap içmenin kesinlikle yasak olmasına karşın Selim'in lakabı "sarhoş" olarak yayılmıştı. Sultan oğluna defalarca o kırmızı musibetten uzak durması için mektuplar yazmıştı. Ama sonuç yine de değişmemişti. Safiye, herkesin neredeyse anasından doğar doğmaz şarap içtiği İtalya'da bile böylesine ayyaş birini görmemişti. Belki içkinin cazibesi dini yasakla birleşince bu durum ortaya çıktı, diye düşünüyordu Safiye. Gergin saltanat kavgaları da onu bu rahatlama yolunu seçmeye itmiş olabilirdi.

Selim'in durumu da böyle olduğuna göre yine en iyisi onun oğlunun gözdesi olmaktı. Baffo'nun kızı bu düşüncelerle çarşafına daha bir sıkı sarıldı. Murad'a yalnızca yatakta değil beyinsel olarak da sahip olabilmeyi başarmıştı. Onu esrar dumanından uzaklaştırmış, aklını başına toplamasını sağlayarak Divan'a kadar tırmandırmıştı. Oysa Safiye'nin sunulduğu ilk gün genç adamın uyuşturucudan gözünü açacak hali yoktu.

Süleyman bile torunundaki bu büyük değişikliği memnuniyetle izliyordu. Sultan'ın torununa yazdığı ve Murad'ın Safiye'yle paylaştığı mektuplar övgülerle doluydu. Selim gerçek bir güçsüzlük, zaaf sembolüydü. Safiye'nin güce giden yolda kullanması gereken araç yalnız ve yalnız Şehzade Murad'dı.

Tabii ki bir gün kendi oğlu da gücünün bir aracı olacaktı. Ama şu anda o kadar ileriye dönük planlar yapmasına gerek yoktu. Çocuklar aracılığıyla güç kavgasına girmek, kendine güveni olmayan beceriksizlerin yöntemiydi Safiye'ye göre. Üstelik hamilelikle insan çirkinleşip iyice kenara itilebilirdi, şimdilik bunu istemiyordu. Ayva'nın hazırladığı ilaçlarla böyle bir hamilelikten korunabiliyordu.

Kıyı boyunca yapılacak deniz yolculuğu Sultan tarafından reddedilmişti. Bunun nedeni Murad'dı. Onun arzularını genellikle yönlendiren aşk oluyordu. Safiye'yi memnun etmek uğruna aceleci ve saçma davranmıştı. Sonunda da geri çevrilmişti isteği. Murad tam olarak Safiye'yi neyin daha memnun edebileceğini anlayamıyordu. Kız için önemli olan Şehzade'nin şehvetli aşkından çok, onun Sultan'ın güvenini ve sevgisini tam olarak kazanmasıydı.

Safiye'nin aklına onları Boğaz'ın karşı tarafına götüren berbat tekne gelince, o anı tekrar yaşarmışçasına yanakları utançla kızardı. Onu meraklı gözlerden saklayan çarşafı olduğu için neredeyse sevinmişti. Artık bir şeyi kesin olarak biliyordu: Âşığının yularını sıkı tutmak zorundaydı. O rezaletten sonra Şehzade'yi aklı başında, ölçülü davranmaya zorlaması işe yaramıştı. Murad, ihtiyarın gözüne tekrar girmişti, hatta eskisinden bile daha iyi bir durumdaydı belki de.

Utancını zihninden uzaklaştırıp tekrar kendine sordu: Bu ortam Murad için en yararlı hale nasıl getirilebilir? Tabii kendi için de... Genç bir adamın enerjisi sürekli olarak doğru yönlendirilmezse, hedefleri cazip hale getirilmezse o adam kısa zamanda içe dönük, problemli, tembel ve hatta kendini yok eden biri haline gelebilirdi.

Bu genç bir kadın için de geçerliydi. Bu özel genç kadın Safiye olsa bile... Çarşafına tekrar sıkıca sarıldı.

"Neden sana bir hadım almama izin vermiyorsun aşkım?" Safiye bunları ima ettiğinde genç Şehzade'nin sık sık söylediği bir cümleydi bu. "Sana para vereyim, git kendine bir hadım satın al, paranın alabileceği en iyisini. O zaman anneme ve hadımlarına bağlı kalmaktan kurtulursun. Gittiğin yerler, aldığın şeyler onların bakışlarından saklanır. Daha özgürleşebilirsin."

"Özgürleşme" –istediği bu olmasına karşın– ona saçma geliyordu. Özgürleşmek istiyordu ama bu haremin dışına çıkmak gibi basit bir özgürleşme değildi, daha ileri, daha derin bir özgürleşmenin peşindeydi Safiye, her şeyin yüreğinde olmanın peşinde...Yine de Murad'a hak vermeliydi, "İyi olur, eğer doğru hadımı bulabilirsem..."

Şehzade, "Eğer bakarsan bulabilirsin" gibilerden bir şeyler söyleyecekti herhalde. Ama o arada burnunu Safiye'nin boynuna yummuş olduğu için ne söylediklerini ne de bu konuda aklından geçenleri tam olarak anlayabilmek mümkündü. "Sen tanıdığım en zeki kadınsın."

Safiye adamın başını biraz itebilirdi ve o arada lafı dokundurabilirdi, "Kardeşin İsmihan'ın hadımı var ya, şu Venedikli Veniero."

"Kim, Abdullah mı?" Belki böyle söylerdi, belki de dişleriyle Safiye'nin düğmelerini çözmeye başlardı.

"Onda biraz zekâ var." *Hatta bildikleriyle tehlikeli bile olabilir.* Bu bölümü kendine saklamalıydı. *Sana hakkımda söyleyebileceği şeyler...* "Aşkım." Burasını yüksek sesle söylemeliydi, Murad'ın onun göğüslerini bulduğunda çıkaracağı arzulu iniltilere uygun bir tonda.

Herkes Veniero'yu köle pazarının ve tacirlerinin bir hatası gibi görüyordu. Gençliği, deneyimsizliği ve aksi kişiliği nedeniyle İsmihan'a acıyorlardı. Ama Safiye'nin görmüş olduklarının yanında – *ve, benim sevgili Şehzadem. Baktım* – Abdullah gelecek vaat ediyordu.

Dikkatli olmalıydı: Murad şimdi tam üzerinde olurdu herhalde, onun her inip kalkması aklına daha yaratıcı bir kelime getirmeliydi: *kaz sürüsüne benzeyen mızmız, cırtlak sesli, dedikoducu yarım erkekler. Manastırdaki acemi rahibelerden bile beterler.* Tabii ki hadımları kastedecekti.

Kalçalarını acemice çalkalardı Murad mutlaka ve canını acıtırdı. O an tatmin olmaktan başka hiçbir şey düşünemezdi.

Sonra yanına yığılıp kalırdı ve o da başını okşamaya başlardı ve konuşmaya, "Oralarıyla birlikte akıllarının da birazı gidiyor olmalı, sevgili Şehzadem, akıllı efendim benim."

Ama içinden, *aslında orası tüm erkeklerin akıllarının saklandığı yer, tek darbeyle ikisi birden gider* diye geçirirdi mutlaka.

İsmihan'ın kocadan yana da şansı büyüktü. Vezir, Murad'ın aksine meslek yaşamının en tepe noktasındaydı. Sokullu Paşa bir yığın önemli devlet toplantısını İsmihan'ın o küçük, masum burnunun ucunda yapıyordu. Onu sık sık ziyaret etmesinin en önemli gerekçelerinden biri de buydu zaten ve bunu asla ihmal etmemeliydi.

Neyse ki İsmihan'a göre her şey Allah'ın isteğiyle sınırlıydı. Aslında ne önemli bir konumdaydı Kanuni'nin torunu, ama bunun farkında bile değildi, yoksa Safiye, birkaç ziyaret ve Ayva'yla asla onun hakkından gelemezdi.

Safiye, İsmihan'a hadımı için bir servet önermişti. Murad'a daha fazlasını da verdirebilirdi aslında. İsmihan ise yalnızca gülmüş ve onu satmayı reddetmişti. "Dünyadaki hiçbir şey karşılığında onu satmam." Safiye bu cevabın içinde bizzat hadımın kendisinin olduğunu öğrense hiç şaşırmazdı. Tek başına kalsa İsmihan insanı memnun etmek için elinden gelen her şeyi yapardı. Her şeyi...

Öte yandan Veniero zeki olmasına karşın uyum göstermeyebilirdi. İsyankâr bir yapısı vardı, yalnızca İsmihan'a karşı yumuşak başlı davranıyordu.

Hayır, diye karar verdi Safiye, yeni birini aramaya devam etmeliydi. Zeki ve ona sonsuz bir sadakatle bağlanacak bir hadım bulmalıydı. Cesaret de önemliydi, gerektiğinde uğruna ölümü bile göze alabilmeliydi. Bunları söylemek bulmaktan daha kolaydı. Görünen oydu ki, erkekler ve hatta kadınlar üzerinde kolayca büyük bir etki uyandıran güzelliği cinsiyetsizlerde aynı etkiyi yapmayabiliyordu.

Bu düşünceler içinde Safiye kadife kaplı bir kutuya benzeyen tahtırevanından inip diğer bir kutuya geçti, harem geçidiydi burası.

Uzun geçit boyunca bir kadın çarşafının içinde kalmalıydı. Safiye kör gibiydi. Ama bu pürüzlü taş zeminleri, aşınmış eşikleri, avlunun ışığından sonra insana karanlık gelen bu penceresiz dar koridorları yine de iyi biliyordu. Yıllardır hadımlar arasında el değiştirmiş, çok kullanılmaktan yıpranmıştı geçit.

Sultan'ın Divan'ı topladığını haber veren zil ve davul sesleri yankılanıyordu "mermer canavar"ın boğazında. Sık sık olduğu gibi hadımlar avlusunda biri cezalandırılıyordu, kamçının ritmik sesi kulaklarına kadar geliyordu.

Safiye bunların arasında bir şeyin eksik olduğunu fark etti, bu kamçılananın inlemeleriydi. Adamdan hiç ses çıkmıyordu.

Birden kendisine yol gösteren ellere aldırmadan ters yöne, sola döndü. Hadımlar avlusunun kenarında gözlerini ışığa alıştırmaya çalışarak etrafına baktı. Kafasında yeni bir planın gölgeleri çoktan dolaşmaya başlamıştı.

# VI

$\mathcal{A}$VLUDA ALTI BÜYÜK SÜTUN VARDI. Üzerlerindeki kabartmalar kimin elinden çıktıklarının göstergesiydi: Büyük usta Sinan'a aitti bu görkemli taşlar. Güneye bakan yatak odalarının önünde soğuk ve yağmurdan korunmak için yapılmış, bunlara hiç uymayan kaba bir ahşap gölgelik bulunuyordu. Ve bu gölgeliğin altında Safiye, insandan çok öküze benzeyen iki siyah hadımın sırayla birini kamçıladıklarını gördü.

Diğer hadımlar, Safiye'yi odasına götürmekle görevli olan ak hadımlar, onların bu yaptıklarını garip bir zevkle seyretmeye başlamışlardı. Şeker külahına benzeyen yüksek kavukları, tarçın kırmızısı ve menekşe moru giysileri ve ağır tatlımsı kokularıyla güneşte erimeye bırakılmış şekerlemelere benziyorlardı. Çarşaflara sarınmış diğerlerinin karanlık koridorlarda yollarını nasıl buldukları çok umurlarında değil gibiydi ve Safiye'nin oturup bu vahşeti izlemesine hiç mi hiç itiraz etmemişlerdi.

Ayakları yukarı kaldırılıp, iki tahta arasına sıkıştırıldığı için cezalandırılanın yüzünü göremiyordu Safiye, ama adam kendilerinden biriydi. Siyah hadımlar adamın tabanlarını kamçılayıp duruyorlardı.

Aslında bu yöntem daha çok odalıklara uygulanırdı. Böyle bir cezalandırmadan sonra bir ay boyunca yürüyemedikleri olurdu ama, böylelikle güzelliklerine görünür bir zarar verilmezdi. Bir kadın için on kırbaç yeterliydi, en azgınlar için bile, on beş caydırıcı olurdu.

Safiye orada durup saymaktan vazgeçene kadar en az yirmi kırbaç yemişti adam. Kurban siyah değildi. Esmerce bir beyazdı bu, aslana benziyordu. Tabanları dövülmekten yer yer açılmış ve pembe etleri açığa çıkmıştı. Öküze benzeyen iki adamın ayaklarının dibinde çoktan bir küçük kan gölü oluşmuştu. Ama o hâlâ "gık" dememişti. Bedenini bağlayan ipler bile sanki daha şikâyetçiydiler bu durumdan.

"Gel buraya güzelim." Nur Banu, Safiye'nin dirseğinin dibindeydi, yumuşacık bir sesle konuşuyordu. "Bunları görmen gerekmiyor. Seni sarsabilir seyrettiklerin ve oğlumla geçireceğin gecen rezil olur."

Bu, Nur Banu'nun, oğlunun gözdesine aylardır göstermediği bir tavırdı. İki kadın arasında yeterince derinleşmiş bir rekabet ve kıskançlık kuyusu vardı. Safiye, Murad'ın annesinin onu bir rakip olarak gördüğünü biliyordu. Öte yandan içinden bir ses ona, açılan bu kollara cevap vermesinin iyi olacağını söylüyordu. Uzun süredir böyle bir ortamın oluşmasını beklemişti. Her adımını titizce izleyebilen, haremin bu en önemli kadınıyla didişip durmak çok da hayırlı bir iş değildi.

Ama gördükleri kafasındaki tüm iyi niyet planlarını bir kenara atıvermişti. "Kim bu adam?" diye sordu.

O sırada koluna asılan Nur Banu'ya karşı, adamın kırbaçlara gösterdiğinden daha fazla bir tepki vermiyordu. "Sümbül. Onu hatırlamıyor musun? Mihrimah Sultan'ın hadımı. Evet, efendimizin kızı insanları yola getirmekte oldukça beceriksiz, gördüğün gibi."

Safiye, şimdi adamı hatırlamıştı. Tabii ki adamın kaslı vücudunu, kıvırcık kahverengi saçlarını bilmiyordu. Bütün bunlar daima kürklü giysilerin, uzun kavukların altında gözlerden saklanmıştı.

Ya o isim! Sümbül... Böyle bir erkeğe verilecek isim miydi bu... Ne büyük çelişki...

"Ama neyle suçlanıyor? Mihrimah'ın bakirelerini mi bozmuş?"

"Onu Selim'in son gözdesiyle yakalamışlar." Konu, Nur Banu'nun sesini aksileştirmişti.

"Bakireler dediğimde şaka yapıyordum ama öyle görünüyor ki hadım yalnızca bunu yapabilecek güçte değil aynı zamanda da bu işi yapmaya can atıyor." "Selim'in odalığıyla değil." Nur Banu güçlükle cümlesini tamamladı, "Oğlanıyla basılmış."

Safiye şaşkınlığını göstermemesi gerektiğini artık öğrenmişti. Şaşkınlık zayıflığın en belirgin işaretiydi.

"Bu rezil ilişkinin efendimizin hoşuna gideceğini sanmıyorum," dedi. Kadına acıyarak baktı. Erkeğini içkiden koparamamak, onu oğlanlarla paylaşmak... Hem ayyaş hem de kulampara bir veliaht. Ya da... Evet, belki de bu konuda hiç konuşmamak daha iyiydi, sustu.

Nur Banu, Safiye'nin sözlerindeki iğnelemeyi hemen hemen farketmişti, ona bir çömlekçinin beğenmediği ve az sonra yere çalacağı bir vazoya baktığı gibi baktı. Yine de kendine hâkim oldu ve kız yutkunmak zorunda kaldı.

Oturup sersemce etrafı seyretmektense sırasının gelmesini beklemenin hiçbir sakıncası yoktu. Haremin baş kadınıyla olan ilişkisi öyle bir noktaya gelmişti ki, artık Nur Banu oğlunun Safiye'ye olan düşkünlüğünü kabul etmek durumundaydı. Zaten ondan başka kontrol edebileceği bir erkek yoktu. İşte bu sefih ilişki her şeyi bir kez daha ortaya çıkarmıştı. Nur Banu oğlunun gözdesiyle didişmesini oyunun kuralları içinde yapmak zorundaydı. Murad'ın gazabına uğramayı asla göze alamazdı. Yine de sınırları zorlamamak gerek, diye düşündü Safiye.

Bunlara karşın konuşmaktan kendini alamamıştı: "Bence bu adam masum."

Kelimelerin üzerine basa basa, dikkatle söylemişti bu sözleri.

"O da öyle diyor," diye cevap verdi Nur Banu, öfkesine hâkim olmaya çalışıyordu, " ama hepsi de aynı şeyi söylerler."

"Ona inanıyorum." Safiye konuyu deşmeye devam ediyordu.

"Efendimizin şiddetinden korkan oğlanı avutmak için yatağına aldığını söylüyor."

Bir an için Safiye avunmak üzere adamın yatağına kendisinin gittiğini düşündü. Böyle bir şeyi itiraf edemeyecek olsa da o koruyucu, güçlü kolların güvenliğinde olmak aklından gelip geçivermişti.

Nur Banu devam etti: "Sümbül, oğlanın onun omzunda ağladığını söylüyor. Ama demin dediğim gibi, hepsi de böyle der..."

"Allah için, ona inanıyorum."

Falakadaki hadım birden başını yukarı kaldırdı ve Safiye onun yeşil gözlerindeki pırıltıyı gördü. Ve hafifçe peçesini kenara çekti. Adam onu tekrar gördüğünde tanımalıydı. Çektiği acının onu bakar kör yapmamış olması için içinden dua etti.

"Gel Safiye," dedi Nur Banu. "Daha fazla onunla uğraşmayacaklardır. Burada işi biter bitmez Yedikule'ye yollarlar onu."

"Yedikule..."

Safiye korkudan mı soğuktan mı olduğunu bilmeden ürperdi.

Oraya hiç gitmemişti. Orayı görmemişti bile. Hıristiyanlardan kalma bir eski yapı olduğunu tabii ki biliyordu, orada karadaki surlar denizdekilerle buluşuyordu. Dünyanın bir ucu gibi o yerde, mahkûmlar tutuluyordu. Ve buradaki falakayla kıyaslanamayacak işkenceler yapılıyordu Yedikule'de. Oradaki acı dolu çığlıkları yalnızca işkenceciler duyabilirdi, bir de deniz...

Deniz, sadece bu sesleri değil seslerin sahibi olan,

işkencelere dayanamayanların cesetlerini de kucaklıyordu. Yaşayabilenlerin çoğu da zincirlenmiş olarak getirildikleri Cellat Çeşmesi'nde halkın gözü önünde, ibret olsun diye idam ediliyordu zaten.

"Evet, onu Yedikule'ye götürmeliler," dedi Safiye, Nur Banu'yla birlikte yürümeye başladı, "bu falaka onun için çocuk oyuncağı."

Ama bu sözleri avludan çıktıktan sonra söylemeye özen göstermişti.

## VII

*BİR AYNANIN YARDIMIYLA* dünyadan uzaklaşabiliyordu Baffo'nun kızı. Tıpkı haremin kafeslerinin dış dünyaya kapanması gibi o da bu şekilde zihnini her türlü olaya kapatabiliyordu. Bir an için Ayva'nın kenarı altın paracıklarla süslü zeytin yeşili yemenisi aynada görünür gibi oldu, ama Safiye onu çevirerek açısını ayarladı ve tekrar kendi yüzünü seyre daldı. Aynanın süslü altın çerçevesi onun yüzünün yansımasını mükemmel bir şekilde çerçeveliyordu şimdi.

Safiye, Şehzade'nin ona yeni armağanı olan kulağındaki küçük kuş yumurtaları biçimindeki zümrüt küpeleri ve boynunda onlarla takım gerdanlığı memnunlukla seyretti.

Ama esas onu mutlu eden kendisiydi. Evet o da saltanat havuzuna atılan bir taştı, ama yarattığı dalgalar içten dışa değil, dıştan içe doğru geliyordu. Bu düşünceyle, kendini ziyan etmek üzerinde yoğunlaştı tekrar. Kendini savurtup ziyan olmak, burada, haremde çok sık rastlanan bir durumdu, nice güzel kadınlar görmüştü böyle yok olup giden. Haremin zenginliklerinde yozlaşıp yok olmuş nice kadınlar... Belki de zaten onlardan umulan da buydu.

*Bunun için buradayız,* diye mırıldandı Safiye. *Neredeyse Murad beni çağırır, eğer Sultan onu daha fazla oyalamazsa. Tüm günüm bir sonu beklemekle geçiyor.* En azından onlar da bu son için bir gün geçiriyorlardı. Ama yine de bugün daha farklı bir şey yapmanın mutluluğu vardı içinde. Yeni hadımı, Gazanfer'i bulmuştu.

Kendi anlamının, belki de üstünlüğünün farkında olmanın verdiği huzurla rahatlamıştı Safiye. Bir parmak badem ve yasemin kremi alıp yanaklarına sürüp ovuşturdu. Soğuk mermere benzeyen yüzü bir mükemmellik anıtı gibiydi.

*Bazı kızlar beyaz peynire, bazıları lokuma benzetiliyor, ama ben mermere benzemekten mutluyum. Peynir çok gözeneklidir, lokum da boyalı ve şeffaf, her ikisi de çabucak eriyip giderler, yok olurlar.*

Kendi duruşunun sağlamlığından emin, tekrar dış dünyaya döndü Safiye. Mavi camdan bir kavanozda duran güzellik kremine... Murano camından kavanoz, ne ev ne de bir başka özlem uyandırmıştı onda. Yalnızca eski yurduyla yenisi arasında olabilecek ticareti ve politik ilişkileri düşündürmüştü.

Ayva'nın ona doğru Murano camından kavanozu uzatan hafif kemikli, yeşilimsi parmaklarının daha ötesini görüyordu Safiye: geleceği. Başını, kadının yüzünü kremlemesi için geriye yasladı. Genellikle kendine güvenli ve sakin olan kalfanın ellerinin, mermer düzgünlüğündeki tenine dokununca titreyeceğinden emindi. Ve öyle oldu.

Şehzade Murad da ona sarıldığında aynen böyle oluyordu.

Ayvanın ovalaması uzadıkça sıkıcılaşıyordu. Ama Safiye, bunun beyninin çalışmasına engel olmasına izin vermedi.

Kadının etkilenmesi ona kendi yüzünün mükemmelliğini düşündürüyordu. Sağlam ve yoldan çıkarılamayacak biri olmasına karşın Ayva, İsmihan konusunda doğrusu çok tetikteydi.

Aslında Baffo'nun kızı bu güzellik seanslarının etkisine tam olarak inanmıyordu. Asla da inanmamıştı. Her konuda olduğu gibi bu konuda da yalnızca kendine güveniyordu. Murad'ı kazandığından emindi ve onu elinde tutmaya devam edecekti, bunun tek nedeni de kendi güzelliğiydi; kremler, kokularla yapılamayacak kadar müthiş olan Tanrısal güzelliği.

Safiye yüzünün eski zaman tanrılarınınkiler kadar kutsal bir anlamı olduğunu düşünüyordu. Böylesi bir güzellik asla ve asla engellenemezdi, hatta Tanrı bile bunu yapmazdı. Bu şekilde düşünmesinin herhalde en önemli nedeni anayurdunda da, burada da aldığı dini eğitimlere hiç kulak asmamasıydı. O kendi kutsallığının dışında hiçbir şeye inanmıyordu.

Yine de bu kutsanmış güzelliğin karanfil ve zencefille güçlendirilmesinde bir sakınca yoktu. Safiye baharatların bir zararı olacağını düşünmüyordu. Aslında buradaki hiçbir âdeti zararlı bulmamıştı; duaları da, oruçları da, bayramları da.

Yüzündeki hafif karıncalanmayı bu baharatlar yapıyor olmalıydı, nedeni başka bir şey değildi. Safiye'nin yanaklarından yuvarlak çene ucuna doğru halkalar yaparak bu yüzü hayranlıkla ovan Ayva, "Bugünlerde karabiber çok ucuz piyasada," dedi. "Sudan ucuz, ama ne yazık ki güzelliğe fazla bir katkısı yok. Yine de neredeyse yüz kışın öksürüğüne yetecek kadarını çoktan depoladım ben."

Safiye, "Süleyman'ın Hint Denizi'ndeki Portekiz gemilerinden elde ettiği ganimet olmalı bunun nedeni"
derken, Ayva'nın parmaklarının, onun dudaklarının en
küçük bir hareketinden bile nasıl etkilendiğinin farkındaydı.

"Bakıyorum baharatın kaynağıyla çok ilgilisin," dedi
kadın, "hatta baharatın kendisinden bile daha fazla..."

Safiye gülümseyerek konuşmaya devam etti. "Bu baharat İskenderiye'ye götürülüyor önce, oradan bir kısmı
İstanbul'a getiriliyor, çoğu da Venedikli tüccarlara iyi bir
fiyatla satılıyor."

"Anayurdunun tüccarlarını çok mu takdir ediyorsun güzeller güzeli?"

Ayva'nın ses tonu, değil Venedik'i, gökteki Ay'ı bile
fethetmeye hazırmış gibiydi Safiye için.

"Bu durumda, Venedikliler'in çıkarları İslam'ın
emelleriyle de örtüşüyor. Aslında ben taraf tutmam, bir
tek şu Allah'ın belası Portekizliler'e karşıyım. Gemileriyle Afrika kıyılarını dolaştıklarından bu yana Hint Denizi'ni ellerine geçirdiler ve bunun tadını doyasıya çıkarıyorlar."

"Son günlerde aşçıların neden bol biberli yemekler
yaptıklarını şimdi anlıyorum."

"Sevgili Ayva'cığım, tutkuların sanıyorum midenle
sınırlı kalıyor."

"Seninkilerse tüm dünyayı kapsıyor galiba." Kalfa
Kadın'ın ses tonunda bir parça küskünlük mü vardı?

"Ben küçük bir çocukken Venedik'te sık sık duydu
ğum bir söz vardı: 'Karabiberin gittiği yer altının da
geleceği yerdir,' diye." Safiye, kadının yüz masajıyla sanki kendinden geçmiş gibi yaparak gözlerini kapadı, kelimeleri uzata uzata konuşmaya devam etti, "çocukken
kanal kenarlarında, baharat depolarının arasında oyun

oynardık. Bazen karanfil, bazen kimyon ama daima karabiber kokardı ortalık. Zenginliğin kokusuydu bu ve gücün..."

"Gel seni şifahaneme götüreyim ciğerparem," diye fısıldadı Ayva. "Bu aptal, cafcaflı yeri ve insanları kendi hallerine bırak. Orada özlediğin kokuları bol bol içine çekebilirsin."

Yanakları krem içindeki Safiye, bu öneri çok baştan çıkarıcıymış gibi çapkınca gülümsedi. Aslında şu sıra onu tek baştan çıkaran düşünce yeni hadımıydı. Sonunda kendisine uygun birini bulmuştu, sanki adam onun bir parçasıydı, onunla çok uzaklara bile ulaşabilecekti. Ayva'nın dokunuşla şöyle bir ürperdi ama belki de bu ürperişin daha gizemli bir nedeni vardı, Gazanfer'in de tam bu anda benzer düşünceler içinde olduğunu hisseder gibiydi Safiye.

Kadının davetine bir yanıt vermemişti Baffo'nun kızı. Tekrar konuşmaya başladığında, hadımıyla zihinsel olarak yaşadığı bu birleşmenin etkisiyle sesi buğulanmıştı. Kendini kontrol etmeye çalıştı, ama ses tonundaki ihtiraslı ve güçlü değişim kısa sürmüş de olsa, kadının dikkatini Safiye'ye tıpkı bir mıknatıs gibi çekmeye yetmişti.

"Portekiz'le olan mücadelenin nasıl gideceğini, senin sihirli formüllerini yüzüme yansıtmaktaki hevesinden anlayacağım sevgili Ayvam benim."

"Güzeller güzeli, gönlümün gözdesi, senin o altın değerindeki badem gözlerin için her şeyi yaparım ben."

Safiye, bütün dünya onların bu karşılıklı çekimine karşı bir fesatlık içindeymiş gibi baktı. "Dilerdim ki..." Bir süre sustu, bıraktı ki kadın bu isteğin gerisini kendi şehvetli hayalleriyle doldursun, sonra gözlerini karşılıklı dileğin gerçekleşmesini onlar engelliyorlarmış gibi odadaki kalabalıkta gezdirdi.

"... dilerdim ki Sultanımız efendimiz, Akdeniz'le Kızıldeniz'i Süveyş'te birleştirecek kanalın yapımı için yeterince köleyi oraya yollasın. Bu, her şeyi baştan sona değiştirecektir, Portekizliler'i dize getirmenin tek yolu budur."

"Çöl ortasındaki bir kazı, haremin göbeğindeki seni neden ilgilendiriyor ki?"

"Düşünce ufuklarının darlığı beni bazen şaşırtıyor. Oysa sen zeki bir kadınsın sevgili Ayva, haremin en zekisi..."

"Bunu bir iltifat olarak mı almalıyım?" Kadın gün boyu defalarca yaptığı gibi peçesinin ucuyla yüzünü bir parça örttü."

"Tabii ki..."

"Çok emin değilim ama... Zaman zaman senin beni güzel olarak tarif etmeni beklediğim de oluyor."

"Yani Ayva'cığım, açıkçası değilsin..."

Safiye panikle dilini ısırdı, ama neyse ki, kadın cevaben sanki bir şey olmamış gibi gülüyordu.

"Bazen senin güzellikle aklı denkmiş gibi değerlendirdiğini düşünüyorum," dedi Ayva. "Sanki akıl sahibi birinin güzel de olabilmesi elindeymiş gibi."

"Aslında herhangi bir kadın..."

"Ve tabii bu seni haremin yalnızca en güzeli değil, en zekisi de yapıyor, öyle değil mi?"

Safiye, adı gibi bir parça ekşi olmasına karşın, kadının tekrar gülüşünden hoşnuttu. Yine de bir cevap verecek cesareti kendinde bulamadı. Saldırmadıktan sonra nasıl bulabilirdi ki? Ya da kadının elindeki kavanozu alıp yere çarpmadıktan sonra...

Önce Ayva konuştu: "Senin kadar emin değilim bu konuda. Oh, zeki ve güzel olmadığından değil bu Safiyem, ama sana şunu söylemek istiyorum. Genellikle güzellik zekâya tercih edilir evet, yalnız daha iyisi her ikisinin birlikte olmasıdır; böylelikle o kişi ince, tatlı ve başkalarına karşı duyarlı tavırlarıyla çok önemli bir şeyi yaratır: sevgiyi..."

"Oh, Ayva, bunları söyleyen sen misin? Sevgi dolu incelik ve merhametten söz edecek başkası kalmadı mı? Senin bir kalbin olduğunu elbette hepimiz biliyoruz, tıpkı lakabın gibi sert ve mayhoş bir kalbin olduğunu..."

Kadın bu açık suçlamadan, hatta tehditten rahatsız, minderinde kımıldandı.

"Haremin duvarları kafanı da mı sıkıştırıyor yoksa?" diye devam etti Safiye.

"Safiye'ciğim yoksa buranın gerçeğine karşı seni körleştiren uzaklardaki bir mucizenin cazibesi mi?"

"Sultan Süleyman'ın imparatorluğunun devamından daha gerçek olan da neymiş? Bir gün Murad'ın ve sonra da oğlunun olacak olan imparatorluktan daha önemli ne olabilir?"

"Oğlunun?"

"Evet benim de oğlumun."

"Allah'ın izniyle."

"Tabii ki Allah'ın izniyle."

Safiye'nin oval yüzünde kalfanın güçlü elleri sessizce dolaştı ve Ayva tekrar değişti, yine o eski, Safiye'yi mutlu etmek için can vermeye hazır kadın geri gelmişti.

"Çok uzak olmasına karşın Kalküta, Sumatra ve hatta Malabar'dan efendimize elçiler geldiğini duydum," dedi. "Bizleri birleştiren İslam'ın adına onun, dinsiz Portekizliler'e karşı kendilerini korumasını istiyorlarmış."

Ayva daha fazla krem almadı ellerine, Safiye'nin yüzü şıkır şıkırdı zaten, ama masajına devam etti. Alnından dudaklarına, burnundan çene ucuna bir âşık gibi hayranlık ve tutkuyla okşayarak ovuyordu kızın tenini.

Safiye gözleri kapalı düşünüyordu. Konuşmanın yaratmış olduğu hayal kırıklığı ve kafa karışıklığını unutturarak kadını rahatlatacak bir şeyler söylemesi gerektiğini biliyordu.

"Bütün o müttefiklere Sultanımız altın giysiler ve keselerle gümüş veriyor ama adamların gerçek ihtiyaçları olan silahları ve askerleri vermiyor. Aslında bunu hakediyorlar."

"Sanırım ki bir erkek, sultan bile olsa aynı anda her yerde olamaz, dolayısıyle savaşlarını ve yöntemlerini kendi seçer."

"Ve harem, bir kadının yurdu olan harem, onun her yerde olabilmesi hakkını inkâr eder."

"Ama aynı inkâr, o kadına erkek dünyasının bir adama verdiğinden çok daha fazlasını verir, isterse kadın bir yığın yerde aynı anda olur."

*İşte yine başladı. Bu kalfa ne yapmaya çalışıyor? Anladığı işle, ilaçlarıyla uğraşmalı.* Tam konuşmaya başlayacaktı ki, birden tüm yüzünü sıvazlayan eller durdu ve düşüncelerini kendine sakladı.

Ayva eğlenen bir sesle şöyle dedi: "Bir kadın göze görünmeden elini her yere uzatabilir."

"Allah gibi mi?" diye sordu Safiye.

"Evet, Allah gibi," diye cevap verdi Ayva.

# VIII

$\mathcal{S}$AFİYE, TANRI GİBİ görünmez bir kadının hayaliyle gülümsedi. Gülüşü sanki kalfanın bedeninden içeri girmiş ve ona sahip olmuş gibiydi, kadının gözleri zevkten kapalıydı.

"Benim de tıpkı Sultan gibi kendi savaşımı, silahlarımı seçebilmem gerekir," dedi Safiye. "Sanıyorum ki, Allah'ın izniyle oraya çıktığımda ihtiyardan daha iyi yapacağım bu işi..."

Kısa bir duraklamadan sonra devam etti, "Aslında, ihtiyarın işi zor, Portekizliler'e karşı verilen savaş hem karmaşık hem de çok çok uzaklarda, orada olup biteni öğrenmek neredeyse bir ömür kadar zaman ister. Öğrendikten sonra ileriye dönük olarak bunları değerlendirmek ise belki daha da fazlasını..."

"Sultan ve torununun geleceği için çok önemli bu..."

"Benim için de... Biliyor musun senin baharat pazarından aldığın fiyatlar bence bunları öğrenmenin en kolay, en çabuk ve en güvenilir yolu."

Ayva, Safiye'nin sözlerinin ifade ettiğinden çok daha fazlası bir övgüyle karşılaşmış gibi görünüyordu. Demek ki artık aralarında bir gerginlik kalmamıştı ve bu, Baffo' nun kızının ilgisini odadaki diğerlerine çevirebileceğinin işaretiydi.

Burada, harem duvarlarının arasında kendi özvarlıkları olmayan iki düzineye yakın kadının varoluşunun izleri vardı. Genç kadınların kendi milliyetleri ve kültürleri kafeslerin, peçelerin baskısıyla eriyip gitmişti. Güzeldiler ve zaten buraya getirilmiş olmalarının nedeni buydu ama bu güzelliğin yarattığı kölelikten kurtulabilecek kadar göze girememişlerdi.

Ayva, "Şehzaden yakında seni çağırır," dedi.

Safiye, pek de aldırmayan bir tavırla, "çok yakında," diye cevap verdi.

Kalfa Kadın, Safiye'nin yüzünü bir kez daha sıvazladı ve "bakalım yasemin kokunu Sehzade de benim kadar sevecek mi ceylanım?" dedi.

Safiye, ilgisizliğinin Ayva'nın canını sıktığının farkındaydı. Konuşmak iyi gelebilirdi, hatta daha öncekilerin tekrarı bile olsa...

"Hareme ilk geldiğimde," diye söze girdi, "harem için satın alınmamdan önce buraya getirildiğimde bile, içerilerde bir yerde gücün nabız gibi attığını farketmiştim. Henüz ölmüş birinde kalmış, yaşamın son işareti gibi bir şeydi bu. Anlayabiliyor musun sevgili Ayva'cığım? Hiç böyle bir bedenle karşılaştın mı?"

"Hayır, benim karşılaştıklarım genellikle tamamen ölmüş ceninlerdir."

"Üstelik bu, öyle sıradan bir yaşam değildi, tantanalı ve mükemmel bir yaşamdı, hayal edebileceğim en muhteşem yaşam." Aynaya şöyle bir bakarken içinden, *"ve onun benim olmasını istedim,"* diye geçirdi.

"Haremle ilgili olarak sana daha önce anlatmak istediğim bir şey vardı. Ama bunu tam olarak ifade edememiştim, kelimeler bana yetmemişti. Kadınlar arasında bir şey. Hissettiğin bu muydu?"

Safiye başını salladı, ama bu zorlukla duyduğu kadının sesinden çok, kendi içinde bulduğu cevaptan ötürüydü. "Şimdi anlıyorum ki hissettiğim o güç Nur Banu' dan geliyordu."

"Ehh, gelinle kaynana daima birbirine benzerler."

"Kaynana mı?"

"Murad'ın annesi Nur Banu, senin için böyledir."

Safiye, kadını eğlendirebilmek için bu muhabbeti devam ettirmek istiyordu. "Venedik'te kocanın annesine karının şeytanı derler," dedi. "Ama benim bildiğim yalnızca halam ve onun rahibe arkadaşlarıydı. Onların anası Meryem'di, nė garip değil mi? İşin aslı bunu daha önce ben de hiç düşünmemiştim. Bundan şikâyetçi olduklarını da hiç duymadım. Onun konumuna özendiklerini de..."

Ayva Hıristiyanlık ve onun kadınları nasıl istismar ettiği üstüne bir şeyler mırıldandı, Safiye bunları dinlemeye bile dayanamayacaktı.

"Hayır," dedi, konuşmayı kendi düşüncelerinin doğrultusuna çekmek istiyordu. "Nur Banu ile ilk karşılaşmamda ondan kaynaklanan en ufak bir ters duygu hissetmedim. Belki bir parça özendim. Ama kesinlikle onunla dost olabileceğimi düşünmüştüm."

"Aynı erkeğin sevgisini paylaşmak zorunda kalacağınızı henüz bilmiyordun." Ayva tekrar fısıltıyla konuşmaya başlamıştı. "Buna mecbur değilsin, biliyor musun?"

"Dost olmak istiyordum, gerçekten, umutsuzca bunu istiyordum. Onun gücünü paylaşmak istiyordum. Kanın kalpten pompalanması gibi bu duvarları dolduran gücün sahibiyle dost olmak istiyordum, anlıyor musun?"

"Senin bu ilgine layık başka kadınlar yok muydu haremde?"

"Diğer kızlar, kadınlar... Onlar Nur Banu'nun kılcal damarları gibiler. Odada olmasa bile onları Nur Banu yönetir, her anlamda. İşte bu akşam ilk akşamdan farksızlar. Etrafına bak. Ya bir papağanla konuşmaya çabalayan bir kız, ya da vazolardaki lalelerle vakit geçiren bir başkası."

Safiye odayı garip, metalik bir kokuyla dolduran lale dolu vazoları eliyle işaret etti. "Ve ne yaparlarsa yapsınlar, bu kadınların tümü de onun isteklerine uygun davranırlar."

"Çünkü o bir Baş Kadın. Çünkü o bir oğlan doğurdu. İstersen sen de artık korunmayı bırak, bunun yerine sana çabucak gebe kalmanı sağlayacak bir şeyler yapayım."

"Haydi şunlara bir baksana! Bütün kızların kaygısı, gayesi toparlanacak sandıklar ve denklerde. Hepsi yalnızca yaz için gidilecek Kütahya gezisinin telaşesinde."

"Sen ilgilenmiyor musun?"

"Ben bu geziye dahil değilim."

"Hayır, değilsin."

"Ben artık hizmetkâr kölelerden değilim. Murad'ın yanına kan ter içinde gitmem gerekmiyor."

"İddiaya girerim, yanına gittikten sonra kan ter içinde kalıyorsun." Ayva çapkınca baktı ve güldü. "Ne yazık, aynı gayreti burası için göstermiyorsun."

Safiye hiçbir şey söylemeden aynaya baktı, kelimelerin arkasındaki anlamı kavramıştı.

Ayva devam etti: "Yani şunu söylemek istiyorum, diğer kızlarla yakınlaşabilirsin, zevkli de olur. Böylelikle Nur Banu'ya karşı da bir güç birliği oluşturursunuz."

"Murad'ın kalbine taht kurduğumdan bu yana ben tek kişilik orduyum."

"Biraz fazla büyük bir taht kurmuş olmayasın? Senin ülkenin kadınlarında, erkekler üzerinde böyle hâkimiyet kurmanın olağan karşılandığını biliyorum. Ama bu usulleri buraya taşıman gerekmez. Haremde biz bundan kaçarız."

Haremde bir şeyden kaçmak, Safiye'ye anlamsız gelmişti, bu yüzden aldırmadan kendi düşüncelerini aktarmaya devam etti. "Murad'ı tıpkı esrardan kopardığım gibi annesinden de kopardım. Bu yüzden Nur Banu ile birbirimize yandaş olmamız artık söz konusu olamaz. Zıddını ileri sürmekse saçmalık olur."

"Hayal edebilir misin güzelim, eğer ben işimi erkek dünyasında yapsam özgür mü olurum? İşim, sanatım erkeklerin eline geçse ne olur? Benim çalışmama izin verseler bile, bu onların koyacakları kurallara göre olurdu. Ne zaman bir çocuğun olup olmayacağını sana ve bana şimdi erkekler söyleyeceklerdi."

"Başka kadınların şikâyet ve sızlanmaları tıpkı bir başka kalbin damarları gibi beni ilgilendirmiyor."

Ayva'nın, onun konuşmalarından çok fazla bir şey anlamadığının farkındaydı Safiye ve daima aynı kalan harem odasında, tek peşinde olduğu şeyin kararlılık olmasına karşı, birden her şeye karşı sıkıntılı bir kayıtsızlık duymaya başlamıştı.

Kımıltısız bir hayatın ayrı ayrı paketlenmesi onu sıkıyordu.

İşte birbiriyle müzikal rekabete girişmiş iki kadın yanı başındaydı. Biri acıklı acıklı şarkı söylüyordu, diğeriyse hareketli bir oyun havası çalmakta. Ortadaki çeşmeden dökülen sular ayrı bir ritm içinde.

Rengârenk laleler, tatlılar, şerbetler, sandal ağacı ve kara amber kokusu yayarak yanan bir pirinç mangal... Duvar dibinde nargile çeken dört kadın.

Mücevherlerin ışıltısı kumaşlarınkiyle yarışa girmiş, buna cıvıltılı renkleriyle ve gürültücü bağırışlarıyla kuşlar da katılmıştı... Bu renk ve seslerin hepsi de aynalar ve çinilerde yankılanıp sanki ikiye, üçe ve hatta çok daha fazlasına katlanıyor gibiydi.

Ayva, çocuğunu uyaran bir kadının hoşgörüsüyle gülümsedi: "Nur Banu senin bu başkaldırmanın çaresine bakacaktır, dikkat et."

"Şu an hiç umurumda değil."

Safiye tekrar aynaya döndü. Bu bir çeşit kişisel savunma mıydı, yoksa Murad'ın onu çağırmasını beklemekten sıkıldığı için bir çeşit zihin dağıtma mı? Belki de doğruydu, ama Ayva'nın söylediklerini duymak istemiyordu.

"İki yıl önce, Şehzade Murad'ın annesi, nefes kesici güzellikte bir Venedikli kız için Sultan'la mezatta yarışarak tam dört yüz kuruş ödedi. Dinimize aykırı olmasına rağmen Nur Banu, bunun gelecek yıllar içinde kâr getireceğini düşünüyordu, kontrolü kaybedeceği, yatırımının parmaklarının arasından kum gibi akıp gideceği hiç mi hiç aklına gelmemişti. Onun bu durumunu yabana atma ve eğer Nur Banu'nun hakkından gelmek istiyorsan, burada kadınlar arasında kendine yandaşlar bul, dostluklar yarat."

"Kullanmadığım eşyalarımı değerlendirebilirim. Murad da babası gibi cömert, beni iki kez aynı giysiyle görmedi. Onları verebilirim."

"Bunca aydan sonra hâlâ bir adamı oyalayıp, eğlendirmeye çalışmak sana sıkıcı gelmiyor mu?"

"Ne? Bu akşamki kıyafetimi beğenmedin mi yoksa? Bu yeşil çiçekli Şam ipeğini görür görmez sevmiştim. Ama sen şimdi böyle diyorsun, belki de gün ışığı yüzünden oldu bu terslik. Ah şu satıcılar... Bak işte, akşam farklı duruyor, renkler garipleşti."

"Yüreğimin parçası, sen her durumda güzelsin, çula çaputa sarınsan bile..."

Safiye'nin durgunluğuna bir son vermek isteyen Ayva, "bu akşamın artan çiçeklerini kime sunacaksın güzeller güzeli," diye sordu.

Safiye ipek elbisesinin üzerinde okşar gibi dolaşan eli kadar hafif bir sesle mırıldandı: "Böyle armağanlara karşın, kendimden başka hiç kimseye güvenmemem gerektiğini biliyorum."

"Osmanlı soyu erkeklerinin ya da kendi gayretleriyle para yapmış olan diğer erkeklerin gözdelerinin dışında tüm kızların belirli kılıkları vardır, öyle değil mi? Acemiler yeşil, hizmetkârlarsa pas rengi giyinirler. Yalnız bayramlarda dilediklerini giyebilirler."

"Nur Banu bir bakışta kimin kim olduğunu, nerede çalıştığını anlayabilir. Bir kadının süslenme ayrıcalığına sahip olabilmek için uzun yıllar haremde çalışması gerekiyor. Şunlara bir bak! Havanın sıcağına rağmen gösteriş yapabilmek uğruna neler giymişler."

"Ama sen tüm bu kuralların dışındasın."

"Yine de verdiklerimin dışarda birkaç kuruşa satıldığını biliyorum."

"Ama ben, bana verdiklerinin hepsini define gibi saklıyorum."

"Onları giydiğini hiç görmedim."

"Hayatım, ben onları yıkamıyorum bile. Senin kokunla kalsınlar diye."

Safiye, bu tarz övgülere kuşkuyla yaklaşmasına rağmen güldü. "Verdiğim armağanlar satıldığında hiç etkileri kalmıyor," dedi, "aslında hiçbiri harem dışında bir anlam taşımıyor zaten."

"Emin misin?"

"Gördüğüm kadarıyla öyle."

"Belki de armağanların, vefasızlığın hakkından gelemediğini kendinden öğrenmişsindir, âşığının annesine karşı olan tavrın ortada, ne dersin?"

"Sen de Nur Banu'yu sevmiyorsun, değil mi?"

"Hayır. Benimki eski bir görüş ayrılığı. Senin sevmemense suçluluk ve vicdan azabı da taşıyor içinde galiba. Böyle diyebilir miyiz?"

"Nur Banu'nun, Selim'i, oğlunun babasını artık hiç görmediğini biliyorum. Kendi kendine de yeterli olamaz. Haremdeki etkisi de artık ölüyor. Ah bir kendi haremim olsa..."

Safiye birden kendini ani bir şekilde dinen fırtınanın içinde gibi hissetti. Yalnızca dini sözler tekrarlayan papağanların sesleri duyuluyordu: "Her şeyin sahibi ve en güzeli kimdir?" Sanki kendi varlığının olduğu dairenin dışından geliyordu bu sesler ve Baffo'nun kızı cevap veremiyordu. O mermer yüzü, Safiye'ye ihanet edercesine kızarmıştı. Ortadaki çeşme bile sanki susmuş gibiydi.

Safiye kendi dünyasına ve benliğine kapandığında ihmal ettiği şeyi birden farketti, bu Nur Banu'ydu. Yaralarını yalnız başına yalayıp iyileştirmek isteyen bir dişi aslan gibi emrindeki kadın ordusunu yokluğunda bir süre için kendi başına oynaşmaya bırakmıştı. Ve işte şimdi geri dönmüştü.

# IX

*N*URBANU, *YOKLUĞUNDA DAİMA* boş bırakılan divana kuruldu, arkasına yaslandı ve kolunu yanında duran yastıklardan birinin üzerine attı. Bilezikleri ipeklerin arasında sallanıyordu, ucu incili terlikleri gibi. Nur Banu artık genç bir kadın değildi, ama bu akşam her zamankinden çok daha taze görünüyor, diye düşündü Safiye. Artık bademyağlarının fayda etmediği kırışmış boynu ve hafif sarkık yanakları bile sanki değişik bir gerginlik içindeydi.

Nur Banu'nun ayakucunda, benzer yeşil giysileriyle bağdaş kurup oturmuş kızlar ona doğru dönmüşlerdi.

Kadın sanki odadaki tüm görüntü, ses ve kokuları emri altına almış gibiydi ve bunların arasındaki Safiye'yi yalayıp yutmaya hazır bir tavrı vardı. Bir şeyler söyledi, odadaki herkes gözdenin cevabını bekliyordu.

Safiye, "Afedersiniz hanımım," dedi. Başını doğrultuşundaki kibir, sözleriyle uyum içinde değildi. Kendi durumunun farkında olan Baffo'nun kızından başka hiç kimse böyle bir ses tonuyla Nur Banu'ya laf edemezdi. "Afedersiniz ama, korkarım ki ne dediğinizi anlayamadım."

Nur Banu öfkeyle yüzünü astı, keskin bakışlı gözleri parıldadı. Safiye ise onun tavrının hoşuna gidecek bazı haberlerin öncüsü olduğunu biliyordu.

"Dedim ki, hepimizi mutlu edecek bir deniz yolculuğu yapacağız."

"Şehzadem bana bunun sözünü vermişti, evet biliyorum."

"Burada minnettar kalınması gereken benim Şehzademin babasıdır, seninki değil. Senin o dümdüz karnından da anladığımız gibi henüz bir şehzaden yok."

"Hayat ve ölüm Tanrı'nın ellerindedir," dedi Safiye, aşağılanmasını telafi etmeye çalışıyordu.

"Evet ama, bazı şeyleri Allah'ın izniyle yaşarken yapabiliriz. Tıpkı oğlumun bana verdiği söz gibi. Asla seninle evlenmeyecek. Bana söz verdi, biricik annesine."

"Bana bunu daha önce de söylemiştiniz hanımım, ama ben sözlerin yerine getirilemediği zamanlar da olduğunu biliyorum. Eğer hedefe giden yollar değişirse her şey de değişir."

"Böyle çocuksuz kaldığın sürece seninle evlenmeyecektir, bundan eminim."

"Benim de bir hedefim var hanımım. Bir kadının sahip olması gereken güce ulaşmadıkça bir çocuk sahibi olmayacağım."

"Bir Sultan çocuksuz bir kadınla nasıl evlenebilir? Bu soyun üzerine yapılmış bir lanet olur. Hürrem bile Süleyman'la evlenmeden önce bir yığın oğlan ve kız doğurmuştu."

"Herhalde bize bunları anlatmak üzere gelmediniz sevgili hanımım," dedi Safiye. Bütün odanın beğenisini topladığından emindi, çünkü kadınlar artık Nur Banu' nun bu konudaki benzer söylevlerinden bıkıp usanmışlardı. "Galiba bir deniz yolculuğundan söz ediyordunuz."

"Evet, bütün harem, yalnızca bir bencil kız değil, bu hoşlukla mutlu olacak."

"Bunlar ne iyi haberler hanımım." Safiye kendini savunarak konuyu karıştırmamaya kararlıydı. "O halde hep birlikte Kütahya'ya olan yolculuğumuzun büyük bölümünü denizden yapacağız."

"Hayır, Kütahya değil. Senin bencilce istediğin yere değil, Allah'a şükürler olsun ki efendimizin büyük zekâsı sana gereken dersi verdi."

Safiye ses çıkarmadı. Nasıl olsa hiçbir şeyini toplamamıştı henüz. "Şimdi buradaki kızlara hazırlıklarına son vermelerini mi söylemeye geldiniz? Burada, İstanbul'un dayanılmaz sıcaklarıyla mı geçireceğiz bütün yazı?"

Nur Banu'nun sesi zaferle şıkırdıyordu: "Yolculuğa çıkacağımızı söylemekten ötürü çok memnunum ve bunun büyük bölümü denizden olacak."

Bu sözler üzerine odada bir mutluluk ama aynı zamanda da merak rüzgârı esmişti. Safiye için için güldü. Şimdi biliyordu ki kadın, haremdeki bu tepki üzerine elindekileri daha fazla gösterecekti.

*Dikkat,* diye uyardı kendini. *Dengeyi bozarsan, bu bir zafer olmaktan çıkar.*

Safiye, yüzünde kalan gülümsemeyi Nur Banu'ya bir armağan gibi sunarak kadına doğru döndü, haremdeki sevinç tezahüratının çini duvarlardaki yankılanmasının halılara düşüp durulmasını bekledi. Nur Banu'nun sözlerinin tek kelimesinin bile kaçırılmasını istemiyordu.

"O halde nereye gidiyoruz hanımım?"

"Manisa'ya."

Bu cümle keskin bir kılıç darbesi gibiydi ve odadaki tüm kadınlar güçlü rüzgârların önünde uçuşan yapraklar gibi dört bir yana savruldu.

"Manisa'ya..."

"Denizden!"

"Oh, hatırlıyor musun?"

"Orada ne kadar mutluyduk!"

"Benden önceymiş ama..."

"Orayla ilgili harika şeyler duydum..."

"Allah'a şükürler olsun."

"Bundan güzel ne olabilir?"

Safiye, herkesin bu haberin tadını çıkarmasını bekledi. Ona bu yüzden ilerde teşekkür edeceklerdi ve daha önce kime teşekkür ettiklerini de unutarak...

Yine lafa karıştı: "Hanımım, bu gerçekten de müthiş bir haber. En azından, Allah'a şükürler olsun iyi bir haber."

"Ne demeye çalışıyorsun?" Nur Banu kara gözlerini devirerek ona bakıyordu.

"Hiçbir şey... Allah korusun... Ama efendimiz Selim, yoksa görevinden geri mi çekiliyor? Bir sancak beyi olarak babasına hizmet etmesi gereken yer olan Kütahya'ya gideceğimizi sanıyordum. Ve bildiğim kadarıyla sizin de ona katılmanız gerekiyor, ayrıca..."

Safiye, kara gözlerin hışmını hissediyordu ama susmadı.

"Hepimiz biliyoruz ki, Efendimiz Selim bazen, ah nasıl söylesem? Zaman zaman, şeyin uğruna görevlerini ihmal ediyor, şeyin... Afedersiniz, galiba kendimi kaybettim ben."

"Gerçekten de öyle," diye tısladı Nur Banu. "Dur da seni bir kendine getireyim. Selim artık Kütahya Sancak Beyi olmayacak."

Harem derin bir sessizliğe bürünmüştü, Safiye gönüllü olarak bunu bozdu. "Oh, Allah bizi korusun. Demek her şey korktuğum gibi..."

"Korktuğun gibi mi? Benim dua ettiğim gibi! Artık Kütahya yok, Selim'in gençlik ateşiyle kardeşine karşı saltanat savaşı açtığı günlerde kaldı o."

"Kardeşi Beyazıd öleli epey bir zaman oldu bildiğim kadarıyla, en az iki yıl. Benim Müslüman olmamdan önce neredeyse. Eğer neden buysa daha önce olması gerekmez miydi? Ama..." Safiye akıllıca sözlerini bağladı, "yine de Allah bilir..."

"Allah tabii ki her şeyi daha iyi bilir. Sen bunun daha önce olması gerektiğini sanıyorsun çünkü, Allah'ın yeryüzündeki gölgesinden haberin yok senin, o nasıl davranır bilmiyorsun... Ama sana şunu söyleyeyim, Manisa Sancak Beyliği daima saltanatın veliahtına verilmiştir."

"Evet, çünkü İstanbul'a en yakın yer orasıdır," diye Safiye sözü kaptı. "Allah korusun, Sultan'a bir şey olursa, onun Manisa'daki varisi tüm gücünü toplayarak bir an önce Saray'a ulaşabilir. Ama yıllardır Süleyman'ın tek varisi Selim'dir ve ona bu Sancak verilmemiştir."

Nur banu geri durmadı ve hızla cevabını verdi: "Selim'e Manisa daha önce verildi. O güzelim Manisa... Selim'in bana âşık olduğu ve oğlumuzun doğduğu Manisa..."

"Ama uzaklaştırılmıştı, hatırladınız mı? Sultan'ın isteği üzerine... İleri gelenlerden birine verilmişti bu görev o günlerde..."

"Her şeyi çok bilmek istiyorsun ya, dur da seni aydınlatayım bu konuda. Sultan Süleyman artık bu karmaşayı sona erdirmeye karar verdi. Her şey Selim'in kendini toparlaması için yapılmıştı, bu bir geçiş dönemiydi."

"Evet, kendini toparlaması için, şarabın yardımıyla..."

Herkesin dili tutulmuştu. Nur Banu köpürüyordu, Safiye ise aldırmaz bir tavırdaydı.

"Bunu ağzına bile alamazsın sen. O Hıristiyan içkisi tüm İslam âlemine yasaktır ve Selim de buna doğduğundan itibaren uymak zorundadır."

"Allahın izniyle," dedi Safiye. Bu onun çok hoşuna giden bir konuşma biçimiydi, böylelikle hoşuna gitmeyen bir konuyu kesip atabiliyordu. Sakin sakin oturmaya devam etti.

"Süleyman geçiş döneminde Sancak Beyi olarak görevlendirdiği o adamın yerini değiştirdi."

"Ferhad Bey'in..."

Safiye, Nur Banu'nun ona gözleriyle çaktığı bir başka tokadı daha savuşturmuştu. İmparatorlukla ilgili olarak kadından daha fazla şeyler bildiğini açıklamasının yarattığı etkinin farkındaydı.

Ama bu kez Safiye bu tehditkâr bakışları yanlış yorumlamıştı ve devam etti. "Adamın adı Ferhad, sanırım bir süvari. Çok yetenekli ve gençmiş ve Enderun'u bitireli çok olmamış. Selim'den sonra Manisa Sancak Beyliği'ni o yapıyordu. Demek ki Ferhad Bey yerinden oldu?"

"Daha iyisi için," dedi Nur Banu, kendisinin de imparatorlukla ilgili bir yığın bilgiye sahip olduğunu göstermek istiyordu. "Sokullu Paşa'nın en gözde adamlarından biridir o. Sanıyorum Vezir, bu Bey'in yeteneklerinin Sultanımıza daha yakın olması gerektiğini düşünüyor."

"Veliahttan bile daha yakın," diye dalga geçti Safiye.

"Son birkaç haftadır Selim'in İstanbul'daki varlığıyla anladık ki, böyle fikir alışverişleri pek de olağan değildir ve derin anlamlar taşır. Üstelik Sultan'la veliahtın, uzun süre çok yakın olmaları alışılmış bir şey değildir."

"Yoksa böyle yakınlıklar insanı isyana mı teşvik eder?"

"Aynı çatı altında bir felaket daha mı? Allah korusun. Bizim geleneğimizde bu şekilde kadere meydan okuma yoktur."

"Ah, evet," dedi Safiye. Çok ileri gittiğini her düşündüğünde kuyruk sokumuna kadar ürperirdi, yine öyle oldu. Ama bu gerekliydi, bu görevden alınma meselesini bir netliğe kavuşturmalıydı. "Demek ki şu anda Manisa Sancağı boşta."

"Yeni bir sancaktara gerek var."

"Ve durum halledildiğine göre, yeni Bey, efendimiz Selim olacak demek..."

Safiye'nin kalbi gümbür gümbür atıyordu oysa, bütün bu Ferhad Bey ve boş kalacak olan veliaht sancağı meselesinin detayları ile bir haftadır iç içeydi ve her şeyi biliyordu. Aslında bütün bunları büyük ölçüde yalnızca kendisine olan sonsuz bağlılık adına değil, kendi intikamını alma fırsatı içinde yapan Gazanfer'e borçluydu. Diğer hadımların asla katlanamayacağı ortamlarda Safiye için bilgi toplayıp durmuştu.

Safiye bir an için Gazanfer'in onunla birlikte odada olmasını istedi. Zaferi birlikte paylaşımları, onun isteklerinin gerçekleşmesi için hadımla sürekli birlikteliğinin de işareti olacaktı. Böyle bir desteğe gelecek başarıları için ihtiyacı olacaktı. Ama adamı tekrar uzaklaştırdı aklından. Ayva'nın yanında bile adamın yanında olduğundan daha emindi kendinden. Hayır daha sonraki başarılarda diğer hadımların yanında olmalıydı o.

Sonra korkunun ürpertisi yeniden geldi. Ya Nur Banu'nun hadımları da iyi çalıştıysa? Öyle çoktular ki, bir anda bir yığın yerde olabilirlerdi. Ya Manisa Sancak Beyliği gerçekten Selim'e verildiyse...

*Bir başka açıklamayla iptal edilemeyecek açıklama yoktur,* Safiye bu tasaları kafasından uzaklaştırdı. Nur Banu'nun hadımları, bağlılık açısından Gazanfer'in yarısı bile etmezdi. Ve asla kendi kendilerine bu şekilde hareketlenemezlerdi. Nur Banu'daki özgüvenin tek nedeni Safiye'nin bu konuda ne kadar bilgili olduğunu asla aklına getirmemesindendi. Safiye ise savaşını ve zaferini herkesin önünde gerçekleştirme arzusuyla kadını kışkırtarak olanları iyice açığa çıkarmanın peşindeydi.

*Ve o an geldi, haydi öldürücü darbeyi vur.*

"Yani Efendimiz Selim, Beyliği garantiledi, öyle mi?"

Ah, o kara gözlerdeki tuzağa düşmüşlük ifadesi... Süleyman bile zaferinin tadını böylesine çıkartamazdı.

Nur Banu sinirli sinirli bilezikleriyle oynayarak yeteri kadar kendini ele vermişti.

"Hayır, daha değil. Bu, henüz kelimelerle söylenmedi ama olacak. Başka kim olabilir ki?"

"Gerçekten de hanımım kim olabilir ki, kim?"

Safiye, olup bitenden hoşnut, haremdeki kadınları Ferhad Paşa ve Manisa Sancağı haberlerinin telaşesiyle başbaşa bırakarak aynasına geri döndü. Bir süre için kendilerini galip sanmalarının hiç mi hiç önemi yoktu.

Gazanfer'in gelmesi için Safiye çok uzun beklemedi. Onun içeri girişini duymaktan çok hissetmişti. İşkenceden yeni çıkmış ayaklarıyla nasıl da kedi gibi sessiz olmayı başarabiliyordu? Üstelik geleneksel hadım duruşu içinde omuzlarında çaprazlayarak kavuşturduğu ellerinin her bir parmağı kırıktı. Tırnakları yeni yeni çıkmaya başlamıştı, ta kökünden sökülmüştü hepsi de. Bütün hareketleri ona acı verici yakın geçmişini anımsatıyor olmalıydı.

Aynasını elinde çevirerek mavi halkalı gözlerdeki yeşil parıltıyı yakalamaya çalıştı. Yaklaşık bir ay kadar önce falakada gördüğü adamdan tek aynı kalan kırık burnunun üzerindeki bu gözlerdi. Ve onların uğruna tam da zamanında onu Yedikule'den kurtarmıştı.

Adını da değiştirmişti. O aptal Sümbül yerine ona Gazanfer adını vermişti, yani "Cesur Aslan".

Mihrimah'ın bile eski hadımını tanıyacağından kuşkuluydu. Tüm çirkinliğine karşın o, Gözde Safiye'nin biricik hadımıydı artık.

Odanın karşı köşesindeki adama hafifçe aynadan gülümsedi. Yeşil gözleri hiçbir şeyi kaçırmıyordu, aynadaki en küçük bir ışıltıyı bile. Onun bu gülüşe verdiği cevap daha da hafifti, hatta belki de buna bir gülüş bile denilemezdi. Aslında Gazanfer ne olursa olsun zaten gülmezdi. Bir yığın dişin eksik olduğu ağzını kimseye göstermemek için kendini alıştırdığı bir durumdu bu.

Anlamlı bakışları yeterince candan bir selamlamaydı Safiye için. Ona doğru giderken o gözlerde gecenin karanlığını, buz gibi yanaklarda ise soğuğunu gördü.

Safiye işin tamamlandığını anlamıştı, evet iş bitmişti.

Ve biraz sonra Murad onu çağırdı.

# X

$\mathcal{B}$İR ÖNCEKİ EĞLENCELİ GECENİN mahmurluğu içindeydi harem. Birden çinili duvarlarda Azize ve Belkıs'ın telaşlı sesleri yankılandı. Şehzade Murad tarafından reddedildiklerinden beri ortak bir kaderin paylaşımı içinde birbirinden hiç ayrılmayan bu güzel ikili, korkuyla bir sağa bir sola koşturup duruyordu. Herkes şaşkınlıkla mıhlanıp kalmıştı.

Tozlu yollarda uzun ve sıkıcı bir yolculuğun yerine keyifli bir deniz gezisine çıkacak olmanın neşesi içindeki Nur Banu, hizmetkârlarıyla kıyafetlerini gözden geçirdiği köşeden gürültüyü duymuştu.

"Hayırdır inşallah, ne oluyor?" dedi.

Kızlar heyecan içinde birbirlerinin sözlerini ve hatta ayaklarını çiğneyerek yanına geldiler.

"Onu gördük."

"Kafasını."

"Koca bir çivinin ucundaydı."

"Allah bizi korusun."

"Ölmüş."

"Görünce tahmin ettik."

"Hadımı yolladık."

"Onlar da doğru olduğunu söylediler."

"Cellat Çeşmesi'nde..."

"Ölmüş."

Kızların karmakarışık konuşmasından pek bir şey anlayamayan Nur Banu bu son sözle irkildi. "Ölmüş mü? Sakin olun kızlar. Kim ölmüş?"

Safiye tepkisiz, elindeki aynayı kucağına koydu. Aşk yatağında dağılan saçları altın lülelerle dökülüyordu omuzlarından. Kızları değil de, korkuyla yüzü yeşile dönen kadını izliyordu. Nur Banu'nun sorusuna aldığı cevaptan tek duyduğu oğlunun babasının adı olmuştu: "Selim."

"Selim? Allahım... Mahvoldum." Neredeyse bayılmak üzereydi.

"Oh, hayır."

"Selim değil hanımım."

"Allah korusun."

"Selim yaşıyor."

"Yüce Allahım."

"Ama Lütfü Efendi..."

"Efendimizin arkadaşı Lütfü Efendi..."

"Lütfü Efendi ölmüş..."

"İdam edilmiş."

"Çeşmenin yanında."

"Suçu?" Nur Banu'nun yüzü hâlâ soluktu ve sesi titriyordu.

"Sarhoşluk," diye geveledi Belkıs.

"Oh, hanımım..."

"Herkes biliyor."

"Sultanımız da..."

"Lütfü Efendi çok içiyordu."

"Dün gece de efendimizle birlikte sabaha kadar içmiş."

"Saray'da."

"Manisa tayinini kutluyorlarmış."

"Lütfü Efendi yakalanmış."

"Evine dönerken."

"Ölesiye sarhoşmuş..."

"Sultan da cezasını vermiş..."

"Kellesi uçmuş..."

"Belki de buna şükretmek gerek."

Nur Banu kendini kontrol etmeye çalışarak sordu: "Selim, Efendim Selim nasıl?"

"O yaşıyor."

"Allah onu korusun."

"Kadınların dünyasından bunu söylemek zor."

"Ama hadımlar da böyle düşünüyorlar."

Bir köşede kendi özgün tavır ve bakışlarıyla hadımlar söylenenleri onayladılar, ama Nur Banu emin olabilmek için içlerinden birini hemen mabeyne yolladı.

Belkıs sözlerine devam etti: "Bu idam aslında bir uyarı..."

"Efendimiz Selim'e..."

"Sultanımız, oğlunun kötü alışkanlıklarından bıkmış durumda."

"Düzelmesi için bir uyarı bu."

"Düzelmek zorunda da..." dedi Nur Banu. "Düzelmeli." Sinirden titreyen sesiyle sürdürdü konuşmasını: "Ona yeni bir kız bulacağım. En güzel kızı. Ya da bir oğlan, eğer böylesi daha hoşuna gidiyorsa..."

Safiye, salonun öbür ucunda bir çift yeşil gözün içinden kuşku ve kaygı yüklü bir pırıltının hızla gelip geçtiğini hissedebiliyordu. Bu onun Gazanfer'iydi. Hadımının geçmişindeki sırrı haremde tek bilen Safiye'ydi.

"Allah her şeyi bilir, Allah her şeyi görür. Kendimize gelelim kızlar."

Nur Banu hadımlara yeni emirler vermeye başlamıştı. Azize ve Belkıs birbirlerine sarılarak yorgunluk içinde minderlere çöktüler. Hareme yeni katılmış kızlardan birinin sesi duyuldu: "Bu deniz yolculuğuna çıkamayacağımız anlamına mı geliyor hanımım?" Öylesine büyük bir sessizlik oldu ki, kız bile ne denli aptal bir soru sorduğunu anladı.

Safiye, Azize ve Belkıs'ın nasıl bakıştıklarını görünce, berbat görevin hangisine verildiğini hemen anladı. Bu Azize'ydi. Zavallı kız dudaklarını kanatırcasına ısırıp duruyordu.

Ve sonunda konuştu: "Hanımım..."

"Evet Azize?" Nur Banu sabırsız bir ifadeyle bekliyordu.

"Hanımım, Sultanımız başka bir şey daha açıklamış."

"Neyi?"

Azize soluklandı. "Sultanımız karar vermiş..." Kız devam edemeyecekti, sözü Belkıs aldı: "Manisa Sancağı efendimiz Selim'e verilmeyecekmiş. Sultanımız bu görevi onun yerine torunu Murad'a vermiş."

Safiye kısa bir an Nur Banu'nun kara gözlerinin onu parçalayacakmış gibi üzerine dikildiğini gördü. Aldırmaz bir tavırla gümüş aynasını kaldırıp kendine baktı. Yüzünde garip bir gülüş şöyle bir dolaştı.

Ve olan oldu. Harem çılgın bir öfkenin patlamasıyla doluvermişti birden.

"Defol. Yıkıl karşımdan. Gözüm bu kadını görmesin. Atın dışarı onu. Defol!"

Nur Banu çıldırmış gibi avaz avaz bağırıyordu. Eline ne geçerse fırlatmaya başladı. Murano camından krem kavanoz yerde bin bir parçaya ayrılıverdi, yayılan koku haremin en uzak köşelerine kadar dağılmıştı. Bunu bir yığın başka ıvır zıvır izledi, içlerinden biri neredeyse Safiye'nin o güzel asi başına çarpacaktı.

"Defol!"

Ve Safiye kendinden emin, ağır, kontrollü bir biçimde bu emre uydu. O sabah belki de Safiye'nin altın saçlarını tarama ümidiyle gelmiş olan Ayva bile Baffo'nun kızını izleme cesaretini gösterememişti.

Safiye yalnız olmadığını biliyordu. Gazanfer'in sessiz adımları peşindeydi. İç içe kapılar birbiri ardına açılırken yalnızca adamın ellerini görüyordu, ama ona esas huzur veren arkasından hemen kapananlardı.

Yürürken bu ellerin gücünü düşündü. Bu eller hiçbir silaha gereksinim duymadan evine giden bir ayyaşın hakkından rahatlıkla gelebilirdi. Bu eller Ayva'nın verdiği uyuşturucuyla adamın sarhoşluğuna sarhoşluk katmıştı. Ve bu eller adamı omuzlayıp herkesin görebileceği bir yere bırakmıştı işte.

Eksik dişleri yüzünden tıslayarak ve sanki erkekliğini göstermek istercesine kinayeli bir sesle, "Daha da fazlasını verdim ona," dedi hadım. "Kocaman bir şişe rakı..."

Gözlerinde konuşmasından fazla bir minnet olduğunu biliyordu. Geri dönüp baksa o yeşil gözlerdeki ender yumuşaklıklardan birini yakalayacağından emindi. Ona intikam alabilme fırsatını vermişti, o ise Safiye'nin tutkularına giden yolları aşmasını kolaylaştırmıştı.

"Defol!"

Nur Banu kontrolsüz bağırıyordu. Ama hadımın işkenceden çıkmış elleri kibarca son kapıyı da kapadı ve sesler kesildi.

Safiye, kadının söylemediği ve hatta asla söyleyemeyeceği cümleleri zihninde duyar gibiydi.

*İşte kazandın orospu, şeytanın yardakçısı, iblis. Âşığın için veliaht sancağını kaptın. Senin varlığında bir daha asla elimde tutamayacağım oğlum için. Bunu onun için, kendin için yaptın. Sancakla birlikte senin de haremin olacak. Benim karışamayacağım bir harem. Bu Murad'a ulaşamayacağım bir yer. Biz Kütahya'da kalıyoruz ve sen Manisa'ya gidiyorsun. Murad, Sultan'a ve Sultan'ın tacına çok yaklaşıyor.*

*Ya ben? Ben, yalnızca yapacağımız zorlu yolculuk ve Kütahya'da geçecek bir başka yaz için üzülmüyorum, esas kahrolduğum bundan böyle bütün yaşamımın ve geleceğimin, benim varlığımın artık farkında bile olmayan sarhoş ve oğlan düşkünü bir adamın, Selim'in ellerinde olması.*

Safiye'nin zihninde yankılanan seslerden duymak istedikleri bunlardı, ama başka sesler de vardı, daha önce de duyduğu...

*Sen savaşı kazandığını düşünüyorsun değil mi, güzeller güzeli? Seni köle pazarından ben aldım. Cehennemin dibinden bir bela almışım meğerse. Ama savaş sona ermedi. Çok uzakta değil intikam günleri. Neden mi?*

*Senin bir oğlun yok bencil kaltak. Selim'in benden bıktığı gibi Murad da rahatlıkla senden bıkabilir. Ama bir düşün, işte bu noktada benim talihim seninkinden ayrılıyor, benim bir oğlum var.*

*Ayrıca bir de gebe kalıp kalamayacağın sorusu var. Belki de Ayva'nın ilaçları başkalarını mahvettiği gibi seni de etmiştir. Belki, karnının içi çoktan paralanmıştır. Rüşvetle neler değişmez ki? Kaldı ki basit bir karışımın formülünün değiştirilmesi hiç de zor değil.*

*Eğer gebe kalabilirsen şunu unutmayalım. Kızlar da en az erkekler kadar doğmuştur yeryüzünde, hatta daha çok. Oysa onlar varlıkları en az istenendir, ne yapacaksın, Allah'ın isteği...*

Safiye bunları inkâr etti, eskiden olduğu gibi. Tanrı ona verdiği bu güzelliğe ihanet etmezdi. Kutsal kitaba mı ihanet edecekti? Yine de bu sözcüklerden hoşlanmıyordu.

"Oğlun olmadıkça güzeller güzeli, şunu bilmelisin ki zayıfsın. Çok zayıfsın, hatta benden bile daha zayıf ve güçsüz..."

# XI

 $\mathcal{M}$ ANİSA'YA GİTMEK ÜZERE çıkılan deniz yolculuğu gerçekten de haremin imrendirildiği kadar vardı. Yine de zamanın, pek çoğunun düşlediği gibi kayıtsız bir tembel sakinlik içinde geçip gittiği söylenemezdi. Safiye, zaten eğer öyle olsaydı bundan hoşlanmayacağını biliyordu. Onu güzel manzaralardan daha fazla ilgilendiren, merak ettiği pek çok şey vardı. Şimdi bunları görüp öğrenebilme fırsatını yakaladığı için çok mutluydu.

Örneğin, Türk donanmasının gücünü, önemli tersaneleri, kentin güneydeki saldırıya açık bölgesindeki tophaneyi Marmara Denizi'nin en hâkim noktasından görebilmenin tadını yaşamıştı. Deniz canavarlarına benzeyen iskeletleriyle yeni yapılan beş kadırga saymıştı. Denizdeki San Marko bayraklı teknelerin hesabını tutmuştu. Onlara binip kaçabilmeyi düşünmemişti, daha çok geminin kaptanını ya da sahibini bilip bilmediğini, buraya geliş amacını merak etmişti. Tophanedeki üretimle bunların sayısını kıyaslamıştı.

Venedik bandıralı teknelerle ilgili olarak Murad ona yardımcı olmuştu. Şehzade gemilerden bildiklerinin adlarını, kapasitelerini, ne kadar yük taşıdıklarını, silahlarının sayısını ona anlatmıştı. Safiye, ona bilmediklerini öğrenmesi için ısrar etmişti. Hatta demir aldıktan sonra giderlerken, bir yelken bezinin arkasına gizlenerek, tek kelimeyi kaçırmadan denizcilerin muhabbetini dinlemişti.

Ve işte şimdi Çanakkale'deydiler. Şehzadesi onu karaya çıkarmıştı. Bu dar su yolunu kontrol altında tutmak için Murad'ın ataları tarafından iki yakaya yapılmış kaleleri birlikte geziyorlardı.

"Görüyorsun, korkacak hiçbir şey yok Safiyem," dedi Şehzade, "O küçük kafan endişelenmesin. İmparatorluğun kalbi İstanbul'a kimse saldıramaz. Görüyorsun burası geçilmez."

Safiye bir süre konuşmadan yürüdü. Çevredeki erkeklerin onun gibi çarşaflı bir kadının ortalarda dolaşmasını sessiz bir merakla izlediklerini biliyordu. Ama gemi güvertesinden bile gördüğü şeyleri söylemesi gerekiyordu.

Bildiklerini kendine saklayarak, günün birinde Venedik gemilerine satabilirdi, ama bunun yerine Şehzade'ye, "geçilmez mi?" demeyi tercih etti. "Belki evet. Ataların bunları yapıp, oklarıyla işgalci gemilere ulaşmayı ummuş olmalılar."

"Şimdi her kalede gülle atan toplarımız var, yani tehlike eskisine göre çok daha az."

"Ama düşmanların da gülleleri var. Büyük deden Fatih Sultan Mehmed zamanındaki gibi değil şimdi, o zaman Bizanslılar'ın henüz gelişmiş silahları yoktu."

"Ama bak tatlım..." Murad bir çocuğa anlayamayacağı şeyleri açıklamaya çalışan bir büyüğün ses tonuyla konuşmaya başlamıştı.

Safiye aldırmadı, gerektiğinde Şehzade'yi şımartıp, pohpohluyordu. Şehzade hâlâ Sancak Beyliği'ne seçilmesinin kendi gösterdiği gelişmeden olduğunu sanıyordu.

"Bir güllenin yukardan aşağı atılması çok daha kolaydır." Murad derse devam ediyordu, "yani, aşağıdan yukarı atmak çok daha zordur."

"Tam benim düşündüğüm gibi."

"Ne demek istediğini anlamıyorum."

"Ataların, işgalcilerin güvertelerine ulaşabilmek için çabalarında, her iki yakada da kalelerinin en yüksek noktalarını tespit etmekte yanılmışlar. Buradaki ve karşıdaki uçurumları görüyor musun? Yeni doğmuş çocuk gibi çıplak ve korunmasızlar ve kalelerin avlularına en hâkim noktalar buraları. Karanlık bir gecede, bir düşmanın buraya toplarını taşıyarak iki kaleyi ve boğazı kontrol altına alması çok kolay olmamakla birlikte asla olanaksız değil."

Murad bu fikri çürütmek isteyen bir gayretle o noktadan bu noktaya koşturdu, ama sonunda Safiye'nin söylediğinin doğruluğuna o da inandı. Bunun üzerine Baffo' nun kızı Şehzade'nin –tabii ki her şeyi kendisi saptamış gibi– büyükbabasına bu durumun aciliyeti ve derhal düzeltilmesi için bir ikna mektubu yazmasına yardım etti.

İzmir'deyse, Timur tarafından harap edilmiş limanı gördü.

"Yüz elli yıl içinde çoktan burayı düzeltebilirlerdi," diye fikrini söyledi.

"Ama biz İzmir'e çok fazla yabancı gemi gelmesini istemiyoruz ki," dedi Murad, hafif meltemle sakalı kımıldıyordu.

"Neden bu ısrar? Yabancılarla ticaret bölgeyi kalkındırır."

"Bu bölge İstanbul'u ve daha da önemlisi yeniçeri ordusunu besliyor. Eğer dinsizler para kazanırsa Müslümanlar aç kalır."

Safiye ona bu koşullarda bile ipek, pamuk, incir ve pekmez için İzmir sokaklarında pazarlığa tutuşmuş yabancı tüccarları gösterdi. Arabayı durdurup, kılık değiştirmiş Venedikli ve Cenevizliler'in sohbetlerini dinlemek çok hoşuna gidiyordu. İlk kez burada daha önce hiç görmediği İngilizler'e rastladı. Bu adamlar Türk kıyafetlerini benimsememişlerdi ve sıcağın altında akılsızca, kalın yünlü giysileriyle ve güneşten soyula soyula pespembe olmuş yüzleriyle dolaşıyorlardı.

Ve her yerde, her yerde, kıyı boyunca harabeler vardı. Kumsallarda kendi yalnızlıklarına terk edilmiş bembeyaz mermer sütunlar yatıyordu. Çıplak dağ yamaçlarındaki büyük açık hava tiyatroları tüm eskiliklerine karşın hâlâ on binlerce kişiye hizmet edebilecek görünümdeydi. Agoralar, binalar, sokaklar ve tapınaklar yöre çobanlarına ve sürülerine ev olmuştu. Bunları yaşama geri döndürmek için yapılacak olan ise, her şeye karşın yalnızca birkaç küçük dokunuştu. Bu kentler, yeniden yaşayan mekânlara kolaylıkla dönüştürülebilirdi.

Harabeler madem ki tüm koşullara direnerek nesiller boyunca dayanmışlardı, niçin gelecek nesillere de ulaşmasınlardı? Oysa Murad mermer kentteki heykellerin ve kabartmaların çoğunu utanmazca yapılmış şeyler olarak niteliyordu ve hatta onlara asla bakılmaması gerektiğini söylüyordu. Neyse ki bu toprakları ele geçirenlerin, kalıntıların tümünü gözler önünden silmeye yeterli zamanları olamamıştı. Safiye atalarının yerine getiremediği bu görevi Şehzade'sinin de yapmamasını istedi.

"Lütfen buna dokunma," dedi ve sözlerini şöyle bitirdi. "Ama düşün ki, o çok tanrılı Yunanlar, Romalılar bu topraklarda böyle harikalar yaratabildiyse, niçin Türkler de yapamasın?..."

Ve Safiye o gece yatakta, Şehzade'nin saltanat yolunda ilerleyişine yaptığı katkıların boşa gitmediğini gördü.

# XII

$\mathcal{Z}$AMAN ÂŞIKLAR IÇIN SU GİBİ GEÇİYORDU. Sıradan ölümlülerin kimine uzun kimine kısa gelen bir on sekiz ay daha geride kalmıştı.

1565 yılının yaz sonlarıydı. Safiye, İstanbul hareminde nefret ettiği tahtırevan gezilerinden Manisa'da çok hoşlanır olmuştu. Bunun nedeni Murad'ın özel olarak yaptırdığı iki kişilik rahat arabada neredeyse onu hiç yalnız başına bırakmamasıydı.

İşte yine ava giderken sevgili gözdesini de yanına almıştı. Güzel havadan olabildiğince yararlanmak için üzeri açılmış tahtırevanda giderlerken bir yandan da o günkü önemli mektupları gözden geçiriyordu.

"Ava giderken Safiye'yi yanında götürmemelisin oğlum," diye elindekini yüksek sesle okumaya başladı.

"Herkesin seni rahatlıkla kınayabilmesi için böylesine fırsat yaratman akıl almaz bir durum." Murad'ın ses tonundaki değişiklikten ve gözlerindeki şeytani pırıltıdan Safiye mektubun kim tarafından gönderildiğini hemen anlamıştı. Bu Nur Banu'dan başkası olamazdı.

Şehzade devam etti, buna Nur Banu devam etti demek aslında daha doğru olacaktı: "Haremin güvenliği içinde olup biten hiçbir şey bir erkeği utandırmaz. Ama herkesin gözü önünde atılan bir küçük kahkaha bile yalnız *onu* değil, seni de hafif ve aptal bir duruma sokar. Engebeli arazide, çarşaflar içinde –ki mutlaka öyle olmalıdır– arabadan çadıra geçerken burkulan bir bilek de bir yığın dedikoduya yol açabilir. Hayatım, burkulan bir bilek deyip geçme, insanların senin hakkında kadınlarına sahip çıkamayan biri, diye düşünmelerini istemezsin, öyle değil mi? Ayrıca, evet, hepsi de öldürüldü, ama daha önce yaşadığımız o eşkıya utancını unutmamalısın. Allah'a şükür ki büyükbaban bu yolların yaptırılması gerektiği konusunda ikna edilip, halka güvenli yolculuk sağlandı ve sen de rahatladın. Bunlar aklından hiç çıkmamalı.

Eğer onu ava götürmekte ısrar edersen, hiçbir terslik bile olmasa ki, Allah bundan hepimizi korusun, yine de avcılar senin bir kadının kölesi olduğunu düşüneceklerdir. 'Haremini geride bırakamayan bir adam, avda bile... Ondan ne çeşit bir Sultan olur ki?', diye kendilerine soracaklardır. Ve diyeceklerdir ki ' neden bir türlü...' "

"Devam et aşkım," dedi Safiye, cümlenin devamını gayet iyi biliyordu. *"Bir oğlu olmadığı ortada"*. "Başka neler söylüyor?"

"Aşağı yukarı aynı şeyler," dedi Murad, yine kendi normal ses tonuna kavuşmuştu.

"Ve her zamanki dilekleriyle bitiriyor: 'Allah'ın inayeti üstünde olsun. Değersiz bir köle olan annen...' "

"Çok güzel okudun aşkım," dedi Safiye, "sanki annen arabada, yanı başımızdaymış gibi hissettim."

"Allah'a şükür ki değil."

Ve Murad arabanın üzerini kapatıverdi. Safiye, kendi kıkırtılarının arasında birinin hafifçe söylendiğini duydu. Şehzade, kızın üzerine hamle ettiğinde, tahtırevanı omuzlarında taşıyan adamlar bu ani denge bozulmasıyla bayağı zorlanmış olmalıydılar.

İşin doğrusunu söylemek gerekirse, Safiye kendi isteğiyle Murad'la dolaşıyordu. Sancak Beyi'nden bir an bile ayrı kalmadığı için hayatından çok memnundu. Bu yakınlık zaman zaman aşırılaşabiliyordu. Tıpkı şimdi olduğu gibi. Hatta aşk dolu kımıldanmalarla tahtırevanı sallayabiliyorlardı bile.

Safiye, Murad'ın ağırlığıyla sıkışan bacaklarını kımıldatıp, yazlık ipeklilerine arabanın kadife şiltelerinden yapışan havları silkeledi. Murad'ın annesinin mektuplarını hoşlanmadığını açıkça belirterek okuması hoş bir işaretti. İyice keyiflenen Safiye, parmaklarını Şehzade'nin yeleğinin içine sokup, kuşağının altına doğru kaydırmaya başladı.

Adamın alnını dudaklarına doğru çekip mırıldandı, "annen sana bunları yazsın ve sen ona karşı çık, ha?"

"Hiç umurumda değil." Murad, Safiye'nin boynunu, yanaklarını ve gözlerini öpücüklere boğuyordu. "Bu mektup en az iki haftalık. Ne düşünürse düşünsün, buranın beyi benim ve onun yolladığı mektup yüzlerce kâğıdın içinden yalnızca bir tanesi."

"Her şeye karşı çıkıyorsun, ama yine de senin ve benim için çok önemli bir konuda..."

Safiye cümlesini tamamlamadı. Murad'ın sırtının dikleştiğini ve gerildiğini hissetmişti. Evlilik, konuşmalarında hiç eksik olmayan bir konuydu. Şehzade'nin karısı olmayı çok istemesine karşın konuya daha fazla girmekten kaçınmasının nedeni, Safiye'nin bu çeşit tepkilerden kendini korumak istemesiydi. Dırdır eden bir kadın durumuna düşmek istemiyordu. Eğitilmiş, ama hep aynı cümleyi söyleyen bir papağan olmamalıydı, ama galiba oluyordu.

*Ve kimseyi memnun edemeyen bir papağan,* diye düşündü, *kolaylıkla satılabilirim.*

"Anneme bundan başka hiçbir şeyin sözünü vermedim." Murad dudaklarını öyle ısırıyordu ki, sakalı ve bıyığı arasında incecik bir çizgi halini almıştı ağzı. "O benim annem. Bundan mutlu olmalı. Sen de güzeller güzelim, sen de mutlu olmayı öğrenmelisin. Daima benimle birliktesin."

"Bu her şeyi daha da zorlaştırıyor. Karın olmanın onurunu taşımakla insanların için için aşağıladıkları biri olmak arasında dağlar kadar fark var."

"Belki seni Venedik'te aşağılayabilirlerdi. Burada buna kimse cesaret edemez. Aşkım, şuna neden inanmıyorsun, büyükbabamın rahmetli büyükanneme yaptığı gibi, seni herkesin gözü önünde karım ilan etmek benim de en çok istediğim şey."

"Yap o zaman."

"Anneme söz verdim."

"Vazgeç."

"Yapamam, yapamam."

"Bunu yapmayacaksın." Safiye kızgın sırtını döndü. "Herhalde onun kıymetli çocuğuna layık hiçbir kız yoktur dünyada."

Bakmadan bile, Safiye Murad'ın "çocuk" lafına takılıp kaldığını biliyordu. "Ama haklı olduğu bir nokta var." "Çocuk" savunmaya geçmişti. "Osmanlılar'ın evlenmemelerinin nedeni çok geriye, yüz yıldan daha eskiye gider."

"Biliyorum. Timur meselesi."

"Henüz bu kadar güçlenmemişken Timur gelip bizi yendi."

"Ve siz hâlâ İzmir limanını düzeltemediniz."

"Timur, atalarımdan I. Beyazıd'ın sevgili karısını zincirleyip esir etti. Ona dile getirilemeyecek kötülükler yaptı. Oğullarının bu utançtan kurtulması ve halkın saygısını kazanabilmesi yıllar aldı. Şimdi çok güçlüyüz ve artık siyasi ittifaklar uğruna saltanat yatağını kirletmeye değecek ne Avrupalı ne de Asyalı bir prenses var."

"Kirletme?... Bunu sevdim."

"Seni kastetmedim hayatım." Kızın omzuna dokundu ama o kenara çekildi.

Bunun üzerine Murad, başka bir yol denedi. "Köleler karılar kadar bir tehlike yaratmıyorlar."

"Bana büyükbabanın tüm dünyada 'Muhteşem' diye tarif edilmesine karşın hâlâ bir Timur'un zincirlerinden korkacak kadar zayıf olduğunu mu anlatmaya çalışıyorsun?"

"Hayır, yemin ederim sana öyle bir şey yapılmaması uğruna canımı bile veririm. Ama bugün bile, böyle şeyler hâlâ..."

"Nasıl şeyler?"

"Seni benden kaçıran eşkıyayı hatırla. On gün boyunca tarifsiz acıların pençesinde kıvranmıştım."

"Eşkıya işi bir daha olmayacak." Sesindeki söz veriş, engel olabileceği bir durumun, olaylara neden oluşun sorumluluğunu taşıyor gibiydi.

"Allah korusun, bir daha asla böyle bir şey olmayacak. Ama işte tam o sırada anneme söz vermiştim. Onurum öylesine zedelenmişti ki, bu sözü vermek zorunda kalmıştım. Bana inan, Allah şahidimdir aşkım, annem yaşadıkça yeminimi bozamam."

"Önce bir çocuk istiyorsun, değil mi?" diye suçladı Safiye.

"Evet, bir oğlan isterdim. Hangi erkek istemez ki? Kaldı ki bu durumda benim ölümümle tahta kardeşim çıkacak..."

"Allah korusun."

"...Senin, her şeyden daha çok sevdiğim senin güvenceni de sağlayacaktır bu. O benim annem Safiye."

"Anlıyorum." Safiye, sesindeki soğukluğun adamı ateşleyeceğini biliyordu."

"Belki de, belki de onu bana ettirdiği yeminden caymaya razı edebilirim."

"Eğer ben seninle ava gelmezsem belki de..." Safiye

kollarından uzakta Murad'ın özgüvenini kaybettiğini görüyordu.

"Belki de Safiye, o güzel kelimelerinle sen benim yeni bir mektup yazmama yardımcı olabilirsin."

"Siz bir şairsiniz Şehzade Hazretleri." Murad, Safiye'nin ona bu şekilde hitap etmesinden nefret ediyordu. "Buna kıskançlığından ötürü asla evet demeyecektir. Baban onunla evlenmedi. Kendi sahip olamadığı mutluluğa bizim ulaşmamızı ölse bile istemez."

"Belki..."

*Benim, oğullarımın kudretiyle değil kendi kudretimle bir kraliçe olmama tahammül edemez o.* Safiye bu kez düşüncelerini kendine saklamayı tercih etmişti.

Murad mırıldandı, "belki de eğer Allah bize bir çocuk verse... Babaanne olmanın etkisiyle..."

"Evet, belki o zaman..."

"Ya da seni daha yakından tanısa."

"Korkarım ki birbirimizi yeterince yakından tanıyoruz."

"Seni benim tanıdığım kadar tanıyamaz."

"Bunun için mutluyum." Safiye, Murad'ın sarığının kaşlarına dokunduğu noktayı öptü ve adamı kaygılardan uzaklaştırmanın peşine düştü.

"O zamana kadar, haydi gel aşkım..." Murad ona asla karşı çıkamazdı.

"O zamana kadar, ya da o ölene kadar..."

"Allah korusun." Murad'ın sözleri, hem bu sözlere hem de tahtırevanı taşıyanların yeni bir bela savurmalarına karşı gibiydi.

Baffo'nun kızı konuyu çabucak değiştirebileceğinin bilincindeydi. Parmaklarını Şehzade'nin düzgünce dolanmış sarığının içine daldırıp, titizlikle tıraş edilmiş başını okşamaya başladı. *O zamana kadar...* O zamana ka-

dar hayatın tadını çıkarmanın, Şehzade'nin aşkıyla coş-
manın hiçbir sakıncası yoktu. Adamı her dokunuşuyla
nasıl deliye çevirdiğini biliyordu. Avlanılacak yer olan
Bozdağlar'a daha çok vardı ve tahtırevanı taşıyan adım-
ların ritmiyle bir yığın zevkin doruğuna varabilirlerdi.

Safiye, arkasındaki kadife kıvrımlarının arasında, bu-
güne kadar gebe kalmamasını sağlayan, Ayva'nın ona na-
sıl hazırlayacağını öğrettiği feraziği sakladığı gümüş kutu-
ları el yordamıyla aradı. İşin püf noktası, o karışımları Mu-
rad'dan önce içine yerleştirebilmekten ibaretti. Bu çok da
kolay olmuyordu ama her zaman sorunlarla başa çıkmayı
başarabilmişti. Bir defa Murad bu konularda çok saftı ve
arzuyla kıvranırken detayların çoğunlukla farkına bile var-
mıyordu. Tabii ki gece çok daha güvenli bir ortam sağlı-
yordu ve en önemlisi Murad onu çağırdığında önlemlerini
alabilmesi için Safiye'nin bol bol zamanı oluyordu.

Kapalı tahtırevana karşın gün ışığı yeterince ortalığı
aydınlatıyordu. Ama yine de belli etmeden kutulardan
birini bulmuş ve ilaçlı karışımı eline alabilmişti. Kuyruk
yağına yedirilmiş sedefotu ve lavanta parmaklarına bu-
laşmıştı. Onların kokusu Murad'ı da bir anlamda uyar-
mış olmalıydı ki, kalçalarına dayandıkça dayanıyordu.
Onu azdırmak istercesine inledi, aslında adamın onun
şalvarının ipini çözmesinin an meselesi olduğunu biliyor-
du. Böyle bir anda başka bir şeyin Şehzade'nin dikkatini
çekmesi imkânsızdı.

Bu arada, Safiye, boşta kalan eliyle Murad'ın sarığı-
nı çözüyordu, önce en alttaki keten kılıfı buldu, sonra da
düğüm yerini. Ve sonunda Şehzade'nin saçlarından yayı-
lan amber kokusu Safiye'nin ilaçlı sırlarını kapatıverdi.
Safiye ağzını şehvetten şişmiş Murad'ın dudaklarına uza-
tıp, diliyle onları kendine doğru çekti. Çılgınca öpüşme-
ye başladıklarında sarık çoktan dağılıp yere düşmüştü.

Birden yeni bir küfür ve sarsıntıyla dikildi Muıad. Babaannesinden kalan kızıl saçlı kafasına bir kova soğuk su dökülmüş gibiydi. Safiye olanları görüyor ama bir anlam veremiyordu.

"Aşkım, ne oldu?"

Ve bu sırada arabanın yere oturtulduğunu farketti.

"Geldik," dedi Murad telaşla.

"Buraya mı, nereye? Dağlar fersah fersah ötede. Aşkım, işin doğrusu yeni adamlar bulman gerek. Ne yaptığını bilmeyen bu salaklarla olacak iş değil bu."

"Allah bu sarığın belasını versin," dedi Murad, sanki her şeyi mahveden sarıkmış gibi öfke içindeydi. "Sersem hamallar yılışık yılışık sırıtırken, bunu tek başıma tekrar sarmam gerekiyor."

"O zaman bırak, kendi kendilerine sırıtıp dursunlar, sonra da onları defet başından."

"Böyle olmasını istememiştim."

"Gerçekten mi?" diye imalı imalı sordu Safiye, gözleri Murad'ın şalvarının önündeki kabarıklığa takılıydı. Şehzade sarığın ihanetini hâlâ içine sindirememişti.

Arabanın içi biraz önce Murad'ın kafasında mum gibi duran arşın arşın beyaz müslinle kaplanmıştı. Safiye bir kenarından tutup yardım etmeye çalıştı ama bir saltanat sarığının düzenle sarılabilmesi için kesinlikle koskocaman bir salona gerek vardı.

"Bir an için sarığını unut," dedi Safiye. Ya yeniden sevişeceklerdi, ya da oturup sarıkla uğraşacaklardı ve o öncelikle birincisini yapmayı istiyordu. Aşk herhalde bir sarıktan önemliydi. "Haydi seslen şu adamlara, kımıldasınlar."

"Ama onlara burada durmalarını ben söyledim," derken bir yandan da, kumaşın bir ucunu tutmuş yeniden kafasına sarmayı deniyordu Şehzade.

"Dağların başındayız. Seni sarıksız kim görecek, üstelik hava da çok sıcak, haydi söyle onlara."

"Dağda değiliz. Bizi bekliyorlar. Dışarı çıkmalıyım ama, böyle çıkamam."

*Bu bir devlet işi*, diye düşündü Safiye. *Kentten dışarı bile çıkmadık demek ki.* Ama önemli bir şey olsaydı mutlaka bilirdi.

Murad dedi ki: "Sana göstermek istediğim bir şey var."

"Burada mı?"

"Sanırım öyle. Yoksa durmazlardı. Senin tüm yakınmalarına karşın iyi adamlardır onlar."

Sarık sarmak örgü gibi bir şey, diye düşündü Safiye. İşe başlamadan önce, elinin ısısıyla kısmen erimiş olan feraziği minderlerden birinin altına saklayıp, parmaklarını da orada temizledi.

Ellerinden birini sarılan kumaş yığınından bir an için kurtaran Murad, tahta kapıyı itti ve "evet, gelmişiz," dedi nefes nefese.

Safiye, Şehzade'nin muslin topunu başının arkasında düğümlemesine yardım etti. Parmaklarını öne getirip, adamın göğüs kıllarının sakallarıyla buluştuğu çizgiyi okşadı, Murad'ın yine de fikrini değiştirebileceğini umuyordu. Ama onun bununla ilgilenmediğini görünce aceleyle elmaslarla süslü kuş tüylerini sarığın tepesine yerleştirdi ve Şehzade'ye kapıyı açıp kenara çekildi. Bir an önce geri gelmesini umuyordu.

"Haydi acele et Safiye," dedi Murad.

Acemice sarılmış sarığı bir balona benziyordu ve tepesindeki tüyler her ana düşecekmiş gibi bir o yana bir bu yana sallanıyordu. İnsanların gülmesini engellemek için Safiye'nin sarık sarma konusunda yapabildiği ancak bu kadardı.

"Sen işini bitirene kadar burada kalacağımı düşün-
müştüm. Git de annen mutlu olsun."

"Hayır," dedi Murad, "Ben seni mutlu etmek istiyo-
rum. Bunu sen de görmelisin."

Ve bu kez ikili, sıcak arabanın içinde Safiye'nin çar-
şafı, peçesi ve tülleriyle boğuştu.

Sonra Murad arabadan indi, Gazanfer hemen yanla-
rına geldi, artık Safiye'nin gözleri o olacaktı. Peçe ve çar-
şaf içinde bile erdemli bir kadın, nikâhlı olmadıkça bir
erkeğin yanında duramazdı. Hele de bir gözde...

Bir başka kadın, böyle düşünceler aklına gelecek ol-
sa çarşafına sıkıca sarınıp kaçardı, ama Safiye, kararlılığı-
nın daha da arttığını hissetti, tutkuları tehdit edildikçe
azgınlaşıyordu.

# XIII

*YAZ SABAHI ÖĞLEYE DOĞRU* hızla ilerliyordu ve
hava, su katılmamış rakının insanın boğazını yakmasına
benzer bir kavuruculuktaydı. Tahtırevanın demir aksamı
genleştikçe canlıymış gibi ses çıkarıyordu. Siyah bir pe-
çenin ardından da olsa, çıplak toprağı adeta kavuran gü-
neş insanın gözünü alıyordu. Safiye'nin başı önüne eğikti
ve gözlerini yanı başında yürüyen Gazanfer'in tozlanmış
etek ucundan ayırmadan adamı izliyordu. Bu haliyle onu
görenler ne kadar halim selim biri olduğunu düşünebi-
lirdi.

Etrafına bakmadan hamalların aralarında serinle-
mek için ucundan sular damlayan kirli bir mendili do-
laştırdıklarını biliyordu. Gölge tarafa düşmüş olan altı

adam daha önce rahatlamışlardı ve şimdi on ikisi birden tahtırevanın arkasında güneşten saklanarak soluklanmaya çalışıyordu.

Safiye'nin çarşafının ucu yürürken kemikli bir dize takılmıştı ve ondan yayılan ateşliliğin bal gibi farkında olduğunu hissedebiliyordu Baffo'nun kızı. Bir âşığın yerinin bir hadımla çabucak değiştirilmesi bu hamalları kandıramazdı. Omuzlarındaki ağırlığı sallayan şeyin ne olduğunu hepsi biliyordu. Duyamayacağı anlarda bu konudan söz ettiklerinden emindi. Murad'a atların daha iyi olduğunu kaç kez söylemişti.

Aslında bu hamallara çok da aldırdığı yoktu. Ne önemleri olabilirdi ki onun için? İnsanlığın alt kesimi daha yukarıdakileri hem omuzlarında hem de dillerinde zaten taşıyıp duruyordu asırlardır.

*Bir çölde olmalıyız,* diye düşündü Safiye. Sıcak, göz alan parlaklık, çoraklık, her adımla havalanan toz... Başka ne olabilirdi? Aslında ne Manisa, ne de Anadolu'nun başka bir yeri hakkında şair divanlarının, bir tahtırevan aralığı veya bir üst kat pencere kafesinin sunduğundan fazla bir bilgisi vardı. Bunların yardımıyla özgür olmayan bir dünyayı kolaylıkla görebilmişti ama imparatorluğun başkentinin çevresinde bir çöl bilmiyordu.

Birbirine vuran metallerin, toprakta gümbürdeyen demirlerin ve naralarla bağıran erkeklerin sesleri. Evet bunlar pek de çöl seslerine benzemiyordu. Gözleri günün parlaklığına ve dalga dalga yayılan sıcağa alışınca gördüklerinin hiçbir çölde rastlanamayacak cinsten olduğunu anlamıştı. Bir yığın adam vardı, üstlerini çıkarmış olmalarına rağmen omuzlarına kadar inen beyaz başlıklarıyla yeniçeriler de dahil olmak üzere hepsi de deli gibi çalışıyordu.

Bunlar, görebildiği kadarıyla yeri iki noktada derinlere doğru kazıyordu. Çıkan toprak küfelerle taşınıp yakındaki bir yamaca dökülüyordu. Sıra sıra eşeklerin sırtında taşınan büyük beyaz taş kütlelerini yeniçeriler oraya buraya istifliyordu.

"Bu onun camisi olmalı." Düşündüğünün doğruluğundan emin olmak istiyordu. "Gazanfer, git de öğren bakalım öyle miymiş?"

Hadım koşturarak gitti ve bu tahmini doğrulayan cevapla geri geldi.

Safiye'nin tabii ki bu projeden haberi vardı ama doğrusu Şehzade, estetik detayları ona aktardığında pek ilgiyle dinlediği söylenemezdi. Adamın edebiyat merakına karşı kayıtsızlığı gibiydi bu da. Murad'ı şairlerle geçireceği gecelerde yalnız bırakmaktan hiç mi hiç üzülmüyordu. Onu daha çok ilgilendiren siyasi sorunlardı.

"Böyle ters bir araziyi adam etmeye çalışmak anlamsız bir zaman kaybı," diye kaç kez ikaz etmişti onu.

"Ben de caminin kentin çok dışında olmasını istemiyorum, o zaman insanların ibadete gelmeleri zorlaşır," diye cevap vermişti o da. "Aynı zamanda yakınında bir temiz su kaynağı da olmalı abdest alabilmeleri için. Bu sorunlar yüzünden işler zorlaşıyor."

"Peki daha uygun o toprakların sahipleri kimler?"

"Küçük toprak sahipleri. Çok çocuklu köylüler."

"Çıkardıkları belaya bakınca ben de onların çok zengin, geniş araziye sahip birileri olduğunu düşünmüştüm. Eğer uygun bir fiyata topraklarını satmıyorlarsa, o zaman onları rahatlıkla başınızdan atabilirsiniz. Defolup gitsinler."

Bu düşünce Murad'ı çok şaşırtmıştı. "Onların pek çoğu neredeyse asırlardır burada yaşıyorlar. Belki de ataları, Yunanların Helena'nın peşinden buralara geldiğini bile gördüler. Türkler'in Gediz kıyısına gelmelerinden bile yıllar yıllar önce..."

"Müslüman bile değiller öyle mi?"

"Evet çoğu Hıristiyan Rum."

"O zaman niye kafanı takıyorsun? Venedik'te böyle şeyler öyle çok olmuştur ki, özellikle de su kanallarının yapılması sırasında. Küçük toprak sahipleri eğer kamu yararına bir durum söz konusuysa çıtlarını bile çıkaramamışlardır."

"Bu vahşice bir davranış."

"İş, sevgilim, iş... Gelişim her şeyden daha önde gelir."

"Bu yalnız vicdana değil bizim yasamıza da aykırı bir şey olur. Mollanın son açıklamasını biliyorsun, eğer Divan kapısından dinlediysen, ki dinlediğini biliyorum- kendisi de bir yetim olan Peygamber rıza dışı ve zorlamayla bir başkasının malının alınmasını yasak etmiştir, bu gasp olur."

*Manisa'da yasa sensin Şehzadem, bilmiyor musun?* Safiye bunu Murad'ın yüzüne söylemese de içinden kuvvetle geçirmişti.

Bu yasanın Divan'da kabul edilmesi, büyük fikir aykırılıkları ve tartışmalara yol açan diğer bir yasaya oranla çok kolaylıkla, neredeyse bir saniyede olmuştu. Problemli olan, yerel üreticilerin şarap yapmalarını ve üzüm, şıra, kuru incir gibi ürünlerini Osmanlı'dan başkasına satmalarını engelleyen kararın kaldırılması hakkındaydı. Tabii ki çiftçiler uzak ülkelerde bir lüks malzeme olan bu ürünlerini kırmızı burunlu İngilizler'e veya diğer yabancı tüccarlara çok büyük fiyatlarla satabilirlerdi. Ama Osmanlı yasaları açıkça ve can sıkıcı bir biçimde bu "lale kızıllığındaki şarabı" yasaklıyordu. Manisa, İstanbul'a çok yakındı ve Saray, buradaki yaş sebze ve meyvenin tümünü yerel fiyatlarla derhal satın alıyordu. Bu nedenle yasanın değişebilme olasılığı yoktu. Pamuk konusunda da doğal olarak aynı şeyler uygulanıyordu. Dışsatımın kesinlikle cezalandırılacağını en iyi Sancak Beyi biliyordu.

Ufak tefek hırsızlıklar, zina olayları, miras sorunlarının yanında bu nedenle ortaya çıkan anlaşmazlıklar Murad'ın ve perde arkasından Safiye'nin hemen her gün dinledikleri sorunlardı. Bunlar, üzerine caminin yapılabileceği uygun koşullarda bir arazinin bulunmasını zorlaştırmıştı.

Ve işte tozlu ve inşaatı zora koyan bu arazide işler sıcağa karşın epeyi ilerlemişti. Ama etrafta hâlâ öksüz Peygamber'in merhametine sığınarak duran bir iki ev daha vardı ve bunlar Safiye'nin gözüne diken gibi batıyordu. Ama Safiye bir süre sonra Murad'ın buraların tek hâkimi olduğunu anlayarak onların hakkından geleceğinden emindi, böylelikle hayalindeki yapı gerçekleşebilecekti.

"Şehzademizin konuştuğu adam Mustafa Efendi' dir," diyerek açıklama yaptı Gazanfer. "Mimar odur."

"Ben bu işi Başmimar Sinan'ın yapacağını zannediyordum."

Gazanfer gidip Murad'dan bu konuda da bilgi aldı ve geri dönüp hemen Safiye'ye aktardı.

"Şehzademiz şöyle buyurdular: 'Planları kendi elleriyle Sinan çizdi. Ama artık çok yaşlandığı için projeyi uygulamaya yardımcısını yolladı. Malûmdur ki Sinan, Allah uzun ömürler versin, büyükbabamdan bile daha yaşlıdır'."

Safiye, uzun ömür dileklerinin kalıplaşmış sözcükler olduğunu biliyordu ama yine de Şehzade, kendi parlak geleceklerini geciktirecek dualar etmese daha memnun olacaktı.

"Sinan'ın yapmayı düşündüğü tek yolculuk hacmış. Eğer İstanbul'daki işlerini halledip bu sene gitmeye karar verirse, söz vermiş Manisa'ya da uğrayıp, işlerin nasıl yürüdüğünü kontrol edecekmiş. Buna söz vermiş."

"Neyse... Peki şu adamların açmaya çalıştıkları iki çukur neyin nesiymiş?"

"Minare temelleri. Çalışanlar da incecik minareleri gökyüzüne yükseltmekte uzman olan ünlü ustalar. Yaptıklarıyla öylesine büyük bir nam salmışlar ki, imparatorlukta hiç boş zamanları yok. Mustafa Efendi bu adamları ayarlamakta bayağı zorlanmış. Kış geldiğinde denizlerdeki kürek mahkûmları da buraya getirilip çalıştırılacaklarmış."

Safiye anlamlı anlamlı, "İki minare mi?" diye yeni bir haber daha yolladı Murad'a.

"Biliyorum," derken Murad'ın güneşte yanmış yüzü mahçubiyetten daha da kızarmıştı. "Yalnızca Sultanlar iki minare yaparlar. Belki de yanlış bir iş yapıyorum."

"Halan Mihrimah Sultan'ın Üsküdar'daki vakfında da iki minare var."

"Evet var, çünkü babası onu kızı için yaptırdı, ama biliyoruz ki tüm parayı halam verdi ve kesinlikle de kendi zevkine uygun olmasını istedi."

"Kim bilir belki inşaat bitene kadar sen de Sultan olursun."

"Allah her şeyi daha iyi bilir."

Tüm dindar ve hayırlı evlat görüntüsüne karşın Murad, İsrafil'in onun 'Tanrı'nın yeryüzündeki gölgesi' olmasından önce borusunu çalmasını istemiyordu ve Safiye, Şehzade'nin bu tavrından memnun oluyordu.

O sırada Baffo'nun kızı bir taşa takıldı. Hareket etmesini ve çevresini görebilmesini engelleyen bu kadar zor bir kıyafet içinde başka türlüsü de olamazdı zaten.

Gazanfer hemen koşup, düşmesine engel oldu.

"Mücadele ettiğin arazi ciddi boyutlarda dik bir tepe" dedi Safiye ve Gazanfer koşarak bunu Murad'a iletmeye gitti.

Cevap şöyle geldi: "Bütün Manisa diktir ve tepelerle doludur."

Safiye bunu tahtırevanın içinden de anlayabiliyordu. Bir sağa bir sola kıvrılan yollar, inişler, çıkışlar... Peçesini biraz araladığında Murad'ın ne kadar doğru söylediğini daha iyi anladı. Tam karşısında yüksek, sivri zirveleriyle iki dağ vardı ve bunların da çevresinde yine bir yığın küçük, dik tepeler. Cami kubbeleri gibiydi bunlar ama daha sivriydiler. Her biri bir alttakinden daha pusluydu ve ulu bir külliye gibi hepsi birden gökyüzüne yükseliyordu. Manisa gerçekten de yüzyıllar boyunca yaşayacak bir yapı için en kutsal görünümlü yerdi.

Kentte Süleyman'ın annesi için yaptırdığı bir cami daha vardı. Safiye ona bakar bakmaz mimarının Sinan olmadığını anlamıştı. Alçak ve basık kubbesiyle ağır, ilkel görünüşlü bir yapıydı bu. Sinan'ın bu muhteşem araziye en uygun projeyi çizmiş olduğunu umuyordu.

Murad, büyükbabasının bu üstün yetenekli mimarına çok güveniyordu.

"... Sinan diyor ki, tepenin eğrisini kesen bir dikdörtgen plan en iyisi olur." Elleriyle söylediklerini anlatmaya çalışan hareketler yapıyordu.

"Bir dikdörtgen çok sıradan olmaz mı?"

"Sinan'ın sihirli dokunuşuyla ortaya çıkaracağı kemerler, kubbeler onu değiştirecektir. Arkasına da bir medrese yapılacak caminin ve bir de yoksullara yemek dağıtılan imarethane."

Safiye, çok yakınındaki bir evden yoksul bir kadının gözleriyle onu izlediğini fark etmişti.

Şehzade'nin gözdesi ona bakışlarıyla şu mesajı yollar gibiydi: Görüyor musun? O berbat kulübeni bırakıp gidersen çok daha iyi bakılacaksın. Bir imarethane! Venedikli dilencilerin böyle bir şansı yoktur.

Arkasında Murad çocuksu heyecanıyla anlatmaya devam ediyordu. "...İçerisi için gerekli çiniler İznik'ten getirtilecek."

"Onları seçmende yardımcı olabilir miyim?"

"Tabii ki. Ve dıştan görünümde binlerce, binlerce küçük aralık olacak, böylelikle hem daha çok ışık hem de daha çok hava alacak cami."

"Herhalde bu aralıklar camlanacak, öyle değil mi?"

Murad biraz şaşalamış gibiydi, bu Gazanfer'in tam olarak aktaramayacağı bir haldi.

"Planlarda açık hava deniliyor, kuşların içeri giremeyeceği kadar küçük, temiz havanın bol bol gireceği kadar büyük."

"Cam olmalı," diye ısrar etti Safiye.

"Evet bir ara camdan da söz edilmişti ama açık kalırsa daha aydınlık olurmuş."

"Niçin gerçek vitraylar konulmuyor? Venedik'ten getirilebilir, dünyadaki en iyi renkli camlar orada yapılır."

"Güzel olur," dedi Murad, "ama o zaman bunları korumak için üzerlerine bir kat da düz cam koymak gerekecektir."

"Benim geldiğim yerde ancak sıradan insanlar adi camlı evlerde otururlar," dedi Safiye böbürlenerek.

"Ama bu çok pahalıya mal olur. Bir Sancak Beyi'nin bütçesiyle!..."

"Buranın insanlarına ruhlarını yüceltip mutlu olabilmeleri için hizmet veriyorsun sen."

"Evet, sanırım halam da bana yardımcı olacaktır."

"Ve kim bilir, bir de bakarsın Sancak Beyi bütçesinden daha fazlası olur birden."

"Allah isterse..."

"Sen böyle her şeyi Allah'tan umarsan daha çok beklersin." Neyse ki Gazanfer bu son cümleyi Murad'a aktarmamayı akıl etmişti. Ama gerisini olduğu gibi söylemişti. "Eğer sen iki minare koyuyorsan, ben de vitrayları isteyebilirim. Ve unutma ki Şehzadem, sen burada doğdun. Bu biraz da bunun onuruna. Ama Venedik de benim evimdir. Bırak da boş aralıklarla kaplı duvarlarını yaptırana kadar ben de bu konuda neler yapabileceğimi bir araştırayım." Gerçekten de renkli camlardan başka hiçbir şey Venedik'i tam olarak hatırlatamazdı.

"Eğer bu seni mutlu edecekse, neden olmasın sevgili gözdem?"

Murad şimdi artık direkt olarak Safiye'yle konuşuyordu. Her şeyi görmüşlerdi ve arabalarına dönüyorlardı. Güneş o kadar dikti ki bundan sonrası bir eziyet halini alabilirdi.

Hamallar pek içlerinden gelmese de kalkıp toparlanmışlardı. Gazanfer her zamanki sakinliğiyle arabanın yanındaki yerini almıştı. Kapı kapanmadan birbirlerine dokunmaları söz konusu olamazdı. Ama gördükleri ve duyduklarının heyecanıyla "dokunmak" Safiye için duygularını ifade edebilmenin en kolay yoluydu.

"Ne kadar mutlu olduğumu anlatacak kelime bulamıyorum," diye bağırdı ve sözlerini vurgulamak istercesine Şehzade'ye doğru elini uzattı.

Murad bu dokunuştan kaçınarak geriye bir adım attı ama Safiye, onun bu sıcak tavrından etkilendiğini biliyordu.

Şehzade'nin kolu yerine Gazanfer'inkine tutunarak, kan kırmızı kadifelerle kaplı tahtırevana girdi. İçerisi fırın kadar sıcaktı. Az sonra Allah'ın belâsı peçe ve çarşaftan kurtulacaktı ve birbirini özlemiş eller kollar sarmaş dolaş olacaktı.

"Bu güzel bir fikir," diye sürdürdü konuşmayı Murad, "Venedik camı işini düşünmeliyim."

"Düşünme, yap," diye cevap verdi Safiye. Bunaltıcı sıcak yüzünden sıkıntı içindeydi.

"Evet haklısın, öyle yapmalıyım, çünkü ben aslında bir anlamda bu camiyi senin için yaptırıyorum."

"Benim için mi?" Şaşkınlıktan sesi şakır gibi çıkmıştı.

"Bir anlamda. Tabii ki önce yüce Allah için ama, ben bir yemin ettim ve dedim ki eğer 'o' bize bir oğlan çocuk verirse..."

Murad'ın konuşması zorlukla anlaşılıyordu, sıcaktan değil yaşadığı duygu yoğunluğundan boğuklaşmıştı sesi.

Safiye neredeyse yüzünü açacaktı ki, kendine geldi. O sırada kapı kapatıldı ve hamallar ağır yüklerini tekrar omuzladılar. Baffo'nun kızı yüzünü yine de hemen açmadı, gözlerindeki ifadeyi Murad'ın bile yakalamasını istemiyordu.

Kendisi için yapılacak bir cami... Bunu düşünememişti. Nur Banu böyle bir onura kavuşamamıştı. Yalnızca yetkin ve zengin erkeklerin camileri vardı, kadınlara gelince, böyle bir onura sahip kadınlar bir elin parmağı kadar bile değildi. Yalnızca Süleyman'ın annesi, sevgili karısı Hürrem ve kızı Mihrimah bu yüce mertebeye kavuşabilmişlerdi. Tabii ki cami onun adını taşımayacaktı, Muradiye denilecekti ona. Ama kendisi biliyordu ya, Şehzade de biliyordu, demin kendi ağzıyla söylemişti. Tanrı biliyordu. Ve bunların belki de en önemlisi Nur Banu bilecekti. Murad'ın gelecek mektubunda annesine bütün detayları yazacağından emindi.

Evet tüm bu yemin hikâyeleri... İşte bir yenisiyle her şey bambaşka oluvermişti ve Safiye ona ihanet eder gibi göz pınarlarında biriken yaşlara engel olamıyordu. Bu çeşit duygusal zayıflıkların benliğine hâkim olmasına izin veremezdi, o zaman daha önemli konularda kontrolünü yitirme tehlikesi ortaya çıkabilirdi.

Yine de duygulanmıştı. Murad için, bir oğula sahip olmak herhangi bir adam için olduğu kadar önemliydi. Ama bu çocuk, tahtın gelecekteki sahibi olacaktı. Ve Murad bunu istediğini yüksek sesle belirtmişti. Dileğinin yerine gelmesi uğruna Venedik camlarıyla süslü bir camiyi kendi parasıyla yaptırmaya bile hazırdı.

Safiye kendini toparlayabilmek için Şehzade'nin acemice sarılmış garip sarığına bakmaya çalıştı. Bu ona aynı zamanda kısa geçmişte kalmış bir şeyi tekrar hatırlatmıştı.

"Annem diyor ki, sen çocuğun olmasın diye bir şeyler yapıyormuşsun." Murad konuşmaya devam ediyordu, bir parça da suçlayan bir ses tonuyla. "Böyle işlerden anlamam, bu olabilir mi sevgilim?"

"Annen kıskanç ve fitne," diye sakin bir sesle cevap vermeye çalıştı Safiye. "Senden, sevgili efendimden, Şehzade'mden bir şey saklayabileceğimi nasıl olur da söyler?"

"Ben de ona bunu söyledim."

"Ona inandın mı?"

"Hayır aşkım, ben yalnızca sana inanırım."

Evet, bu cami Tanrı'dan bir oğul dilemek için yapılıyor olabilirdi, ama aslında bunun Allah'ın isteğiyle bir ilgisi yoktu. Büyük Muradiye Camisi ve külliyesi zaten yalnız ve yalnız Safiye'nin onuruna yapılabilirdi.

# XIV

*Uzaklarda batida,* beyaz bulutların kümelendiği ufuk çizgisinde, Safiye göremese de Ege Denizi'nin uzanıp gittiğini biliyordu. Aşağı vadilerdeki olgunlaşan üzümler gibi bulutlar da şişip, kümeleşiyordu. Ve en fazla bir ay içinde bu gökyüzü beyaz şaraba dönüşüp mevsimin ilk yağmurlarıyla toprağa karışacaktı. Ama şu anda inanılmaz bir mavilik içindeydi, göz alıcı ve sonsuz bir mavi kubbe her şeyi kucaklıyordu.

Bu semadan yansıyan sıcak dalgalarsa her yeri aynı renge boyuyordu; sarıya... Buğdayla dolu ambarlar mis gibi kokuyordu. Safiye bulutlara bakıyordu ve daha uzakları düşünüyordu, İstanbul'u... Manisa İstanbul değildi, ama oraya giden yolun üzerindeydi. Burayı çok iyi değerlendirmeliydi. Azimli ve sabırlı olmalıydı. Ne kadar sabırlı davranırsa o kadar çabuk gerçekleştirebilirdi emellerini.

Gazanfer, gölgede çok şirin ve güzel bir köşe hazırlamıştı. Yastıklar, minderler, kilimler ve üzüm yapraklarıyla süslü nefis yiyecekler: Tuzlanmış salatalık dilimleri, taze fesleğen ve biberle sunulan peynir, ballı yoğurt, sarıldığı bohçada hâlâ sıcaklığını koruyan taze yassı köy ekmeği ve olgun şeftaliler... Safiye en çok narenciye şurubunu seviyordu ve ne kadar içerse içsin buz gibiydi her bardak. Gazanfer'in sıcağa karşın bunu nasıl başardığı onu hiç mi hiç ilgilendirmiyordu.

Safiye'nin terli kalçaları ve sırtı, arabanın kadife minderlerinden ötürü hâlâ kaşınıyordu. Neyse ki tekrar oraya dönmeyecektir. Çok şükür ki Manisa'nın meraklı gözlerinden, dedikoducu dillerinden yeterince uzaklaşmışlardı ve artık yolculuğun devamını atla yapacaklardı. Atlara bakmaya giden Murad; Gazanfer'le onlara eşlik eden askerlerle birlikte yemek yiyeceği haberini yollamıştı Safiye'ye.

Arada sırada onların öksürüklerle kesilen kaba, erkek kahkahalarını duyabiliyordu. Önceleri neler konuştuklarını ve neşelerinin kaynağını bilmeyi neredeyse İstanbul'da, imparatorluğun nabzının attığı o yerde olmayı istediği kadar büyük bir arzuyla istemişti.

Ama şimdi Gazanfer'in hazırladığı bu sessiz, sakin ortam onu giderek daha çok kendine çekmeye başlamıştı. Önceleri hadımın burayı seçmesinin gölge oluşundan kaynaklandığını düşünmüştü oysa şimdi başını kaldırıp mavi gökyüzüne, bulutlara baktıkça Murad'dan da askerlerden de uzaklaştığını hissedebiliyordu.

Gazanfer ona mis gibi kokan rengârenk çiçeklerden bir demet toplayıp getirmişti. Gözünün önünde harikulade bir manzara vardı. Küçük bir dere ve onun kaynağı olan kayalıklar...

Kayalardan biri rengi ve şekliyle tıpkı bir kadına benziyordu.

Safiye oturduğu kilimin üzerinde bir o yandan bir bu yandan taşa bakıyordu ve nereden bakarsa baksın gördüğü değişmiyordu: Kadın büyük bir üzüntü içinde ellerini göğsüne bastırmıştı, uzun saçları beline kadar iniyordu ve su onun başının yakınında bir yerden fışkırıyordu. İnsana büyük bir keder veriyordu bu kadın figürü.

Bir el, bu şekli daha da belirginleştirmek için dokunmuş gibiydi; sanki beli, elleri ve çeneyi birileri vurgulamıştı. Yunan ya da Roma heykeltıraşları olabilir diye düşündü Safiye. Ama yine de taşın tarihi çok çok daha gerilere dayanıyordu ve ondaki kederi en iyi bir kadın algılayabilirdi, evrensel bir acının tarifiydi bu kaya.

"Niobe," dedi Gazanfer, "ve onun gözyaşları."

Safiye daha fazla bir açıklama istemedi. Her şeyi biliyordu hadımı ve bu da şerbetin nasıl soğuk tutulduğu gibi Safiye'nin merak etmediği bir şeydi. Nasılsa o sormadan Gazanfer, merak ettiklerini anlatıyordu bir bir. Ama oturup baktıkça her zamankinden farklı bir şeyler hissetti Safiye.

Üstelik bu duygularında yalnız da değildi. Pınarın çevresinde bir yığın kadın daha vardı.

"Rumlar mı?" diye sordu Safiye.

Gazanfer şeker külahına benzeyen şapkasını sallayarak, "evet," dedi.

Bu cevabın üzerine duyduğu pişmanlıkla karışık üzüntü Safiye'yi şaşırtmıştı. Buradaki eskiden kalma köylüler hâlâ köklü ve eski geleneklerine sadık yaşıyorlardı. Ama işte şimdi bu konuda onlarla konuşamıyordu. Rum erkekler hayatlarını kazanmanın peşinde Türkçe öğrenmişlerdi ama kadınlar kendi anadillerinden başka bir şey bilmiyorlardı ve Safiye onlarla anlaşamadığı için büyük bir pişmanlık ve üzüntü duyuyordu. Bu kadınları daha önce de balkonlarda, kapı önlerinde kilimlerini havalandırırken veya çorap örerken ya da ayaklarında çocuk sallarken görmüştü. Ve onlarla konuşmayı hiç düşünmemişti.

Rum kadınları Türkler gibi gizli saklı değillerdiyse de onlara özenmek aklının köşesinden bile geçmemişti. Çünkü onlar yoksuldular, yoksa bir başka özgürlük tavrı değildi bu yaşadıkları. Ve bir tahtırevanda yeniçerilerin eşliğinde gitmek bununla kıyaslanamazdı.

Ama yine de bu kayanın karşısında Safiye, onlarla konuşabilmiş olmayı istiyordu.

Gelen kadınlar arasında renkli giysiler taşıyanlar olmasına karşın ziyaretçilerin çoğu dullardı. Üzerlerinde taşıdıkları mendiller bile siyah olan dullar.

*Tanrı'nın sırtını çevirdiği bu kullarla benim ne işim olabilir,* düşüncesi her zamanki gibi aklına ilk gelen şey olmuştu. *Hiç kimseye bir yararı olmayan fuzuli hayatlar...*

Ama şimdi ilk kez farklı düşünüyordu, bir şey dilemek zannettiğinden belki de daha eski bir gelenekti ve dileyenler de yaşlı olmayabilirdi. Gencecik bir kız, üstelik de güzellikten fazlaca nasibini almış biri rahatlıkla bir ihtiyarla aynı yerde yalvarıp, dilek tutabiliyordu.

Pek çoğu yanlarında adaklarla gelmişlerdi. Bazılarının ellerinde Safiye'ninkilere benzer buketler vardı ve bunları saygıyla bırakıyorlardı kayanın dibine. Diğerleri bakır tencerelerde binbir çeşit meyveyi, sebzeyi, tahılı kaynattıkları hoş kokulu aşureler getirmişlerdi. Sonra bunları başka gelenler oturup yiyorlardı.

"Ölülerin ruhu için," dedi Gazanfer .

Genellikle kadınlar, birkaç arkadaş oturup getirdiklerini yiyip içip, ellerinde boş kaplarla ve yüreklerinde umutlarla geri dönüyorlardı.

Ama aralarında bir yaşlı kadın vardı ki, aradığı hiçbir şeyi bulamamış gibi dolanıp duruyordu. Yiyecek bir şey kalmamıştı ortalıkta galiba. *Tıpkı kayanın kendisi gibi,* diye düşündü Safiye. İki büklüm dolaşıp duruyordu ihtiyar sızlanarak ve Safiye neden olduğunu bilmeden kendini bile şaşırtacak biçimde yerinden kalkarak önündeki dolma tabağını kadına uzattı...

Kadın bu armağanı aldı, eğildi, dualarla yere kapandı sonra mırıldanarak, bir fare gibi tabakla birlikte kayboldu.

"Allah razı olsun hanımım..."

Öylesine büyük bir övgü ve teşekkürle karşılaşmıştı ki Safiye, kendini hazmedemeyeceği bir yemeğe girişmiş gibi hissediyordu. Ondaki tüm değişiklikleri algılayan hadımına döndü: "Gazanfer, aslanım, çok mu büyük bir bahşişte bulundum?" diye sordu.

"Hayır, hiç de değil" dedi adam.

"O halde bu nedir?"

"Yalnızca bir hoşluk."

"O halde açıkla bana."

"İnanmaz mısınız hanımım? Verdiğiniz bir sadakayla kötü kader de sizi bırakır gider. Herkesin o kadına bir şeyler vermekteki titizliğini yoksa fark etmediniz mi?" Kelimeler artık bir hadımın öz dramının yansıması gibiydi." "Bir gün apansızın onun gibi bir talihsiz olabileceğinizden hiç mi korkmuyorsunuz?"

"Hayır asla böyle bir saçmalığı düşünmedim. Ve böyle bir şeye inanmam. Sana da böyle bir şeye inanmamanı emrediyorum."

"Maşallah," diye konuyu geçiştirdi Gazanfer.

Ama yine de Safiye içten içe, gözlerinin önünde olup bitenden, tabağın ortadan yok oluş biçiminden hoşlanmamıştı.

Bir iki derin nefes aldı, kendini bütün bunların yalnızca bir hadımın batıl inançları olduğuna ikna etmeye çalışıyordu. Bu adamlar zaman zaman kendilerini inanılmaz derecede çaresiz ve yalnız hissediyorlardı ve kesip atılan deri ve et parçaları pek çok anlamda çaresiz bir çocuk bırakıyordu geride.

Bütün bu bilgiçliğine karşın izah edemeyeceği şeylerle doluydu burası, tek çare ise yine Gazanfer'e başvurmaktı. Sordu: "Gazanfer?"

"Hanımım?"

"O kim?"

"Allah'ın bir zavallı kulu, bilmiyorum."

"Dilenciyi değil. Taşı kastediyorum."

"Ah, Niobe."

"Niobe." Evet, daha önce de söylemişti. Galiba bu ismi zaten biliyordu, çocukluğundaki birtakım klasik heykellerden. Ama şu anda hatırlayamıyordu ve Gazanfer'in bunları tarafsız bir biçimde anlatmasına ihtiyacı vardı.

Ve tabii ki o da bunu yaptı. "Niobe bir kadındı. Ölümlü bir kadın..." Zaten hadımının mükemmel bir öykü anlatıcısı olduğunu düşünmüyordu. "Ama o, diğer ölümlülerden daha fazla bir değere sahipti."

"Daha mı zengindi, bir prenses miydi?" Gerçekten de konu deşilmezse gün boyu uzayıp gidecekmiş gibi görünüyordu.

Gazanfer kafasını sallayarak ekledi: "Tanrılar ona yedi kız, yedi de erkek çocuk vermişlerdi."

"Maşallah," dedi Safiye, aslında bunu yalnızca bir alışkanlıkla söylemişti.

"Ama şunu unutmuştu."

"Neyi?" Gerçekten de bu hadımın ağzından kelimeleri çekmek gerekiyordu.

"Ona bunun tanrılar tarafından verildiğini ve onlara ne kadar borçlu olduğunu unutmuştu. Yalnızca iki çocuğu olan Leto'dan üstün olduğunu söylemeye ve çocuklarıyla övünmeye başladı."

"Sonra ne oldu?" Safiye adamın hızlanması için elinden geleni yapıyordu.

"Leto'nun çocukları, oklarıyla Niobe'nin çocuklarını bir ölüm yağmuruna tutarak annelerinin onurunu kurtardılar. On dördü birden öldü, bir anda."

"Maşallah!"

"Niobe öylesine büyük bir keder içindeydi ki, Tanrı ona acıdı ve bir kayaya döndürdü. Hâlâ ağlar, ama en azından acı çekmez."

"Yani, bu taş o mu?"

"Öyle denir."

Batıl inançlarından ötürü biraz önce azarlanan Gazanfer, daha fazla bir iddiada bulunmak niyetinde değildi. Bu Safiye'nin emriydi ve Baffo'nun kızının bu mekânın gizemine karşı kendini korumak için yapabileceği tek şey de bundan ibaretti. Az çok öğrendiği diğer güçlere karşın bu bildiği cinsten bir şey değildi. Bir an önce buradan uzaklaşmak istiyordu ama böyle bir şeyle nasıl başa çıkabileceğini bilmiyordu.

Murad'ın atlarla gelişi onun kurtuluşu oldu. Askerler sarığını yeniden sarmış olmalıydılar. Tıpkı sabahki gibi pırıl pırıl ve düzgündü.

Kızın ayağa kalkmasına yardım ederken, "Aşkım ne oldu?" diye sordu.

"Hiçbir şey, hiçbir şey, yalnızca seni çok özledim."

Galiba ilk kez söyledikleri yürektendi ve sarılışı Murad'ı ortalıkta kimseler olmasa da bir parça utandırmıştı.

Şehzade'nin gelişiyle dilenciler de kara bulutlar gibi ortadan kaybolmuştu. Murad giderse onların tekrar gelebileceği gibi bir fikre kapılan Safiye de onunla birlikte oradan uzaklaşmak istedi, hem de çabucak.

Gazanfer ve bir iki adamı ortalığı toplamak üzere geride bırakarak, Murad'la birlikte atlara doğru ilerledi. Atlardan gelen kokuyla genzini doldurdu, bu aynı zamanda gücün ve özgürlüğün kokusuydu.

Murad sanki bütün bunları vaat eder gibi onun ata binmesine yardım ediyordu ve tam ayağını üzengiye atarken Gazanfer belirdi.

"Hanımım?"

"Nedir, hadım?"

Bir şeyler saklamaya çalışır gibi davranan adam, atın üzengisinin arkasında Şehzade'den uzakta kalmaya özen gösteriyordu. Safiye'nin başka bir şansı yoktu, bir eli, kendisi için mi Murad için mi olduğu belli olmayan bir şekilde, kuvvet alırcasına Şehzade'nin omzunda adama doğru yöneldi.

"Evet Gazanfer, ne var?" Sabrının taşmak üzere olduğu belliydi.

Gazanfer yeşil gözlerini aşağıya devirmişti. Bu bakışları izleyince Safiye, meseleyi hemen anladı. Adamın avuçlarında birer küçük gümüş kutu vardı. Bunlar, onun gebe kalmasını engelleyen ferazik kutularıydı.

Gazanfer fısıltıyla, "Bunları arabayı düzeltirken buldum," dedi.

"Evet, olmaları gereken yerde," dedi Safiye, bu cinsiyetsiz yaratığa daha fazla bir şey söylemeli miydi?

Ama dikkatle bakınca daha fazlasını gördü. Adamın elindeki kutulardaki ilaçlı karışımlar, güneşin altında erimiş ve artık kullanılamaz hale gelmişti.

"Tamam mı Safiye?" diye seslendi atın öbür tarafından Murad.

"Evet, evet," dedi Safiye ve hadıma döndü, "Boş ver Gazanfer, önemi yok, belki de senin şerbet buzlarınla bir çaresini bulurum."

Ata binerken adamın, "İnşallah," dediğini duydu.

Güneşten kızmış kaygan eğer bacaklarını yaktı ve zihnini dağıttı. Elindeki adağa benzeyen çiçek buketini bir kenara fırlattı ve dizgini çekerek sarı deriden ayakkabılarıyla atı mahmuzladı.

# XV

$\mathscr{S}$AFİYE'NİN ALTI UZUN SAÇ ÖRGÜSÜNÜN uçları atın adımlarına uygun bir tempoyla omuz başlarına vuruyordu. Ağlayan kadın Niobe'nin yanından ayrıldıktan az sonra, üzerindeki sırmalı kalın kahverengi dış çarşafı çıkarıp önüne, atın boynuna koymuştu. Saçlarını kapatan ince krep örtü kalçalarına kadar uzanıyordu. Kendi süratinin yarattığı rüzgâr, gömleğinden içeri girerek göğsüne doluyordu.

Kızgın yaz sonu güneşinin altında havada bir parça serinlik, hoş bir koku bulmak istercesine hızla nefes alıyordu. Ama tek algıladığı kupkuru bir kavuruculuktu ve kendini bir az sonra alevlenecek bir ateş gibi hissediyordu. Daha da hızlandı, bu güçten kaçmak mı istiyordu? Ya da tam olarak içine dalmak mı?

Rüzgâr tüllerini bir bayrak gibi şişirip dalgalandırıyordu. Murad'ın savaş alanındaki iyi bir asker misali bu bayrağı izleyeceğinden emindi. Acaba askerler, düşmana saldırırken de böyle bir aceleci telaş içinde mi oluyorlar, diye kendi kendine merak etti. Kucaklaşmak istedikleri gerçekten zafer miydi, yoksa güzel hurilerle gılmanlar mı?

Kur'an'da yazıldığı gibi, ceylan gözlü birbirinden yakışıklı genç delikanlılara doğru koşma fikri, altındaki eğerin sıcaklığıyla karışınca hafif bir inilti çıkardı. Ama hiçbir zaman dini konularla ciddi olarak ilgilenmediği için, bu vaadin ona mı yoksa Selim'e mi yönelik olduğunu tam olarak bilemiyordu. Her şeyi kendi çıkarlarına uygun olarak değerlendirme alışkanlığıyla Safiye, kutsal armağanın ona sunulduğunu düşünmeyi tercih etti ve kalçaları arzuyla kasıldı. Hassas ve zeki bir hayvan olan atsa bunu daha hızlı gitmesi için yapılmış bir uyarı olarak almıştı.

Askerler, hizmetkârlar, avcılar arkasında kalmıştı. Önünde güneşin ışıklarıyla boyanmış görünüşüyle adına hiç de uymayan Bozdağlar uzanıyordu. Gidecekleri yer orasıydı.

Kimsenin acelesi yoktu, kamp yerine akşama doğru ulaşmayı hedeflemişlerdi. Köleler çoktan çadırları kurup, yemek hazırlıklarına girişmiş olmalıydılar. Şahinler, av köpekleri, silahlar, ağlar av için onları bekliyordu. Yani Safiye'nin bu acelesi gereksizdi.

Murad'dan mı kaçmaya çalışıyordu? Hayır bu doğru değildi, sahip olmayı arzuladığı güç ve başarının anahtarı Şehzade'deydi. Ayrıca onu beğeniyordu da... Askerlerin yanından geldiğinde tertemiz kıyafeti ve özenli sarığıyla nasıl da yakışıklı görünmüştü gözüne. Geri dönüp, kendi çıkardığı toz bulutunun arasından baktığında onu hâlâ aynı hoşluk içinde buldu.

Acelesinin nedeni dağlardaki avın çekiciliği de değildi. Yoksa, Şehzade'nin gerçek bir şehzade olduğunu kanıtlayabilmesinin çok güç olduğu bu kanlı oyun dünyasından kaçmayı mı özlüyordu?

Tam o sırada solundaki ormanın kenarında bir açıklık gördü. Bu düşündüklerini kanıtlamak istercesine, atını oraya sürdü ve kestane ağaçlarının arasına daldı. Dallar başına ve kırmızı ipek şalvarının dizlerine takılıyordu.

"Safiye yapma!" Bu sözünün dinlenmeyeceğini hemen anlayan Murad bu kez, "Bekle!" diye bağırdı.

Ama nal tıkırtılarının arasında sesi duyulmamıştı. Safiye omzunun üzerinden ona çapkınca güldü, bu gülüşü izlememek olanaksızdı.

Gökyüzünü kapatan upuzun çamlar, kestaneler ve meşelerden yayılan kokular adeta genzini yakıyordu. Toprak, çürük ot ve yapraklardan yosunlaşmıştı. Yolla kıyaslanamayacak serinlikteki sık ormanın loşluğu gözlerinin önüne ikinci bir peçe gibi oturmuştu.

Yarı kör gibi etrafına bakarken çalılıklardan gelen bir sesle irkildi, Önce Murad olmalı, diye düşündü, ama bu kadar çabuk gelemezdi yanına, herhalde kendi atının arka ayaklarının çıkardığı çıtırtıydı bu.

Birkaç adım sonra her iki tahmininin de yanlış olduğunu anlamıştı.

Bu bir geyikti. Sağ tarafa doğru hızla koşturmuştu. Ama bu kadar kısa bir sürede bile Safiye, korkuyla titreyen kadifemsi burnu ve büyük acıklı gözleri görebilmişti, *cennetteki hurilerin gözleri gibi.*

Bu görüntü kalbinde bir çarpıntı yaratmıştı ama korku değildi bunun nedeni, arzuyla karışık bir meraktı. Geyiğin mutlaka bir yerlerde bir yavrusu olmalı, diye düşündü. *O kaçarken, annesi tehlikeyi kendi üstüne çekmeye çalışıyordu.*

Safiye daha önce de geyikler görmüştü, canlı ya da ölü. Ama annenin yavrusuna duyduğu sevgi ve fedakârlık aşina olduğu bir konu değildi. Donmuş gibi oturuyordu atın sırtında, nefesi atınkiyle karışmıştı. Kafasıysa allak bullaktı. Bu çeşit duygulanmaları insanlarda kesinlikle zayıflık olarak nitelendirirdi ama söz konusu hayvanlar dünyası olduğunda böyle düşünmek olanaksızdı.

Safiye bu içgüdüyü anlamakta zorluk çekiyordu. Böyle bir durumu kabul de edemezdi, inkâr da... Ama o ağlayan kadını gördükten sonra aklı karışmıştı. Adak yerinden ayrıldığından beri duygusal çelişkilerini boynuzlarından yakalayıp, hakkından gelmenin peşindeydi.

Çünkü böylesi bir düşünce dağınıklığı onun en büyük düşmanıydı.

Geyiğin etkileyici görünümü onu neredeyse bir parça ara için yalvartacak hale getirmişti. Arkasını dönüp bu kâbustan sıyrılabilirdi ve bedensel sorunların, gereksinimlerin peşinde kendini tazeleyecek sabahı bekleyebilirdi.

Bugünkü gibi bir at gezintisini doğduğu kentte asla yapamazdı. Bu düşünceyle bir parça teselli bulmaya çalıştı. Yeni genç kız olduğunda biraz ata binmişti ama bu son beş aydır Manisa'dakilerle kıyaslanamazdı. Rahibeler kabul etse bile, Venedik'te, eteklerinin açılmamasına çalışarak eyere yan oturmak zorundaydı ve bu da gerçek bir ata biniş sayılamazdı.

Ayrıca Manisa'ya geldiğinden beri alışıp, eğitmeye çalıştığı bu kısrak gibi zeki ve söz dinler bir hayvana orada sahip olamazdı. Biliyordu, şimdi yanında Gazanfer olsa, 'Allah'a şükürler," derdi mutlaka. Ama ani bir isyan duygusuyla bu iki cümleyi değil söylemek, aklından bile geçirmedi.

Ve tam bu düşüncelerin ortasında, atın eyerini çekti, altındaki hayvan birden kişneyerek şaha kalktı ve sallanarak yıkıldı.

Safiye'nin son gördüğü hızla yaklaştığı yosunlu topraktı.

# XVI

$\mathscr{S}$AFİYE CİDDİ OLARAK YARALANMAMIŞTI. Birkaç saniyede kendine geldi, nefesi ve kalbinin atışları hızlanmıştı. Yüzü, elleri, dizleri dikenli çalıların arasındaydı, doğrulmaya çalıştı ama gücünü tam olarak toparlayamıyordu, yalnızca başını kaldırabildi.

İlk gördüğü yanı başında uzanıp kalmış kısrağının titreyen ince, uzun, gri bacakları oldu. Safiye şaşkınlık ve korku içinde ona bakarken, hayvan bir iki kez daha sarsıldı ve öylece hareketsiz kalıverdi. Ortalığa bir ölüm sessizliği çökmüştü. Ne olduğunu anlayamayan Baffo'nun kızı kendini tekrar sırtüstü yere bıraktı ve derin bir nefes almaya çalıştı:

"Allahım, Allahım! Onu öldürdüm!"

Atından telaşla inen Murad ölü kısrağa doğru bağırarak koşuyordu. Bir kez daha "Allah!" diye bağırdı ve eğilip yerden Safiye'nin atın boynuna bıraktığı sırmalı kahverengi şalı eline aldı, üzerinde kendi okunun yarısı hâlâ duruyordu. Okun gerisi hayvanın kalbine saplanıp kalmıştı. Bu arada Safiye artık tamamen kendinden geçmişti.

Hemen gözünün önünde, seçemediği bir gölgeyle ayılır gibi oldu. Şehzadesinin kollarındaydı. Murad onu çok uzağa taşımadı, yalnızca yerdeki hayvana doğru koşturan hizmetkârların göremeyeceği bir kuytuya götürdü.

Diz çöküp oturdu yanı başına. Uzaklardan gelir gibi de olsa Safiye, onun sesini duyabiliyordu. İyileşmesi için Allah'a dua ediyordu. Sonra kelimelerin arasında 'geyik' lafını duydu. Şehzade de onu görmüş ve heyecanla avı erken başlatıvermişti. Çok kolay, diye düşünmüştü. Ve hayvanı bir an gözden kaybedip, sonra tekrar çıtırtıları duyduğunda 'o' diye okunu bırakıvermişti. Ama tam da o anda bunun geyik değil, sevgili gözdesinin şalı olduğunu fark edip panik içinde çılgına dönmüştü.

Safiye gözü kapalı yattıkça Murad'ın yakarışları artıyordu. Ona yeni bir at, yirmi at, hatta dünyayı ve cenneti vaat ediyordu. "Yeter ki sen iyileş ve beni affet." *Evlilik, bunu istiyorum,* diye içinden geçirdi Baffo'nun kızı.

Murad ona doğru iyice eğilmiş yara ve eziklerine bakıyordu. Safiye'nin tülleri, peçesi ortalarda yoktu. Genzine dolan koku bu kez otların, ağaçların değil, onu seven erkeğin kokusuydu.

Şehzade, Safiye'nin yanağındaki inceden kanayan çiziği sevgiyle öptü. Düğmelerini çözüp boynuna, göğüslerine baktı.

Onu ilk gördüğünden bu yana Murad ne kadar değişmişti. Bütün bu değişikliği yaratan kendisiydi ve bu yüzden bunu seyretmekten hoşlanıyordu. Şehzade, artık eskisi gibi solgun ve zayıf değildi, pırıl pırıl cildi ve bronzlaşmış teniyle şimdi çok daha yakışıklı ve sağlıklı görünüyordu.

*Evlilik,* diye tekrar geçirdi içinden.

Birden fark etti, Murad onun için bir başkası değil, kendi varlığının uzantısıydı. O, bu düşünce denizinde yüzerken Şehzade de onun diken ve toprağa bulanmış bedenini öpücüklere boğmaktaydı.

Safiye, yaptığı bu saptamanın şaşkınlığı içindeydi, ama onu daha çok şaşırtan kasıklarının arasındaki sertlik oldu ve tüm tutkuları burada yoğunlaşıverdi. Yarı baygınken yakalanmaktan çok da hoşlanmamıştı, ama elinden gelecek bir şey yoktu.

Bir kez yakalanınca, kurtulmanın yolu yoktu ki... Altındaki topraktan şikâyet edercesine inledi. Bu anın umutsuz amacının ne olduğunu bilmiyordu, çünkü ne onu yakalayabilmiş ne de onun çekiminden kaçabilmişti.

Evet orgazmın ne olduğunu biliyordu, ama bu her ne zaman olduysa, beraberinde gizli bir umutsuzluk duygusunu da yanında getirmişti.

Meşe palamutları ve kestaneler altında çıtırdıyordu. Üzerindeki kat kat ipekler işe yaramıyordu, yine de tam olarak soyunmamış olmasından memnundu.

Murad'ın boşalması kısa ve sertti, hatta belki de attan düşmesinden daha can yakıcı. Safiye, az önceki inlemelerini doymuş bir âşığınkilere döndürmekte zorlanıyordu. Yine de üzerindeki ağırlıkla sabır içinde yattı, çünkü kendi arzularının tatminine giden yol da buradan geçiyordu.

Dallar arasından süzülen bir demet gün ışığının parlattığı Murad'ın sarığı, etrafındaki yeşil dallarla Venedikli bir çapkının şapkasını andırıyordu.

Safiye altındaki kozalakların baskısını tekrar hissetti, canı daha çok yanıyordu ve buna rağmen garip bir şekilde aklına çocukluk günleri geliyordu. Soğuk bir kış gününde şöminenin başında kestane pişirip, şarap içilerek geçirilen günler... Bunları ait oldukları yere, gerilere attı ve elini uzatıp parmaklarını Murad'ın kızıl saçlarının arasında gezdirdi, bir tutamı acıtmadan çekti.

*Şimdi benim isteklerimin bir anlamı yok. Önemli olan Şehzadem'i bu vahşi yerden alıp gitmek, bunu bir an önce nasıl yapabilirim?*

Mırıltılarla bir iki küçük söz söyledi ve sonra bıraktı ki o konuşsun.

"Geyik oradaydı," dedi Murad.

Devam edemediğini görünce Safiye onu cesaretlendirmek için, "onu ben de gördüm," dedi.

"Evet, çok güzeldi."

"Onu uzaktan görmekle bile çok etkilendim."

"Onu bir de yakından görmeliydin. Ne gözlerdi..."

"Cennet hurilerininki gibi değil mi?"

Kısa bir an, onun eğilip gözkapaklarını öpeceğini düşündü Safiye, hatta gözlerini kapatmıştı bile.

Ama Murad, onun dokunuşuyla yanmış gibi birden ayağa kalktı. Hızla giyinmeye başladı. Sanki kızdan tiksinmiş gibi bir hali vardı.

Safiye dikkatle dirseklerinin üzerinde dikildi ve aralarındaki mesafeyi azaltmak istercesine ona elini uzattı. "Sanırım, yakınlarda bir çalının arkasında bir de yavrusu olmalı. Onun yanına gitmiştir."

Bunlar herhalde söylenebilecek olan en yanlış sözlerdi. Ve Şehzade ölümcül bir yara almış gibi acı içinde diz çöktü.

Safiye ne olup bittiğini anlayamamıştı, Murad'a doğru emekleyerek yanaştı. Acı ve gerilimden titriyordu. Yine de elini dostça bir sakinlik içinde onun omzuna, ne olduğunu sorar gibi koymayı başarabilmişti.

Şehzade bu tavırla rahatlamak yerine sarsılarak ağlamaya başlamıştı.

Safiye derhal geri çekildi. Bundan önce de pek çok kez kırılmış, üzülmüştü Murad, ama ağladığını hiç görmemişti. Kendisi bir kadın olduğu halde yalnızca bir kez, o da gizlice ağlamıştı, eskiden... Türkler'in arasına ilk katıldığı günlerde. Gözyaşları içindeki bir adam onun midesini bulandırırdı. Ve bu adam...

Bu duyguyla başa çıkmaya çalıştı. Aslında suratına bir tokat atmak ve utanmıyor musun erkekliğinden, kendine gel demek istiyordu, ama yapamadı. Belki de ata, geyiğe ağlıyordu. Belki de o ağlayan kadındı her şeyin nedeni. Safiye'nin tek yapabildiği diz çöküp onu seyretmekti. Adam ağladı ağladı... Sonra utanç içinde konuş-

maya başladı, "Can almak çok kolay." Sesini hâlâ kont-
rol edemiyordu, titreyerek devam etti. "Çok kolay. Oysa
bir can vermek çok zor."

Bir baykuş öttü, eşi cevap verdi. Safiye, âşığının kal-
binin vuruşlarının sanki kendi göğsünde, onu yakarak
attığını hissediyordu.

Hiçbir şey söylemedi, yalnızca bekledi, bir iki daki-
ka sonra Murad tekrar konuşmaya başladı. "Beni affet.
Beni affettiğini söyle sevgilim."

"Affetmek mi, neyi?"

"Sana asla çocuk veremeyecek bir adama kaderini
bağladığım için beni affet."

"Asla mı?" diye sesini yükseltti Safiye. "Ama bu Al-
lah'ın isteğidir, senin değil hayatım."

"Hayır, benim hatam. Biliyorum. O, beni, esrarla
kendimi kandırıp, ona isyan ederek bir başka âlem yarat-
mak istediğim için cezalandırıyor. Ben bunu hakettim,
esrar içerek Allah'ın bana verdiğini yok etmeye çalıştım.
Pek çok erkek, çocuğu olmadığı için karısını suçlar, ama
onlar aptaldırlar. Ben bunun için çok acı çekiyorum. Se-
ni herkes suçlayabilir ama ben değil."

"Herkes, yani annen..." Cümleyi nasıl tamamlayaca-
ğını Safiye de bilemiyordu.

"Evet. Biliyorum bir torunu olmadığı için annem
haremi bir cehenneme çevirdi senin için. Ama seni ne
kadar sevdiğimi cümle âlem biliyor. Bu senin hatan de-
ğil. Bu gerçeği bugün tekrar gördüm. Bugün, o kahrola-
sı okla seni öldürebilirdim. Allah'ım sen koru bizleri. O
şala doğru gittiğimde senin ölünle karşılaşacağımı dü-
şünmüştüm. Kısraktan oku çıkarırken yalnızca kan ve
ölümdü gördüğüm. Sana başka ne verebilirim ve ne ver-
dim? O zavallı at bile benden daha iyi hizmet etmiştir
sana."

"Aşkım," dedi Safiye, Murad'ın başını göğsüne yaslamıştı. "Sakin ol ve şunu bil ki, eğer ortada bir suç varsa onu da her şeyi paylaştığımız gibi paylaşırız."

Yeniden seviştiler. Bu kez daha yavaş, daha sıcak, mutluluğu paylaştıkları gibi suçu da paylaşarak...

Akşamüstü, gün batarken Safiye, âşığının kollarından çıkıp Gazanfer'in yanına gitti. Adam, tülleri, peçeleri ve çarşafı toparlamıştı, kıza doğru uzattı. Hadım, âşıklar sevişirken bile görevini sürdürmüş, sahibesini bir sadık köpek gibi beklemişti.

Peçesini takarken ona yardım eden Gazanfer'in yeşil gözleriyle karşılaşmasa unutacağı bir şey Safiye'nin birden aklına gelivermişti. Atın ölümü nedeniyle unuttuğu şey. *Mutlaka avantajlarını kullanıp Şehzade'yle nikâhlanmalıydı.*

Hatırladığı bir başka şeyse kırmızı kadifeyle döşeli tahtırevanda bıraktığı gümüş kutulardı...

Bölüm 3

# Abdullah

# XVII

*"GÜNAYDIN EFENDİM, HOŞ GELDİNİZ."*

Ayva, arkasından Boğaz'ın soğuk ve rutubetli havasını da sürükleyerek İsmihan'ın haremine girmişti. Kış, bütün hışmıyla başkenti kasıp kavuruyordu...

"Bu ne güzel bir ziyaret," diye ekledim.

Aslında sözlerime bir cevap almayı ummuyordum. Kalfa Kadın'la yaptığım tek sohbet, bana yeryüzünde hiç kimsenin erkekliğimi geri veremeyeceğini kesin bir dille anlattığı günküydü. Bunun dışında bir yakınlığımız olmamıştı. Nasıl olabilirdi ki? Bir hadım, bütün kadınlarının gözünde haremin eşyalarından sadece biriydi. Minderler, sedirler gibi onları rahatlatan ama konuşması gerekmeyen bir eşyaydım ben de.

Ayva, hanımımın sağlık sorunlarıyla yaklaşık iki yılı aşkındır titizlikle ilgileniyordu. Onun tavırlarına alışıktım, tabii o da bizimkilere. Bu nedenle yanında alışılmış hadım-kadın ilişkisi içinde davranmamız gerekmemişti.

Küçük köle kız, öğrettiğim gibi Kalfa'nın çarşafını ve peçesini alıp kurumaları için astı. Ama onları çıkarmadan bile kadının yüzünün ekşiliği belli oluyordu. Ziyaretçimizin davranışları her zamankinden daha abartılı ve telaşlıydı, bunu görebiliyordum.

Onu rahatlatmak isteğiyle, daha yumuşak bir ses tonuyla tekrar konuştum. "Sizi en azından birkaç ay daha

İstanbul'da görmeyi doğrusu ummuyorduk." Aslında galiba ben kendimi rahatlatmanın peşindeydim. Çünkü gevezelik etmek yerine sırtının arkasına, alıştığı gibi bir yastık koymak kadına daha iyi geleceğe benziyordu.

Açıkçası merakım yüzünden nezaket, tavırlarımda iyice geride bir yerlere gitmişti. Bu kadını son kez evimizde gördüğümüzde kış başıydı ve İsmihan, dört gözle Safiye'nin dönüşünü bekliyordu. İşte tam o günlerde mutlu haberi almıştık. Safiye'nin durumu yolculuğa uygun değildi, hanımımın çocuğu saltanat ailesinde beklenen tek bebek olmayacaktı bundan böyle.

İsmihan canı gönülden, "Tabii ki oraya gitmelisin Kalfa," demişti.

Ben, "Safiye'nin günü sizden üç ya da dört ay sonraya hanımım, Kalfa Kadın'ın sizin doğumunuzun ardından gidip ağabeyinizin çocuğuna bakmak için nasıl olsa bol bol zamanı olacak," diye lafa karışmıştım.

Ama İsmihan bana cevap bile vermeden Ayva'ya, "Safiye'nin sana ihtiyacı var. Bana gelince, bu kaçıncı?... Yeterince deneyimim var ve bir başka ebeyle işi halledebilirim," diyerek konuyu kapatıvermişti.

Kadın da hemen toparlanıp onu götürecek ilk gemiyle hemen yola çıkmıştı.

Daha sonra baş başa kaldığımızda İsmihan beni ikna edebilmek için şu açıklamayı yapmıştı: "Ağabeyimin çocuğu tahtın varisi olacak. Unutma ki en iyi ebe benim değil, onun hakkıdır."

Ve işte, üç ay, yalnızca üç ay sonra Ayva geri dönmüştü. Hanımımsa hâlâ doğurmamıştı. Kötü hava koşulları nedeniyle gemi yolculukları bin bir güçlükle yapılabiliyordu. Kim bilir belki de kalfa kadın kara yoluyla dönmüştü. Hatta Manisa'ya ulaşamadan geri dönmüş bile olabilirdi.

Bunlar ne anlama geliyordu? Merakımdan bir atak daha yaptım. "Uzun süre kalacak mısınız efendim?"

Eğer niyeti buysa bilmeliydim, çünkü o zaman yine evin düzenini ayarlamam gerekecekti. Ayva bunları benim yapmam gerektiğini bildiği için buna cevap vermemezlik edemezdi.

Kadının bakışları onu zorlayan bu tavrıma çok da aldırıyor gibi değildi. Ama yine de kısaca "Hayır," diye kestirip attı.

Odanın köşesindeki yerime çekilip, sözün bundan sonrasını artık hanımıma bırakabilirdim.

İsmihan odanın orta yerindeki alçak sofranın başında, yerde oturuyordu. Sabah erkenden mangalı hazırlayıp yanı başına koymuştum ve o da yatağından çıkar çıkmaz hemen yanı başına kurulmuştu. Aslında genellikle hamileliği boyunca sıcak basmasından şikâyetçi olurdu, ama bu yıl kış öyle sert geçiyordu ki, o bile üşüyordu. İşte battaniyelerine sarınmış, odanın tek ısı kaynağı olan pirinç mangala neredeyse yapışarak yemeğini yemeye çalışıyordu.

Odanın ışığı da azdı. Oysa en az iki lamba yanıyordu, ama daha fazlasına gerek vardı. Boyasız zeytin ağacından kafesler gri gökyüzüyle karışmış, fark edilmiyordu. Odadaki bir yığın detay da öyle, ama mangala koyduğum sandal ağacının kokusu hepimizin genzini doldurmaya yetiyordu.

Dışarıda yağmurla sis arası bir hava vardı ve rüzgârın ıslıkları arada bir kulağımıza kadar geliyordu. Yine de içerisi tüm hareketsizliğine karşın en azından bunlardan uzaktı. Her zaman parlak bir mücevhere benzetmekten hoşlandığım İsmihan bugün mat bir oniksi andırıyordu.

Ayva'ya gelince, o bunlarla pek ilgili değil gibiydi.

Konuğumuzu gördüğünde İsmihan'ın verdiği tepki benimkinden farksız olmuştu. Neredeyse kullandığımız kelimeler bile aynıydı. Ayva ise bu sırada âdet yerini bulsun diye yaptığı belli olan selamlaşma sözlerini ve hareketlerini tekrarlıyordu.

Konu ne kadar kalacağı meselesine gelince kalfa aynı cevabı verdi, "Kısa." Ama ekledi. "Kıymetli hastamı ve onun bebeğini yeterince görecek kadar."

"Ben Allah'a şükürler olsun iyiyim," dedi hanımım. Ayva eteğini öpebilsin diye oturuşunu değiştirmişti. "Bebeğe gelince, o hâlâ Allah'ın ellerinde. Elimden gelenin en iyisini yapıyorum onun için. Ya sen Kalfa, sen nasılsın?"

Bir cevap yoktu. Eğildiği yerden ağır ağır doğrulan kadın, loş odada hanımıma ilk kez dikkatle baktı ve sarsıldı. İsmihan'ı elinde kendisine yöneltilmiş bir silahla görse ancak bu kadar şaşırabilirdi. Karmakarışık olan yüzünün rengi daha da yeşillenmişti.

"Kalfa ne oldu, neyin var?" Hanımım neredeyse yere düşecekmiş gibi görünen kadına yardım etmek için ileri doğru bir hamle yaptı.

Toparlanmaya çalışan Ayva'nın sesi kendini ele verecek ölçüde heyecanlıydı. "Hiçbir şey," dedi yalnızca.

"Senin için ne yapabilirim? Biraz ayran, şerbet?"

Kadın belli belirsiz bir hareket yaptı. İsmihan bunlarla birlikte sıcak çorba da getirilmesini emretmişti bile.

"Lütfen otur Kalfa." Hanımım ayağa kalkmış, konuğunun kolunu tutuyordu. Bende de dahil odadaki herkesten yeni yastık ve battaniyeler istediğini işaret ediyordu bir yandan da.

Ben kadının arkasına kabarık minderler yerleştirirken kalfa bir parça konuşabilecek kadar kendine gelmişti. "Bebeğiniz henüz doğmamış hanımım," derken bir yandan da elindeki beşibiryerde altınını saklayacak yer arıyordu.

"Hayır," diye cevap verdi İsmihan. "Ama şimdi beni bir yana bırakalım."

"Ama biz düşünmüştük ki..."

"Evet şimdiye kadar çoktan olmalıydı," diyen İsmihan omuzlarını silkti, kafasında başka şeyler vardı. "Bu seferki daha azimli ve inatçı, hepsi bu. İnşallah yaşamayı da başarabilir."

"Ama... ama bana sizin kurtulduğunuzu söylemişlerdi."

"Kim söyledi bunu? Kalfa biraz rahatla, sakin ol."

"Biri... Biri..."

"Alah Allah. Keşke haklı olsalardı. Senin de söylediğin gibi daha önce doğmuş olsaydı hiç şikâyetim olmazdı."

"Ama bana dedi ki, evet kesinlikle dedi ki, 'İsmihan Sultan doğurdu.' "

"Her kimse, karıştırmış olmalı. Bu çok da zor bir şey değil. Maşallah o kadar çok oldu ki..." İsmihan'ın yüzü kaygılarla gölgelenivermişti, ama hemen ilgisini kadına geri çevirdi. "Kalfa, gerçekten neyin var? İstersen Abdullah'ı bir hekim için göndereyim."

"Hayır hekim istemez," diyen Ayva'nın sağlığı geri geliyor gibiydi. "O şarlatanlar... Merak etmeyin anlık bir şeydi, geçiyor, birazdan bir şeyim kalmaz."

Gözlerini kapatarak, derin bir nefes aldı, ölümü solur gibiydi. Yüzünde ani bir değişim olmuştu, ama gözlerini tekrar açtığında eski kalfa kadın geri gelmişti.

"Kalfa?" diye tekrar sordu İsmihan.

"İyiyim, iyiyim, belki bir parça yemek yemeliyim."

Hanımım sinideki yemek dolu tabakları eliyle gösterdi ve bir peçeteyi hemen kadına uzattı.

Kaşığıyla bunlara girişen Ayva, dolu ağzıyla, "Hadım," diye bana seslendi.

"Buyurun."

"Aşağıda, tahtırevanda yaldızlı yeşil bir bohça var. Bana getiriver. Sanırım onlar iyi gelecek, kalbim..."

"Tabii efendim."

"Oh, hadım?"

Kapıdan geri döndüm. "Buyurun."

"Bir süre için, bebek doğana kadar sizde kalacağım. Adamlara söyle de Saray'dan eşyalarımı alıp getirsinler."

"Efendim?" Kulaklarımı inanamamıştım, ne ani bir karar değişikliğiydi bu.

İsmihan sabırsızlanarak, "Haydi, çabuk ol Abdullah," diye beni uyardı. Konuğunun tekrar hastalanacağının endişesi içindeydi.

Gittim, istenileni buldum, gereken emirleri verdim. Bohçanın doğru bohça olduğundan emindim, arabada bundan başka bir şey de yoktu. Ne bir ilaç, ne bir alet. Biraz garipsemekle birlikte çok da üstünde durmadım, zaten kumaşın arasından yayılan ot kokuları yeterince masumdu.

Beni daha fazla tedirgin eden hamallarla yaptığım konuşma olmuştu. Adamlar dinlenirken bizimkiler onlara yiyecek içecek ikram etmişlerdi ve ben de onların keyfini telaşla bozmak istemediğim için bir süre sohbet etmiştik.

Kafamı karıştıran şeyler benim masum bir cümlemle başlamıştı. "Ayva'nın Manisa'dan döner dönmez buraya gelmesi ne incelik. Neredeyse hiç dinlenmeden koşup gelmiş olmalı."

Hamalbaşı çengel burunlu, kaşları alnının ortasında birleşen iriyarı bir Rum'du. Cevabı şuydu: "Hiç de değil. Kalfa iki üç haftadır burada. Gerçi gelişini saklamak istiyordu, ama yine de bir yığın bebek doğurttu. Hepsi de sağlıklı bebekler, Allah'a şükür. Pek çok ateşli hastayı, romatizma ağrısı çekeni iyileştirdi. Ah bir de beni iyileştirebilse..." Ağırlık taşımaktan yorulmuş omuzlarını ovuşturuyordu.

Bu bilgiyi nasıl değerlendirmem gerektiğini bilemiyordum, hiç yorum yapmadım. Adamlar toparlanıp, boş tahtırevanı omuzladılar ve bileklerine kadar çamura batarak yola koyuldular ve az sonra sis içinde gözden yok oldular.

Ben, gözlerim onların kayboldukları noktaya takılı, bir süre daha durdum. Bütün bunlar anlaşılmazdı. Birincisi, Ayva, Safiye'nin doğumunu beklemeden geri gelmişti. Bu, saltanatın varisi beklenirken olabilecek bir şey değildi.

Geldiğinde hemen bize uğramaması ise ikinci anlaşılmaz noktaydı. İsmihan'la birlikte olması gerekirken başkalarına öncelik vermişti. Ancak onun doğurduğu haberini alınca gelmişti. Bu kez hanımımı doğurtmak mı istememişti acaba? Belki de yine sonucun kötü olacağından kuşku duymuş ve çekinmişti.

Mangalla ısınmış odaya girdiğimde merakımın ilk kısmı biraz aydınlanacağa benziyordu.

"Safiye nasıl?" diye sordu İsmihan, artık konuğun sağlığından endişesi kalmadığı için merak ettiği konulara girebilirdi. "İnşallah iyidir. Ya çocuk, erken doğum olmadı Allah saklasın, değil mi? Böyle erken geldiğine göre..."

"Safiye gayet iyidir."

"Allah'a şükürler. Ya bebek?"

"Bıraktığımda olabileceği kadar iyiydi. Allah annesinden razı olsun!"

"Ne demek istiyorsun?"

Elimdeki bohçayı kadına doğru uzattım. Ayva'nın elleri bunu açarken titriyordu, sanırım iyice güçsüzleşmişti. Oradan aldığı sarı yuvarlak bir şekerlemeyi ağzına atıp yedikten sonra cevap verdi.

"Şunu demek istiyorum, oraya gider gitmez bana ondan kendisini kurtarmam için yalvarmaya başladı."

Bu sözler hanımımı Kalfa'dan daha hasta bir duruma sokuvermişti.

"Şey demek istemiyorsun ..."

"Hayır, onu demek istiyorum." Kadın ağzındaki yemeği acı bir ilaçmış gibi yüzünü buruşturarak yiyordu. "'Onu istemiyorum', diyor, 'daha benimle evlenmedi, ben resmen onun karısı değilim, sultan değilim. Sultan olmadan çocuk doğurmam', diyor."

"Kabul etmedin değil mi?"

"Tabii ki reddettim."

"Senin böyle bir suçu işlemeyeceğinden zaten emindim kalfa."

Ayva İsmihan'ı gözlerini kısarak süzdü, ağzına bir başka yudum daha aldı. Çiğnerken doğru kelimeleri seçebilmek için zaman kazanmak istiyordu galiba.

"Daha önce bir yığın karın boşalttım ben," dedi neden sonra. "Yapmadığımı sanmayın. Ve o kadar da şaşmayın Sultanım. Yoksul bir kadının besleyecek bir yığın gırtlağın yanına bir başkasının eklenmemesini istemesinden daha doğal ne olabilir? Fazla doğum bir kadını öldürebilir, bunu da unutmayın. Bir tüccar gebe kalan kölesinin çaresine bakmam için çağırdığında genellikle bunu kabul etmem. Ve bu defa da, Allah şahidimdir, yapamazdım, yapmadım. Tahtın varisine? Safiye'nin öz be öz evladına? Bunu yapamazdım..."

Ayva, karşısında oturan İsmihan'a tekrar baktı dikkatle ve "Benim de sınırlarım vardır," dedi.

"Tabii ki Kalfa," diyerek İsmihan konuğunu rahatlatmaya çalıştı.

" 'Sana burada ne için katlandığımı sanıyorsun?' diyordu bana Safiye. Bana, Ayva'sına. Ve gidip başkasını bulacağını söyledi, buldu da. Bir yığın kocakarı... İşe yaramadılar. Başı döndü, midesi bulandı ama tek bir damla kanama ya da ağrı olmadı. Cahil bir yığın köylü onlar..."

"Çocuk hâlâ duruyor o zaman."

"Güzeller güzelinin başka şansı yok. Belki de hayatında ilk defa hiç başka şansı yok."

"Bu Allah'ın isteğidir."

"Evet ve Safiye bundan nefret ediyor." Kalfa manidar ama acı acı sırıttı. "Dünyanın en küçük göbeğine sahip ama kendisini hiç beğenmiyor, sağlığı için söylediklerime uymuyor."

"Ağabeyim ilgilenmiyor mu?"

"Oh, durumunu biliyor tabii ki."

"Ama onu düşürse Murad'a ne diyecekti?

"Düşürdüm, bilirsin böyle şeyler olur." Ayva, Safiye'yi taklit ederek konuşmuştu.

"Peki Murad, Safiye'nin korktuğu gibi vücudu bozulduğu için onu terk etmekle tehdit ediyor mu?"

"Tabii ki hayır. Ağabeyin kadar ana karnındaki varisine düşkün bir başka erkek daha görmedim. Günde yirmi kez Tanrı'ya diz çöküp bunun için teşekkür ediyor, yaptırdığı camiye oluk gibi para akıtıyor, herkese armağanlar veriyor ve tabii ki bol bol da şiir yazıyor."

"Safiye'nin seni geri yollamasının nedeni bu demek ki."

"Sayılır."

"Başka bir şey daha mı var?"

"Evet, gelip çocuğunuz doğana kadar sizinle olmamı ve bakmamı istedi sultanım. 'Git, İsmihan'ı doğurt, ondan sonra zaman var, gelir bana bakarsın', dedi. Hatta, 'eğer gelemezsen merak etme, burada bebeğe bakacak iyi kadınlar var' demez mi bir de. İyi kadınlarmış... Bir çocuktan kurtulabilmeyi başaramayan bir kadın nasıl ona iyi bakabilir? Ayva, kendi kendine homurdanmaya başlamıştı.

İsmihan kadını öven birkaç cümle mırıldandı, "benim için böyle uzun ve zahmetli bir yolculuk yaptığın için teşekkür ederim Kalfa."

Ayva her zamanki doğrucu tavrı içinde, "Evet edebilirsiniz," dedi. "Bunun için gerçekten bir nedeniniz var." Sonra arkasına yaslandı, yorulmuş görünüyordu, gözlerini kapadı, hayallere dalmış gibiydi.

İsmihan onu rahatsız etmek istemiyordu. Canı sıkıldığında hep yaptığı gibi yine önündeki yemeklere daldı. Tabakları bir bir dolaştı elleri, sonra Ayva'nın açık bohçasındaki şekerlemeleri gördü. Bizim mutfakta yapılanlara benzemiyordu bunlar.

Tam ağzına götürüyordu ki, Ayva birden gözlerini açtı ve sarı şekerlemeyi İsmihan'ın elinden kaptı. "Hayır, dedi, "Hayır bunu yiyemezsiniz." Sonra özür diler gibi devam etti. "Bunlar hamile kadınlar için uygun değil, onlara dokunur."

"Anlıyorum."

Utanarak önüne bakıyordu hanımım.

Kalfa yine de kendini daha fazla bir açıklama yapmak ihtiyacında hissediyordu. "Bunları," dedi, "hadımlar için yapıyorum, onlar seviyor."

Ve konuşma başka konulara kaydı. Az sonra da Ayva'nın eşyaları geldi.

"Her zamanki gibi bir yığın şeyi unutmuşlar," dedi. "Geri gidip kendim halletmeliyim."

"Ama başka bir gün," diye izin vermedi İsmihan.

"Bugün artık dinlenmelisin, bizim olan her şey aynı zamanda senindir de."

Ayva da ısrar etmedi. Kısa bir süre sonra da ikisi birlikte, biraz dinlenmek üzere çıkıp gittiler. Hizmetkârlar sofrayı topluyorlardı. Artan yiyecekler onlarındı her zamanki gibi. Tabakları hızla alıp mutfağa taşıdılar. Geride yalnızca masanın üzerindeki yeşil bohça kalmıştı.

Kalfa şekerlemelerin büyük bir kısmını yiyip bitirmişti. Yine de bir iki tane vardı. Merak ve açlıkla, evet ben de hiçbir şey yememiştim sabahtan beri, birini alıp ağzıma attım. Aslında kadının bunları hadımlar için yaptığını söylemesi içimi rahatlatıyordu.

Gerçekten çok güzeldi, hiç böylesini yememiştim.

Ama bu şeker ve sakız tadının arkasında benim bildiğim bir başka tat daha gizliydi. Biliyordum ben bunu. Evet, biliyordum... Bu Pera'daki korkunç günlerimde, beni kesen adamlardan öğrendiğim bir tattı.

Bu şekerlemelerin içinde esrar vardı ve şimdi kalfanın kafası bin bir gece masallarına yetecek kadar hayalle dolu olmalıydı.

————— 🙰 —————

# XVIII
〰〰

*ÜÇÜNCÜ OĞLAN DA DOĞDU,* diğerleri gibi cennete gitti ve sevimsiz bir kış günü toprağa verildi. Hanımımın sağlığından ciddi olarak endişe ediyordum. Ayva, doğumdan sonraki hafta boyunca İsmihan'ın iyileşmesine yardımcı oldu ve sonra da Manisa'ya doğru tekrar yola, çıktı. Onun gidişine üzülmüş olduğumu söyleyemem. Bunun nedeni yalnızca o sarı şekerlemelerini birkaç kez daha yerken görmüş olmam değildi; kadının davranışlarında bize karşı bir ilgisizlik, isteksizlik olduğunu hissediyordum. Ama, tek başıma hanımımı içine düşmekte olduğu bunalımdan çıkarıp çıkaramayacağımdan emin değildim. Onun içinde bulunduğu yalnızlık ve çaresizliğin çözümünün ne olabileceği konusunda kesin bir fikrim yoktu. Yine de hayret verici bir şekilde, Kalfa Kadın' ın çarşafına bürünerek kapı dışına çıktığı andan itibaren evde işler iyiye gitmeye başladı. Eğer İsmihan'ın yemeklerini bizzat kendim kontrol etmesem, bunun yavaş ve ağır ağır ilerleyen bir zehirden kurtulmak olduğunu bile düşünebilirdim. Ve hanımım da kendisindeki bu canlılığının nedenlerini açıklamak istemiyordu.

"Niçin? Ben de gitmeliyim," dedi ellerini çırparak.

"Afedersiniz hanımım?"

Öylesine bir coşku içinde davranıyordu ki, söylediklerini anlayamıyordum. Evlenmesinden önceki birkaç gün dışında onun gözlerinde bu pırıltıları pek görmemiştim.

"Ben de Manisa'ya gitmeliyim."

"Sevgili hanımım, bu durumunuzda mı?" Aslında durumu hiç de kötü görünmüyordu, ama bunun nedeni sağlığı değil tam tersine sağlıksızlığı, ruh sağlıksızlığı diye düşünüyordum. Böyle bir yolculuk gerçekten de bir çılgınlık olabilirdi.

Daha fazla bir şey söylememe fırsat bırakmadan sözlerine devam etti. "Ben neyim, çocuksuz bir kadın, o halde kocamın yanına gitmek istememden daha normal ne olabilir, yoksa orada değil mi?"

"Evet, evet orada." Sokullu'dan ilk haberler gelince ona söylemiştim, ama daha sonra bu konuyla bir daha ilgilenmediği için ben de tekrar sözünü etmemiştim.

Sanki düşüncelerimi okumuş gibi, "Hatırlamak için bir nedenim yoktu," dedi. "Bebekten önce... Tek isteğim, o bebeğin iyi ve sağlıklı olmasıydı. Beni başka hiçbir şey ilgilendirmiyordu." Göz pınarları yaşla dolmuştu ama ağlamayı sürdürmedi ve biraz önceki ruh haline dönüverdi. "Ama şimdi ilgileniyorum. Şimdi bana bunu söylediğini hatırlıyorum, Paşa Manisa'da."

"Evet, orada. Kardeşinizle birlikte Bozdağ yöresinden toplanacak birliklerle ilgileniyor. Daha sonra kuzeye çıkacak ve büyükbabanızla buluşarak bu yazki seferlerine çıkacaklar, Avusturya ve Macaristan'a..."

"Görüyor musun, bir an önce gitmem gerek."

"Sevgili hanımım sizce bu akla uygun mu? Paşa onca işle bu kadar yoğunken."

"Kuzeye olan yürüyüşü sırasında daha da yoğun olmayacak mı? İstanbul'da kaç gün kalacağını düşünüyorsun?"

"İki, belki de üç. Bu işleri biliyorsunuz."

"Biliyorum. Ve sen de beni avutmaya çalışıyorsun. Ben aptal değilim Abdullah. Uzun zamandır Sokullu'nun karısıyım. En fazla bir gün kalacaktır. Askerleri savaşa soyunmuşken kendi keyfi için onlardan daha fazla uzak kalamaz Paşa. Peki ya o gün benim âdetime rastlarsa... O zaman ne olacak? Anlamıyor musun, böyle bir durumda onu en erken dokuz, on ay sonra tekrar görebilirim. Belki de daha sonra. Bu kadar uzun bir zamanı çocuk sahibi olma umudundan yoksun geçiremem ben."

Umutsuzca ellerime sarıldı, içinde bulunduğu bunalımı ve çektiği acıyı hissedebiliyordum. "Eğer bir hafta onunla Manisa'da birlikte olabilirsem, elimden geleni yapmış olduğumu düşüneceğim. Gerisi Allah'a kalır, yeniden hamile kalıp kalamayacağımı o bilir ancak."

"Sevgili hanımım, Paşa Bozdağ'da askeri işlerle uğraşıyor, boş zamanı olacağını zannetmiyorum."

"Bunu ben de biliyorum ama beni reddetmeyecek

tir. Ben onunla beraber olabilmek için o kadar yolu ka-
tettikten sonra bana 'hayır', diyemez. Ona söylersin..."
    "Bu çok uzun bir yolculuk. Oraya vardığımızda
kendinizi iyi hissetmeyebilirsiniz."
    "Safiye gibi yaparız biz de. Denizden gideriz. Öylesi
kara yolculuğundan çok daha rahat ve kolay oluyor-
muş." İsmihan üzerimde yarattığı etkiyi biliyordu, elleri-
ni çekti, yuvarlak yüzü asılmıştı, dudaklarını büzüp du-
ruyordu çocuk gibi. Eğer girmek istediği yatak benimki
olsaydı bunu mutlaka başarırdı. Kara gözlerini açarak,
"Ayrıca, bu yolculuk, inşallah bu kez yaşayabilecek bir
çocuk doğurma ümidine değmez mi?" dedi.
    "Ayva çoktan gitti. Bize yardımcı olmak için yanı-
mızda olamayacak." Esrarın tadını bir kez daha ağzımda
hissettim, doğrusu çok kötü bir şey olduğu konusunda
kesin bir şey söylenemezdi. İsmihan'ı hiçbir şey kararın-
dan döndüremeyeceğe benziyordu.
    "Eğer biraz çabuk olursan belki ona yetişebiliriz bi-
le. Diyelim ki bunu başaramadık, Manisa'ya ulaştığımız-
da nasıl olsa o da orada olacak ve inşallah, bana kocamla
geçireceğim üç beş gün için doğurganlığımı artıracak bir
şeyler verebilir."
    "Ama hanımım, siz şu sıralar lohusasınız, zaten ha-
mile kalamazsınız." Onun sağlığı için kaygı duyuyor-
dum. O küçük bedeni hiç ara vermeden uzun zamandır
madden ve manen acı çekip durmuştu. Ama yine de,
belki önerdiği şey onu oyalayabilir ve kendisini tüm yor-
gunluğa karşın hayata bağlayabilirdi. Onun bu ruh halini
kendi çektiğim acıyla kıyaslıyordum. Katlandığı şeylerin
boşa olmadığını görmek istiyordu. Benim içinse böyle
bir şey söz konusu bile olamazdı.
    "Gittiğimizde iyileşmiş olacağım, bundan eminim.
Haydi lütfen oyalanma."

Bu sözler üzerine söyleyecek bir sözüm kalmamıştı, dışarı fırladım. Limana yaptığım keşif gezisi, beni telaşlı bir endişeye sürüklemiş olsa da, hanımımın coşkusu bunun hakkından gelmeyi başarmıştı.

"Haliç insanı korkutacak çoklukta gemiyle dolu," dedim dönünce. "Kaptan Piyale Paşa, imparatorluğun düşmanlarına karşı yeni bir sefer hazırlığında. Oradayken en az seksen kadırga saydım. Cama gelin, kendi gözünüzle de görebilirsiniz."

İsmihan, kafesinden arkasından işaret ettiğim yere ilgisizce baktı.

"Allah şahidimdir" diye ısrar ettim. "Çevremde bu kadar büyük bir donanma varken denizlerde olmak istemem."

"Ama bunlar büyükbabamın gemileri Abdullah. Onlardan korkmam için hiçbir neden yok. Ayrıca biz İzmir'e gidiyoruz. Kıyı kıyı, Anadolu'yu hiç gözden kaybetmeden yapacağız yolculuğumuzu. Piyale Paşa çok daha uzaklara gidecektir, bundan emin olabilirsin."

"Belki de haklı olabilirsiniz. Malta'ya, Osmanlı gemilerinin ticaretini engelleyen Sen Jan Şövalyeleri'ni cezalandırmaya gideceklerine dair söylentiler işittim." Bu öğrendiklerimin bende yarattığı çalkantıdan ona söz etmemiştim. Sofia Baffo'nun büyük etkisiyle hayatımı değiştiren bir Maltalı şövalyeden.

"Geçen yıl Osmanlı'ya meydan okumuşlardı," diye sözlerime devam ettim. "Evet, Piyale Paşa çok daha donanımlı bir donanmayla onların üzerine gitmek için uygun havayı bekliyor olabilir, doğrusu buna şaşmam."

"Gördün mü? Piyale Paşa'nın donanmasıyla bizim bir ilgimiz yok. Sen yokken ben zaten her şeyi düşündüm, merak etme."

"Nasıl?"

"Ağabeyim ve Safiye Manisa'dalar, kocam da. Ordunun çadırlarında kalmam gerekmiyor, onların yanında rahatlıkla kalabilirim. Daha sonra kocam görevini bitirip sefer için yola çıktığında da dönmem gerekmez, orada kalmaya devam edebilirim. Safiye ve bebeğiyle ilgilenip onlara yardımcı olurum."

İsmihan, gerçekten yokluğumda yolculuğu için oldukça fazla neden bulup çıkarmıştı. Benimse Piyale Paşa'nın kadırgalarını görerek sadece kafam karışmıştı. Bu ruh hali, benim eski hayatımdan kaynaklanan son izlerin simgesi olabilirdi.

Eğer herhangi bir şey, hatta saçma görünen bir öneri bile, İsmihan'ı yeniden mutlu edip, canlandıracaksa bunun karşısında olmanın bir anlamı yoktu. Onu etkilemeye çalışmam aptallık olacaktı.

"Abdullah, zaman kaybediyoruz," dedi. "Git de bizi bir an önce Manisa'ya götürecek bir gemi bul."

Ve böylelikle yeniden limanın yolunu tuttum.

# XIX

*ESKİ GÜNLERİN ÖZLEMİ* sanırım devam ediyordu. Dört yıldır denizin o gizemli sesinden, kokusundan uzak kalmıştım ve onları unuttuğumu sanıyordum. Oysa şimdi, tek bir derin nefesle yeniden sarhoş oluvermiştim.

Kim bilir kaç kez amcam Jacope ile birlikte böyle limanda yürümüştüm? Denizcilerin siren efsaneleri boşuna türememişti. Onda hiçbir yerde bulunmayan bir başka güzellik, çekicilik vardı. Ve ben bunu beynimden, yüreğimden söküp atmaya çalışmıştım. Oysa varlığımın nedeni, anlamıydı deniz. Dört uzun yıldır kaybettiğim bu dünyayı reddetmiştim, o denizin bir tek yudumunun bana acılarımı geri getireceğini biliyordum. Beni kesip doğrayan bıçakların acısını...

Ve, öyle olmuştu işte. Denize olan bağımlılığım ilk anların yarattığı karmaşanın ardından beni başka bir şey hissedemeyeceğim yoğunlukta sarıp sarmalayıvermişti. Onsuz nasıl yaşayabilmiştim?

Sanıyorum, denizin beni böyle aciz ve garip bir yaratık olarak görmesini istememiştim. Ama onu görür görmez, yosun kokusu genzime dolunca anlamıştım ki beni her halimle kabul edebilirdi. O benim annemdi ve şimdi beni yeniden kucaklıyordu.

Ortalık kırmızı, yeşil bayraklı Osmanlı kadırgalarıyla doluydu. Hiçbir yabancı geminin Piyale Paşa'nın burnunun dibinde durmaya cesareti yoktu ve bayraklar rüzgârda bir annenin nefesiyle sallanıyor gibiydi. Masmavi sulardaki şıkırtılarsa, bir annenin aklaşan saçlarına benzer pırıltılarla dolaşıyordu denizin üstünde. Demir sesleri, martı çığlıkları, gemici naraları, dalgaların şıpırtısı bunlar da onun şarkılarıydı. Acemi oğluna daha uzaklara ilerleyebilmesi için cesaret verir gibiydi. Kanatlarını açıp hayata açılabilsin, diye. O bir şiirdi.

Oysa yanına gittiğimiz Safiye Baffo'nun anneliği aklıma gelince bu şiirsellik büyük ölçüde azalıyordu. Onu, benden çaldıkları için delice suçluyordum. *İsmihan'dan çaldıkları için.* Acı çekiyordum. *Neden o anne olabiliyordu da, benim hanımım olamıyordu?* Bu tıpkı neden Murad'ın baba olabildiğini ve benim olamayacağımı sormakla aynı şeydi. Cevap basitti: Çünkü dünyada adalet yoktu, asla olmamıştı ve olmayacaktı da...

İsmihan'ı Manisa'ya götürebilmek bayağı zor görünüyordu, çünkü Piyale Paşa'nın donanması, her uygun gemiyi kendine bağlamıştı. Ortalıkta tek bir sal bile kalmamıştı neredeyse.

Hareme ait olanların sonuncusu, Murad'ın veliahtının dünyaya gelişine yardım etmek üzere Manisa'ya giden Ayva'yla birlikte çoktan yola çıkmıştı. Bu görevin de Piyale Paşa'nınkinden pek farkı yoktu galiba. Onun dönüşünü bekleyebilirdik ama biliyordum ki, İsmihan buna asla razı olmazdı.

Hanımımın da kendi durumundaki tüm kadınlar gibi, Boğaz'da gezmeye yarayan bir kayığı vardı. Hamileyken onu deniz tuttuğu için bunu pek kullanamamıştık. Limanda uygun tekne arayışım sırasında öylesine inanılmaz önerilerle karşılaşıyordum ki, işte bu kayığı kullanarak gitmek bile daha akıllıca olurdu. Yine de bu düşüncemi kendime sakladım, çünkü kafasını Manisa'ya gitmeyi takmış İsmihan, emindim bunu bile kabul edebilirdi.

Hiçbirine kulak asmadım. Bu çeşit önerileri hayalimde canlandırmaya bile tahammülüm yoktu. Ama mantıklı düşünme biçimim doğru dürüst bir gemi bulmama yardımcı olmuyordu.

Durum umutsuz görünüyordu. Evet başka gemiler de vardı, yabancı gemiler. Bunlar, tophanenin kenarında demirlemişlerdi. Piyale Paşa tarafından casusluk yapmakla suçlanmamak için gözden uzak durmaya çalışıyorlardı belli ki. Bunlar da benim işime yaramazdı. Asil kandan bir sultanı dinsizlerin gemisine koymak olacak şey değildi. Yine de umutsuzluk içinde, ayaklarım beni Pera'nın limanına getirmişti. Boşu boşuna yürümekten bayağı yorulmuştum.

Tekneleri donanma tarafından alınmış balıkçılar, birbirine olabildiğince yanaşmış gemilerin arasında işlerini sürdürmeye çalışıyordu. Oltalar, ağlar, bıçaklar ve adamların siyah çizmeleri... Ayaklarının dibindeki grimsi yeşil

su, hâlâ bir önceki avın artıklarıyla doluydu ve ağır koku-
yordu. Çoğu kimsenin hoşuna gitmese de bu kokuya ba-
yılanlar bile vardı. Bir parça balık iskeleti bulabilme ümi-
diyle bir yığın kedi kenara dizilmiş, sabırla bekliyordu.

Benim içinse böyle kokular anne parfümü gibiydi.
Büyük sepetlerdeki gümüş pırıltılı hamsiler de bir pren-
sesin çeyizi...

Kimi hâlâ kımıldanan, kimi denizin acı sürpriziyle
dışarı fırlamış gözleri ve yarı açık ağızlarıyla donup kal-
mış balıkların oluşturduğu tepeden dilediğiniz kadarını
satın alıp evinize götürebiliyordunuz. Hemen oracıkta
karın doyurmak da mümkündü. Bir mangala atılan ham-
siler anında çıtır çıtır kızarıveriyordu. Bu da olsa olsa an-
nemin sütü gibi gelirdi bana.

Ama ben yine de şiş yemeyi tercih etmiştim. Bu
ikinci yemeğimdi, galiba deniz havası iştahımı açmıştı.
Bir bardak daha ayran istedim seyyar satıcıdan. Adam
bir önceki müşterinin bardağını yıkamış, parlatıyordu.
Ben beklerken öteki müşteri konuşmaya başladı.

"Bir iki güne kadar böyle yiyip içemeyeceksiniz, öy-
le değil mi?" Bir yandan da gözünü kırpıyordu.

"Ramazan," diye başımı salladım. Ramazan'la bu
göz kırpışın ne alâkası olduğunu çözmeye çalışıyordum.
Bir karar verememiştim, ama belki de adamın tiki vardı.

"Evet," dedi adam dikkatlice, sanki 'haydi, şimdi yi-
yip içmenin keyfini sür' demek ister gibiydi. Sonra bir
kez daha tekrarladı, "Evet, Ramazan."

Gemileri ve insana sonsuz bir huzur veren denizi
seyrederek laflamaya başladık. Böylece garip anlamlı me-
sajlar da bir kenara gitti.

Tüccar ağzıyla konuşuyorduk. Türkçe, Arapça, Yu-
nanca ve İtalyanca karışımı olan bu dil çorbasını, bir ha-
dım olmama karşın iyi bilmeme adam şaşmış görünmü-

yordu. Belli ki Osmanlı'ya ait bilgisi deniz ve rıhtımlardan ibaretti, kullandığımız konuşma biçimini de gerçek Türkçe zannediyordu.

Bulamadığı kelimelerin yerine hemen İtalyanca bir şeyler uydurması onun bu dil çorbasının neresinden geldiğine dair ipuçları veriyordu bana. Fıslamaları ve tıslamaları Liguryalılar gibiydi. Evet bu adam Cenovalı olmalıydı. Bazı sesleri yutuyor, bazılarını keskinleştiriyordu anadilindeki gibi. Nefret ettiğim bu aksanı iyi biliyordum, benden erkekliğimi ve hayatımı çalan, kendine Selahaddin adını uydurmuş adi herif de oradandı. Nefretimin tek nedeni bu da değildi. Biz Venedikliler daima rakibimiz Cenovalılar'a karşı böyle bir duyguyla büyütülürdük zaten.

Bu duyguların beni yönetmesine izin veremezdim. Zaten adam da bana, hadımlığıma dair en ufak bir imada bulunmamıştı. Kim bilir belki de Osmanlı kıyafetlerinin anlamını bilmiyordu.

Sonra adını öğrendim: Guistiniani. Ve gerçekte Cenovalı olmadığını anladım. O Sakız adasındandı. Sultan Mehmed'in İstanbul'u almasından bu yana İtalya'ya karşı bir uzak karakol olmuş olan Sakız adasından. Çoğu İtalyan asıllı bu adı taşırdı orada. İnsanın kulağına geldiği kadar Bizanslı olup olmadığından emin değildim. Yine de bu ismin, onlara ticari anlaşmalarda, tavırlarda eski ve soylu bir güvenilirlik getirdiği kesindi. Yani azınlık olarak ciddiye alınması gereken bir kesimdi İtalyan asıllı Sakızlılar.

Öngörüm hemen doğrulandı. Yeni dostum, İstanbul'a, yıllık gözetim vergisini getirmek üzere yola çıkan Sakız Büyükelçisi'nin öncülerinden biri olduğunu söylüyordu.

"Aslında buraya uzlaşmak için geliyor," dedi Guistiniani. "Tefecilerle bile olsa kırk bin duka altının ödenmesi olanaksız."

Hayret içinde kalmıştım, herhalde yanlış duyuyordum. Gerçekten de olağanüstü bir rakamdı bu.

Yakınlığımdan cesaret bulan Giustiniani açıklamasına devam ediyordu. "Türk gözetimine girmeyi kabul ettiğimizdeki tutar neredeyse bir avuç gümüşmüş, ama her yıl arta arta bu hale geldi, üstelik daha yüzyıl bile olmadan. Tabii bir de takvim anlaşmazlığı var, onların kullandığı takvimle bizimki aynı değil. Osmanlı'nınkinde vade daha çabuk geliyor. Borç da ödenemez bir duruma... Hiçbir Guistinani kesesinden eksilmesini istemez, borç almak varken..." Yeniden gözünü kırpmıştı.

Demek ki duyduğum doğruydu, borç gerçekten de kırk bin altındı ve bu soylu pozların arkasındaki gerçek oldukça farklıydı. Sakız'ın durumu zordu. Amcamla sefere çıktığımızda bile bunun işaretleri espriyle de olsa yapılıyordu zaten. Cenova aleyhinde tek söz etmemeleri konusunda uyarılan gemiciler, kendi aralarında, "Aman içebildiğimiz kadar içelim, nasıl olsa yakında burası da Osmanlı'nın diğer gözettiği yerler gibi kuruyacak," der dururlardı.

Bütün dedikodular bu gerçeği doğrular gibiydi. Adanın İzmir'e bakan verimli topraklarında artık pek az Giustiniani kalmıştı, buralarda oturanların çoğu Türk'tü. Yine de politik görüşlerimi kendime saklayarak, konuyu gemilere getirdim.

"Görüyorum ki bu işlerden iyi anlıyorsun dostum."

Adam kaptanı olduğu "Epiphany" isimli gemiyi gösteriyordu bana. Çok bakımlı, pırıl pırıl bir tekneydi doğrusu. Bilgimi ortaya koyan övgülerim hoşuna gitmişti, düşünceli düşünceli çenesini kaşıdı. Yüzüme baktı, acaba benim gemisi kadar pırıl pırıl, düzgün çeneme baktığında ne geçiyordu aklından?

Bana şöyle dedi, "Bir denizciyi denizden söküp alabilirsin ama bir denizciden denizi..."

Öylesine buz gibi bir bakış attım ki adama devam edemedi. Sonra kendimi toplayıp övgülerimi sürdürdüm. Çok büyük olmamasına karşın sağlam yapılı "Epiphany" gerçekten de hoşuma gitmişti. Giustiniani bayılmıştı buna, ince ince anlatıyordu detayları, hatta gereğinden fazla.

Birden yanlış bir anlaşılmaya neden olmamak için, "Satmayı düşünmüyorsun, değil mi" dedim, "çünkü öyleyse, açıkça söyleyeyim. Zamanını boşa harcama, ben..."

"Allah aşkına şaka mı bu? Tabii ki onu satmayı düşünmüyorum." Adamın ani ve coşkulu tepkisi içtendi. O, gerçek bir denizciydi, anasını satar gemisini satmazdı, anlamıştım.

"Yaptığımız bir anlamda aylaklık. Dolanıp duruyoruz ortalıkta, gemiyi acaba doldurabilir miyiz diye."

Doğrusu böyle bir aylaklığı hiç olmazsa birkaç gün için ben de yapabilirdim.

"Zaten bir iki gün içinde Ramazan başlayacak, ondan sonra bu şehirde hiçbir iş yapılamayacak. Bir Hıristiyan için o top sesleri başlayınca hayat da durur." Yeniden göz kırpmıştı.

İçimden geçen değişik düşünceler kalbimi hızla attırmaya başlamıştı. Eğer Sakız, bir anlamda Osmanlı dışı değilse; eğer İzmir'e, yani bizim gideceğimiz yere çok uzak değilse ve bu adam da müşteri aranıyorsa...

Düşüncelerimi, aşırı heyecanla dile getiriverdim.

"Demek ki bu gemi, senin aradığın gemi ahbap," diyen Gustiniani gülümsedi, kulağındaki altın küpe bile sanki keyiften takla atmıştı.

"Benim hanımım için aradığım gemi olabilir," dedim. "İyi bir kaptan, mürettebat... Hanımımın güvenli yolculuğu için."

"Üzgünüm. Kaliteli bir yolcunun peşinde değilim, aradığım yalnızca taşınacak mal. Yolcu işi bana göre değil."

Bir an için pazarlık ettiğimizi düşünmüştüm. "Epiphany" bana çok uygunmuş gibi görünmüştü. Hayal kırıklığı içinde dönüp denize baktım.

O sırada "Epiphany"nin güvertesine dikkatle bir şeyler yükleniyordu. Gemi, demir atmakta olan bir Fransız kalyonuna neredeyse bordalaşmıştı. Zaten, yabancılara ayrılmış bu rıhtım öylesine sınırlandırılmıştı ki, burada bir üçüncüsüne yer bulmak oldukça zordu. Herhalde gemicilikten anlayan herkes Osmanlı donanmasındaydı. Bu adamlar o kadar deneyimsiz görünüyordu ki, işlerini nasıl becerebilecekleri ve hatta Fransa'nın yolunu nasıl bulabilecekleri konusunda gerçekten içimde kuşkular uyanmıştı. Ne iplere, ne yelkenlere, ne de yüklerine sahiptiler. Ölü bir noktaya gelmiş gibi görünen konuşmayı içgüdüsel olarak değiştirebilmek istercesine önümdeki düğümlenmiş ip yığınının çözülmesine yardım ettim.

"Epiphany"nin sahibine döndüğümde, adamın gözlerinde bu durumdan hoşlanmış ve eğlenen bir ifade vardı. Herhalde bir hadımın bu tarz işlerle ilgilenmesi oldukça garip görünüyordu. Galiba uzmanlık gösterimde biraz ileri gitmiştim. Eğer geçmişim bilinseydi, bugünkü durumum benim için çok daha utanç verici olabilirdi.

Ama neyse, Sakızlı'nın zeytin karası gözlerinde bir aşağılama yoktu.

Birden memleketine götürmek üzere anlaştığı malları başka birilerine aktarabileceğinden söz etmeye başladı. Malların cinsleri, varış noktaları ve seçenekler üzerine detaylardan söz ediyordu, bunların çoğu beni aşıyordu ama sonunda işi şu şekilde özetledi:

"Evet, Sakız'a götüreceğim baharatın dışındakileri

halledersem gemide hanımın için yetecek bir alan yarata-
bilirim. Sakız'da durup malı indirmeme bir itirazı olmaz
sanırım."

"Zaten İzmir yolunun üzerinde Sakız, değil mi?

"Kesinlikle. Ha, bir de arka taraftaki karanfillerle la-
vantalar var, herhalde buna da aldırmaz."

Hanımı hakkında bir yabancıyla konuşmak, bir ha-
dım için çok uygun bir tavır değildi. Ama bıraktım adam
onu hoşgörü sahibi biri sansın. Zaten Guistiniani, İsmi-
han'ın gemide olduğunu bile unutacaktı. Bir evcil hay-
van bile daha fazla gösterirdi kendini.

Ve kendimi "Epiphany"nin güvertesinde buldum.
Deniz beni bir annenin kolları gibi sallıyordu yine.

Bir iki saat detayları konuştuk. Kumanyayı temin
etmem gerekiyordu. İsmihan'ın kimselere görünmeden
deniz yolculuğunun keyfini de çıkartmasını sağlamak
için bir çadır ayarlamalıydım. Eşyaları nerede duracaktı?
Her şeyi öyle düzenlemeliydim ki, hiçbir eksiklik duy-
mamalıydı.

Ama içimde büyük bir güven duygusu vardı, bana
bunu denizin üstünde olmak vermişti. Dilim bir yığın
ıvır zıvır işi anlatsa da aklım tek bir şeye takılıydı, denize.
*Deniz! Deniz! Eve dönüyorum!*

Haliç, Aya Sofya, minareler, bunların üzerinden ya-
yılıp giden martı çığlıklarına benzeyen müezzin sesleri.
Doğrusu içinde bulunduğum derin duygusallık içinde
bunlar bir martıdan daha çok ilgimi çekmiyordu.

Allah'ın isteğini yerine getirme ihtimalimle birlikte
sanki rüzgâr da başka bir yönden esmeye başlamıştı. Gu-
istiniani farklı bir tavır içinde konuşuyordu artık, oysa
pazarlığını yaptığımız iş henüz sona ermemişti. Onun ne
demek istediğini değerlendirmeden önce, limanının dün-
yaca bilinen bir özelliği aklıma gelmişti.

Türk kapısı gibi de kabul edilmesine ve hâlâ Hıristiyan olmasına karşın Sakız, Osmanlı kölelerinin özgürleştirilebildiği bir yerdi. Bu nedenle amcam Jacope orada demirlemekten asla bir rahatsızlık duymazdı. Sakızlılar aynı yardımı bizim Türk kölelerimize göstermezlerdi. Osmanlılar'ın Sakız limanına girmeden önce büyük fırtınaların hakkından gelmesi gerekiyordu.

Sakızlılar'ın yalnızca adadaki kölelere değil kaçanlara da ellerinden gelen yardımı yaptıkları tüm imparatorlukta biliniyordu. Sahibinden kaçan bir köle Asya kıyılarında ateş yakarsa bunu adalı balıkçıların görmemesi olanaksızdı ve sabaha kadar o adam mutlaka kurtarılıyordu. Hiçbir yeniçeri onu bulamazdı bir daha. Bu arada yedirilip içirilip, kılığı değiştirilen kaçak çoktan evinin yolunu tutmuş oluyordu. Pek çok insan onlara Tanrı katında borçluydu.

İşte tam o sırada, "İkinci kaptanım yok," dedi Guistiniani.

Aynı tavır içinde ona, "Sinyor," dedim, "bir hadımı ikinci kaptan olarak almazsınız..."

Adam, omzunu neredeyse kulağına kadar kaldırdı. Hayır, durumuma aldırmıyordu. "Öbür kaptanla olanlar seninle başıma gelmez hiç olmazsa. Düşünsene bir fahişeyle kaçtı gitti. Kadının kıçı ona denizden ve gemiden daha iyi geldi herhalde." Yine göz kırptı. "Sanırım seninle böyle bir belayı yaşamayız, ne dersin?"

Buna ben bile güldüm.

"Ama şu sıralar sana yardımcı olamam," dedim. "Görüyorsun Piyale Paşa ve donanması Boğaz'ın tepesinde bir fırtına gibi şimdi."

"Tabii." Yine göz kırpıyordu.

Şimdi bu göz kırpışların anlamını kavramıştım, ben de göz kırptım. Bu inanılmaz heyecanlı, tehlikeli ve müt-

hişti. "Ama Ramazan'da daha az dikkatli olurlar, unut-
mayalım."

Başımı salladım ve tekrar göz kırptım. Guistiniani
de bunun üzerine Sakız'a indireceği yükünden söz etme
cesaretini kendinde buldu. Baharatlardan ve benden...
Beni yeniden kendi yurdumun kıyafetlerini giyinip kuşa-
nacağım bir İtalyan gemicinin evine bıraktıktan sonra İs-
mihan'ı İzmir'e götürecekti Guistinani. Yeniden bir Ve-
nedikli gömleğine, pantolonuna kavuşabilecektim.

Ya erkekliğime? O olmadan bir daha asla pantolon
da giyemezdim.

Söyledikleri, hanımımdan çalabileceğim bir avuç
mücevherden daha fazla değildi benim için. Sanki deniz
tutmuş gibi bir yüzle bakıyordum adama. "Bunun karşı-
lığında senden istediğim, üç yıl benim için çalışman. Tek
yapacağımız o süre içinde daima batıya doğru iş almak
olacak. Geminin ikinci kaptanı olacaksın ve ilerde de tek
sahibi. Benim evde yolumu bekleyen karım ve iki kızım
var, ne yazık ki bir oğlum yok, her şey senin olacak," de-
di coşkuyla.

*Benim de evde yolumu bekleyen hanımım var...* İçim-
deki bu ait olma duygusu beni bile şaşırtıyordu.

Elini sıkıp ayrıldığımda artık gece olmuştu. Dostlu-
ğumuz ve hanımımın güvenli yolculuğu hakkında hiç so-
runumuz kalmamıştı.

Diğer konuya gelince ona, "bunu düşüneceğim,"
dedim.

# XX

$\mathcal{I}$SMİHAN'IN EŞYALARINI GEMİYE GETİRDİĞİMDE Guistiniani heyecanla, "Kutsal Bakire adına, senin hanımın kim?" diye sordu.

Bir şekilde gerçeği öğrenmişti, ya da tahmin ediyordu. Daha sonra olanlar bana bu konuda yanılmadığımı göstermişti. Ama o sıradaki cevabım yalnızca kibar ve olgun bir hadım gülüşü olmuştu. Bu çeşit bilgiler benim sırlarımdı. İsmihan'ın memnuniyeti ise mutluluğum.

Bir sonraki hafta telaşlı bir alışveriş içinde geçti. Gerekli şeyleri sağlayabilmek için çarşıda dolaştım durdum. İşte bu günlerden birinde benim için çok şaşırtıcı bir şey oldu. Haliç'in hemen kenarında marangozlar, kumaşçılar, hamallar ve erzakçılar arasında dolanırken, önüne serdiği gri bir bezin üzerinde bir şeyler sergilemeye çalışan bir Türk denizci gördüm. Kaptan Paşa'nın emriyle açık denize açılma arifesinde, elindeki birkaç parça eşyayı bir an önce satıp paraya çevirmeye çalışıyordu herhalde. Ve bunun için pazara kadar gitmeye gerek duymamıştı. Bunun nedeniyse, Ramazan olmalıydı. Gün boyu oruç tutan Türkler'in hareketliliği bayağı azalmıştı, kimsede çarşı pazar gezecek hal yoktu.

Bense, onun sattığı cinsten bir şeyler almayı düşünsem bile, bu durumu hiç hesaba katmadan, bu çeşit mal satan, pazarlık edebileceğim bir yığın satıcı bulurum, diye her zamanki gibi pazarın yolunu tutardım. Ya da bir emanetçiyle işimi hallederdim.

Tabii ki, bu çeşit bir malın peşinde değildim, ama gri örtünün üzerindekiler dikkatimi çekmişti. Adamın önünde gümüş bir haç, Murano camından yapılmış bir tespih, tahta bir kupa, küçük bir dikiş kutusu ve deri kaplı bir kitap vardı. Bunlar ancak ve ancak Batılı bir denizciye ait olabilirdi ve denizin dibinde sonsuz uykusuna yatmış olan zavallı amcamın üzerinde de muhtemelen aynı şeyler vardı. Katilleri onu soymaya bile tenezzül etmemişti.

Kendime engel olamadım, durup adamın tezgâhındakileri dikkatle incelemeye başladım. Arkamı döndüğüm limanın gürültüsünü sanki artık duymuyordum. Ne zahire çuvallarının ambarlara boşaltılırken çıkardığı ıslığımsı sesleri, ne toprağı döven ayak seslerini, ne de pazarlık edenlerin bağırışlarını...

Ama her zamanki gibi bir şeyi daima duyuyordum; tekne gövdelerinin, direklerin, iplerin, yelkenlerin, makaraların sesini ve bunlar beni, yarış öncesi huzursuzlanan bir ata çeviriyordu. Sanki bir ağızdan bana sesleniyorlardı: "Giorgio, Giorgio."

Abdullah? O kimdi?

Hiç pazarlık etmeden gemiciden kitabı satın aldım. Aslında bu diğer mallara göre en az satılma şansına sahip olandı. Haç eritilmeye değebilirdi, tespihin Murano camından taneleriyse dini anlamından kurtulunca çekici olabilirdi. Ama tuzdan yıpranmış deri ciltli kitap, Haliç'in bu yanında on para etmezdi. Onun içindeki hazineye sahip olmak için, o yıpranmış İtalyanca harfleri bilmek gerekiyordu.

Malımı dikkatle açtım, Aldus Manutius yazıyordu ilk sayfada, Venedik'in en ünlü basımevlerinden biriydi bu. Kitap Homeros'un yeni çevirisiydi. Ve hemen oradan uzaklaştım, yoksa yüzümdeki mutluluk ifadesi satıcının fikrini değiştirip, fiyatı artırmasına neden olabilirdi.

Kitabı tabii ki kendim için almıştım. Hanımıma bir

gelecek hazırlarken geçmişimi, vatanımı, anadilimi kendi kendime bir kez daha yaşayacaktım. Bu özel bir alışverişti ama, zaten özel hayatlarımız da ister istemez birbirine karışıveriyordu. Ben başka şeylerle meşgulken İsmihan, satın aldığım diğer eşyaların arasında duran kitabı görmüştü.

Ve hemen, "Abdullah bu nedir?" diye sordu.

Ona, Guistiniani ile her karşılaşmamızda biraz daha detaylandırdığımız planlardan söz edemezdim. İsmihan'ı tanıdığım günden bu yana sık sık İtalyanca öğrenmesi konusunda ısrar etmiştim, hatta belki de canını sıkacak ölçülerde, ama bazen bu konuda heveslendiği de olmuştu. En iyisi bunu bahane etmekti ve ben de böyle yaptım.

Beni şaşırtacak kadar kısa bir sürede kitap ilgisini çekivermişti. Yeri geldikçe ona söylediğim kısa dörtlükleri, atasözlerini meğerse unutmamıştı İsmihan; hatta yanında mırıldandığım şarkılar bile ezberindeydi. Çok önceleri öğrettiğim İtalyan alfabesini baştan sona hatasız sayabiliyordu. Doğrusu bu benim için sürpriz olmuştu. İtalyanca, onun bildiği hem de iyi bildiği Türkçe, Arapça ve Farsça'dan oldukça farklıydı oysa.

Denize açıldığımızda bunun nedenini anlamıştım. Ben, geçmişte onun İtalyanca'ya karşı tavrını ilgisizlik ya da bir anlamda kafasızlık olarak nitelendirirken yanılmıştım. İsmihan art arda gebe kalmaktan gerçekten yorgun düşmüştü, ruhen ve bedenen. Üstelik bunlar arasında nefes alacak bir süre bile geçmemişti. Şimdi ise ortada bir çocuk yoktu. Gemiyi hızlandıramayacağımıza ya da Paşa'yı yanımıza getiremeyeceğimize göre, Tanrı'nın gelecekte ona bu mutluluğu vermesi için dua etmekten başka bir şey de elimizden gelmiyordu. Yani İtalyanca öğrenmenin tam zamanıydı. Ve kendini benim ellerime, tıpkı kaderin ellerine bıraktığı gibi bıraktı.

Yaşamış olduğu şiddet gerçekten de ürkütücüydü. Art arda bir çukura bırakılmış bebek cesetleri... O dönemde gıpta ettiğim ve hatta açıkçası kıskandığım bir şeyin şimdi olabilmesi için dua ediyordum. Onu bir süre için her şeyden koparan o kadersiz küçük şeyleri nasıl olup da kıskanmıştım?

Bu özel durumun ve deniz yolculuğunun bize sunmuş olduğu zaman genişliğinin dışında bir de Ramazan'ın getirdiği özel ilişkimiz vardı. Yolculuk sırasında oruç tutmanın dinen zorunlu olmamasına karşın İsmihan bunu severek yapıyordu. Çünkü hamile kadınlar için zorunlu değildi oruç ve hanımım da son üç yılı bebek bekleyerek geçirdiği için bu kez dini görevini yerine getirmekten çok memnundu.

O üç yıl boyunca ben diğerleriyle birlikte oruç tutmuştum. İlk kez ikimiz birlikte sahura kalkıp, iftar yapıyorduk. Guistiniani'nin tüm göz kırpışlarına karşın, insanda sevdikleriyle paylaştığında bir mutluluk uyandıran orucu bozmaya hiç niyetim yoktu.

Yolculuk, bildiğim ticari seferlerden çok farklı geçiyordu. İsmihan'ı birazcık bile deniz tutsa, bu durmamız için bir neden oluyordu. Neredeyse gördüğümüz her koya demir atarak gidiyorduk.

Hatta karada geçirdiğimiz zaman denizden biraz fazlaydı galiba. Bazen yanımıza birkaç hizmetkar alarak, bazen de yalnızca ikimiz kayıkla kıyıya çıkıp, dolaşıyorduk. Tabii ikincisi daha hoş oluyordu.

Küçük Asya sahillerinin böylesine güzel, sıcak ve huzur verici olduğunu daha önceki yolculuklarımda nasıl da fark etmemiştim.

Gemideki işlerimi tamamlayıp, gereken emirleri verdikten sonra bol bol denize giriyordum. Daha önce bunu hiç yapmamış olan İsmihan ise tuzlu suyun onun doğurganlığını azaltacağı korkusuyla bunu denememişti bile.

Ama birlikte başka şeyler yapıyorduk. Oturup, başbaşa Truva öykülerini okuyorduk Homeros'un. Ve ne büyük rastlantıydı ki, kucağımızda kitabımızla oturduğumuz yerler, bu öykülerin kaynaklandığı topraklardı. Ramazan nedeniyle daha çok geceleri yaşadığımız söylenebilirdi. Gün boyu oruçluyduk, bol bol uyuyorduk. Yangın çıkar korkusuyla geceleri lamba yakmadığımızdan kitabımızı okuyamıyorduk ama, İsmihan benim içimi deşmeye devam ediyordu.

Ezbere Homeros bilmiyordum ama çocukluğumda öğrenmiş olduğum Sevgili Dante'm böyle anlarda imdadıma koşuyordu. Ona ters dini çağrışımlar yapabilir korkusuyla Cehennem bölümünü atlayarak "İlahi Komedya'dan bölümler söylüyordum. En çok da Franceska Rimini ile Paolo'ya ait acıklı bölümleri. Bu galiba durumumuza uygun da düşüyordu. Açlıkla derinleşen bir melankoliye... İsmihan bana aynı dizeleri kendisi de ezberleyene kadar defalarca tekrarlattırıyordu.

Yorulduğumda bu kez İsmihan bana Farsça şiirler okumaya başlıyordu.

Sabah erkenden ya da akşamüstleri yaptığımız gezilerde yanımızda yiyecek bir şey olmuyordu. Pek tabii ki şarap da. Paylaştığımız durumu bunu yaşamayan birine anlatabilmek oldukça zordu.

Pek çok kez, İsmihan uyurken ve güneş tepedeyken gemiciler bana bir şeyler ikram etmeye kalkışmıştı. Ama ben onlara teşekkür edip, bu ikramı reddetmiştim. "Nefesimden anlayabilir."

Onun koklayarak bulduğundan daha fazlasını kaybedeceğimi biliyordum böyle bir durumda. Bizi birleştiren açlık ve hatta daha da fazlasıydı.

Birbirini tamamlayan iki yarım elma gibiydik. Birlikteyken gücümüz, yaşam sevincimiz artıyordu.

Bir akşam, Hayyam'ın şiirleriyle başımız dönmüş olarak el ele gemiye dönmüştük. Bu doygunluğu ne yemek, ne de şarap verebilirdi. Kararmaya yüz tutmuş gökyüzünün altında, kayalıklar arasındaki sümbüller, anemonlar baygın kokularıyla kendilerini belli ediyordu. Yeryüzü yemyeşildi, kışın ölümünü gözlerimizle görüyorduk. Paskalyayı hatırlamıştım. Bu duygularla, gözyaşları içinde, gün doğana dek İsmihan'a şiirler okudum. Bundan fazla bir mutluluğu umamazdım, içimi bir çeşit suçluluk kaplayıvermişti

"Büyükbaban neler düşünür?"

"Bu da ne demek?" İsmihan benimle dalga geçerek güldü. "Büyükbabam ne düşünürmüş..." Hem gülüyor, hem de beni güldürmek için gıdıklıyordu.

"Sana burada 'İl Paradiso'yu okuyorum, Hıristiyan bayramlarından ve inançlarından söz ediyorum."

"Eee, eğer bunları saklayamıyorsa bir harem ne işe yarar?" Gündüz topladığımız sümbüllerden bir tane daha aldı ve saçlarımın arasına koydu.

"Neler söylüyorsun?"

"Ne söylüyorsam onu. Harem bunların gizli tutulabilmesi için vardır. Allah'ın gölgesi orada onlara dokunamaz." Elindeki dalla kalbimin üzerine doğru bastırdı. "Hepsi orada kalır."

"Allah'ın Gölgesi," dedim. "Sanırım bu Araplar' dan geliyor, onlar için gölge çok bulunmaz bir değerde. Oysa bizim gibi kıştan çıkanlar için gölge daha karışık bir şeyler anlamına gelmez mi? Hanımım..." Elini tuttum.

"Korkarım dine uygun olmayan sözler söylüyorsun."

"Eğer öyleyse, bunu kim biliyor?" Kulağıma kimin bildiğini fısıldamak üzere eğildi, öylesine yakındı ki dudakları, burnu saçlarıma dokunuyordu. "Yalnızca hadımım, Allah'ın kulu. Yalnızca o..."

Ve artık benim kavuğumu, onun da peçesini takma zamanı gelmişti. Dünya ile buluşmalıydık yeniden. Ona yardım ederken parmaklarım yüzünü okşayarak dolaşıyordu. Yanaklarının yuvarlaklığı, gözlerindeki pırıltılar sanki aklımı başımdan alıyordu.

Kendimi tutamadım. Peçesini indirmeden önce, eğilip çenesindeki gamzeyi öptüm. Yoksa bu duygusal fırtınaya dayanamayacaktım.

Cezalandırılmayı bekliyordum. Bunu haketmiştim. Ben bir aptaldım. Ama hiçbir cezalandırma olmadı. Bunun yerine elimi yumuşacık saran avucu hissettim.

Gidip görevimin başına dönmem gerekiyordu. "Epiphany"nin ikinci kaptanı olarak yapmam gereken bir yığın iş vardı. Yaklaşmakta olan özgürlüğümü unutuyordum, giderek aklımdan kayıp giden özgürlüğümü.

# XXI

SANCAK TARAFINDA Sakız'ın dik kayalıkları giderek daha belirginleşmeye başlamıştı. Sakin bir rüzgârla limana doğru süzülüyorduk. Adanın kokusu bu uzaklıktan bile burnumuza çarpmaya başlamıştı. Sakız'ı öylesine iyi biliyordum ki, Pera'da erkekliğim yerine gözlerimi kaybetmiş olsam bile, onu yine de tanırdım.

Gece düşen çiğ damlalarının buharıyla dumanlanan hava; limon çiçeklerinin, sakız ağaçlarının rayihasını dört bir yana dağıtıyordu. Titreyen yelkenler, direkler ve pruvaya çarpan dalgalar... Bütün bunların üzerinde ateşten bir topu sarmalayan alev mavisi bir gökyüzü.

Ya kulağıma gelen sesler neydi, ağustos böcekleri mi? Onlar için henüz çok erken bir saatti, ama belki de Sakız'da bu küçük yaratıklar sürekli olarak ötüyorlardı. Sesler hapishane kapılarının açılmasına benziyordu. Bu özgürlüğün sesiydi galiba.

Zihnimde umutlar yaratan bu ses ve görüntü zenginliğiyle büyülenmiş gibiydim. O sırada küçük bir koyun çevresine eski bir atkı gibi atılmış başkent göründü. Kırmızı kiremitli çatılar kasvet verici bir biçimde kararmaya yüz tutmuştu. Geleneksel olarak iç içe geçmiş üçgen ve dairelerle süslenmiş duvarlar uzun zamandır kireçlenmemişti.

Kent bu haliyle, para uğruna taviz üstüne taviz vererek, elindeki en değerli şeyleri yitirmiş ve sonra da bunun anlamını bile unutmuş, haris bir tüccarın bozulmuşluğunun göstergesi gibiydi.

Ve burada, benim de özgürlük uğruna sahip olduklarımın tümünü ortaya koymam gerekiyordu.

Adanın karşısında uzanıp giden Anadolu topraklarına baktım. Uyutulmuş bir çingene ayısına benziyordu kıvrım kıvrım, sessiz, kahverengi dağlarıyla. Ama onun bir daha ayağa kalkmayacak ölü bir canavar olduğunu ancak aptallar düşünebilirdi.

Adadan yükselen ani çan sesleriyle birden irkildim. *Ne yaptıklarını sanıyorlar?* Neredeyse aklım başımdan gitmişti. *Canavarı uyandıracaklar. Ve o da ne yapmaya kalkıştığımızı anlayacak.*

Ama Guistiniani, yanımda, bizi sessizce sürükleyen rüzgâr kadar sakin bir şekilde yürüyordu.

"Bugün Paskalya," dedi. "Rumlarınki için henüz bir hafta daha var ama bugün bizimki. Unuttun mu? Ramazan'la çok mu haşır neşir oldun?" Küpesini sallayarak, o meşhur hareketini yineledi, ama bu kez iki gözünü de kırpmıştı. "Eğer çanları çalmazsak Türkler daha fazla huylanırlar. Bir Hıristiyan olarak, yeniden doğmak için iyi bir gün, ne dersin?"

Yavaşça başımı salladım. İsmihan'la geçirdiğimiz o şahane günler sırasında aklım Paskalya'nın anlamına öylesine bir tutkuyla takılmıştı ki, bunu hiçbir kasabın bıçağı kesip atamazdı. Kırlar bunun şahidiydi, çanlar ise sanki işi bir parça abartıyordu. Ve her nedense, Paskalya'yı, çıkardıkları sesler oranında içimde hissetmemi sağlamıyorlardı.

Acaba benden kesilip atılan şeylerle Hıristiyanlığı duyabilme yeteneğim de mi yitip gitmişti? Ya da ben bunları çan seslerini duyana kadar unutmuş muydum?

"Evet, işimize dönelim," dedi kaptan. "Sen de... Haydi çocuklara demir atmaları için emir ver ve sonra da git eşyalarını topla. Özgür bir... Özgür ol."

Özgür bir adam ol, diyememişti. Asla da olamazdım. Olamayacağıma göre, bunun ne anlamı vardı?

İçim sıkılsa da, Guistiniani'nin dediklerini yapmak üzere harekete geçtim. Emirlere uymak daima düşünmekten daha kolaydı.

Demirin aşağılara inen zinciri sanki kalbimi de alıp götürüyor gibiydi. Şimdi gidip hanımımın olduğu odadan eşyalarımı almám gerekiyordu. Ama güvertede oyalanabildiğim kadar oyalandım, kalbimin gömüldüğü sularda tek bir kabarcık bile kalmayana kadar.

Düşündüm, diledim ki İsmihan uykuda olsun. Sahurdan sonra yatıp tekrar uyurdu. Ama belki de müezzin seslerinin yerine duyduğu bu çan sesleri onu da ayaklandırmış olabilirdi. Yanılmamıştım, perdeleri yavaşça aralayıp içeri adımımı atar atmaz yerinden kalktı ve oturdu. Tembel tembel geriniyordu.

"Günaydın Abdullah," dedi.

"Hanımım."

*Olabildiğince az konuş,* dedim kendime. Ama söylediğim her söz sanki sakızlaşıp uzuyordu. Son bir kez bak, diye kendime nasihati sürdürdüm. Ama bunu da yapamadım. Gözlerimden ihanetimi okuyabilirdi.

"Ah, Abdullah," dedi İsmihan, yine geriniyordu. "Ne kadar erken kalkmışsın. Siz gemiciler gerçekten de sağlam adamlarsınız."

"Evet, efendim." Her şeyimi toparlamıştım. Gidebilirdim.

"Bugün Sakız'dayız, değil mi? Sence iyi bir hava olacak mı?"

Beni lafa tutmaya çalışıyordu, bunu yapacak gücüm yoktu. Derin bir nefes ihtiyacıyla kendimi dışarı attım. Bu garip ruh hali içinde, "İnşallah" bile demiştim dışarı çıkarken.

Hiç rüzgâr olmamasına karşın dışarı çıktığımda bir parça kendime gelmiş gibiydim. Gemi yavaş yavaş yanaşıyordu. Ama kaptan gergindi. Yanına gittim.

"Bir gariplik var," dedi, küpesiyle oynuyordu.

"Nedir?"

"Bilmiyorum."

Elini hızla kulağından çekti ve sahile çekilmiş bir grup tekneyi gösterdi. Çelenkler, bayraklar ve halılarla birilerine karşılama yapmaya hazırlanıyorlardı.

"Bir Paskalya geleneği mi?" diye sordum. Aptalca bir soruydu, bir adalı böyle bir şeyden habersiz olacak değildi ya.

"Hayır," dedi Guistiniani. "Böyle bir şey yalnız Türkler'i karşılarken olur."

"Türkler?"

Kaptanın, kalbimin vuruşlarını duyabildiğinden emindim. Belki de kendi kalbinin sesinden benimkini duyamıyordu. Ufka doğru dikkatle baktım, ama bir şey göremedim.

"Yılda bir kez donanmaları için adam ve gemi almaya gelirler," diye açıklama yapıyordu Guistiniani, "Bu da gözetimin bir parçasıdır. Bunu onları pohpohlamak için yaparız. Ama normalde sonbaharda gelirlerdi, mevsimi kapamadan hemen önce."

"Geçen sonbaharda geldiler mi?"

"Evet."

"O halde bu ne anlama geliyor, adamlar ne yapıyorlar?"

"Bilmiyorum." Kaptan bir kez daha kulağındaki küpeyi okşadı. "Ama sanırım, ben ne olup bittiğini öğrenene kadar burada kalsan iyi olur."

Başımı salladım. Ona bir an önce Sakız sahiline çıkmanın benim için daha iyi olacağını söyleyebilirdim. Ama adamın içgüdüsel tavrı aceleden yana değildi. Ben de onun içgüdüsüne güveniyordum. Kendiminkine de... İçimde bir ses, "İsmihan'ın güvenliği," diyordu. Ama acaba gerçekte onun güvenliğini mi düşünüyordum; yoksa daha çok önem verdiğim, onun yanında kendi güvenliğimi artırmak mıydı?

Bütün bunlardan sonra Piyale Paşa'nın hâlâ İstanbul'da olduğunu düşünemiyordum. Yolculuğumuz sırasında gördüğümüz ve bir anlam veremeyerek garipsediğimiz, tek başına seyreden gemilere gelince, onlar da çoktan donanmaya katılmış olmalıydılar.

Guistiniani'nin gemiden inip kıyıya doğru gittiğini gördüm, kürekçilerinin sesi duyulmayana kadar da onu izledim. Sonra bir daha asla yapmayacağımı düşündüğüm bir şeyi yapmak üzere harekete geçtim: Hanımımın yanına gittim.

# XXII

$\mathcal{U}$*ZUN, SESSİZ BİR PASKALYA-RAMAZAN GÜNÜYDÜ.*
Duyduğum açlık, kuşkuların yarattığı aptallıkla birleş-
mişti. Daha çok, Kutsal Mezar'ı boş bulan azizlerin bu-
nun henüz ne anlama geldiğini bilemedikleri Diriliş Gü-
nü gibi bir gündü de denilebilirdi. Çünkü onların da tek
emin oldukları şey mezarın boşluğuydu.

Bireysel deneyimlerim bana henüz umudu öğretme-
mişti, belki de bir mucize beklemem gerekiyordu. Öğ-
rendiğim, yaşamın en güzel unsurlarının bile insan bir
ceset haline döndüğünde onu nasıl çürüttüğüydü. Hiç-
bir nesnel kanıt olmaksızın, bu kuşkulu bekleyişin, bir
özgürlük getirmesi mümkün müydü?

Yoksa bir hocadan duymuş olduğum gibi, önünde
durduğumuz boş bir mezar mıydı? Ceset çalınmıştı, bö-
cekler inanılmaz bir hızla çalışmışlardı. Ya da adam söy-
lendiği gibi ölmemiş, iyileşerek çarmıhından kurtulup
gitmişti. Müslümanlar'a göre İsa ibn Meryem, Hıristi-
yanlar'a göre Mary'nin oğlu Jesus, Tanrı'nın oğlu değil-
di. Tanrı ya da Allah böyle yapmazdı. Onun azizleri,
peygamberleri vardı. Ama hayat eskiden olduğu gibi de-
vam etti, insansız kutsallığında. Diriliş bir başka düzlem-
deydi, şimdikine asla dokunmayan bir düzlemde.

İsmihan, nedenini bilmediği (bunu umuyordum)
kayıtsızlığımın farkındaydı ve bundan hoşlanmamıştı.
Ona bir an önce durumu anlatmam gerekiyordu, gerçi
benim de pek az fikrim vardı ama bu gerekliydi.

Masum bir şekilde, "Türkler?" dedi.

"Bu yalnızca bir söylenti," diye cevapladım, sakin
davranmaya çalışıyordum.

İsmihan tavrında bir değişiklik olmaksızın, "Yani Osmanlılar," dedi. "İyi de bizim bundan korkmamıza hiç gerek yok. Ben Osmanlı kanından bir prensesim."

"Kesinlikle." Özgürlük düşüncelerinin peşinde bir kör gibi hareket etmiştim, aklım başıma geliyordu yavaş yavaş. "Bir Hıristiyan limanında, Hıristiyan bir gemideki Osmanlı prensesi," dedim.

Sakinliği inanılmazdı. "Yalnızca büyükbabamın adamlarına kim olduğumuzu söylemek yeter."

"Bir top güllesinin böyle bir tanışmadan anlayacağını söyleyemem. Ayrıca kaleden de gelebilir aynı tehlike." Surlarda ateşlenmeye hazır bekleyen üç topu gösterdim parmağımla. "Müslümanlar'ınkiyle eşdeğer bir tehlike."

"Müslümanlar görüşme yapmadan savaşa başlamazlar. Büyükbabamın hizmetkârları karşı tarafı da mutlaka dinlerler."

Tepem öylesine atmıştı ki, azarlar bir ses tonuyla konuşmamı engelleyemedim. "Görüşmenin zamanı çoktan geçti hanımım. Ortada söz konusu olan kırk bin altın ve küçük bir kaçak köle ordusu..."

"Ama bunların bizimle ne ilgisi var?" İsmihan, Sakız'ın kaçak kölelere yardımı konusunda benim tahminimden daha fazla bilgiye sahip olabilir miydi? Bakışları sertleşmiş gibiydi.

Başımı çevirdim ve konuşmayı sonlandırdım: "Her neyse, belki de bunların bizimle gerçekten hiçbir ilgisi yok. Ortalıkta hiç Türk gemisi görmüyorum."

Kısa bir süre sonra adadan ayrılmak üzere açılan bir gemi gördük. Tek bir yelkeni ve bir yığın kürekçisi vardı. Taşıdığı bayrak ve flamalar özel bir görevi olduğunu belirtiyordu. Önce bize doğru geldiğini düşündüm ama tekne hızla yanımızdan gelip geçti, aramızda neredeyse bir kulaçlık mesafe vardı.

"Bu bizim kaptan değil miydi?" diye sordu İsmihan.

Adam onu andırıyordu, ama sonuçta tüm soylu Sakızlılar aynı kandan olduğuna göre bu kadar bir benzerlik çok normaldi. Adam parlak kırmızı renkte tarihi bir kılık içindeydi ve bizden yana tek bir bakış bile atmamıştı.

Uzaklaşıp gittiler, küçük tekne yalnızca izleyenin görebileceği küçücük bir nokta oldu ufukta. Mezar yine boştu...

Öğle saatinde hiç çan çalmadı, özellikle Paskalya için çok tuhaf bir durumdu bu. İsmihan namaz saatini kaçırdığımız için çok rahatsızdı. Bunları daha sonra kıldık. Çan seslerini ümitle bekleyip durmuştum gün boyunca; İsmihan ise, açlığı nedeniyle çabucak geçmesini istediği günün sonunda baş başa kaldığı sıkıntılı saatlerin ağırlığı içindeydi.

İbadetimizi tamamladığımızda daha önce yanımızdan geçen teknenin aynı telaşla döndüğünü gördük. Gidip sahilde demirledi ve yarım saatten az bir zaman sonra tekrar aynı rotayı tuttu. Bu kez içindekiler daha da soylu kimselere benziyordu.

"Şuna baksana," dedi hanımım. Namaz saati için yaptığımız kısa konuşmanın dışında bu bana söylediği ilk sözler sayılabilirdi. "Ufuktaki gemilerin çokluğunu görüyor musun?"

Batan güneş altında iyice netleşmişti görüntü. Boz ayı, tüm öfkesiyle uyanıp ayağa kalkmıştı galiba.

Güneşin altında pırıldayan uzun direğe bakarak, "Gözcü kulesine tırmanacağım," dedim.

"Oraya mı? Abdullah düşüp ölebilirsin."

Bu sözler ve ses tonu sinirimi bozmuştu. Annelik içgüdüsüyle, incinmiş küçük bir çocuğu uyarır gibiydi. Zavallı hadımı için kaygılanıyordu.

"Ama önce şunları çıkartmalıyım."

Belden yukarım çıplak kalana kadar soyundum ve daha aşağılardaki utançla, acıyı unutmak istercesine hızla iplere tırmandım.

Yolun dörtte birine bile ulaşmadan davranışımın çılgınlığını anlamıştım. Bacaklarım eskiye göre çok beceriksizleşmişti, dengemi zor buluyordum ve açlıktan başım dönüyordu. Ama bütün bu olumsuzluklara karşın esen rüzgâr sanki beni sevgiyle kucaklıyordu. Bu noktada vazgeçemezdim. İsmihan, elleri peçesinin üzerinde çığlığını tutmak istercesine ağzına yapışmış, gözyaşları içinde bana bakıyordu. Gayretle tırmanmaya devam ettim.

Geri döndüğümde, "üstat," diyerek derin bir soluk verdi. Bir hadıma hitap etmenin en saygılı biçimini seçerek, bana "üstat," demişti, "üstat, çok cesursun."

Bu övgünün karşılığında başka bir şey söylemeyi tercih ederdim ama, onu da kendimi de kandıramazdım. Belki de tüm cesaretim gördüklerim karşısında yok olup gitmişti. "Piyale Paşa orada, Çeşme'nin tam karşısında, tüm donanmayla..." dedim.

Buna çok önem vermiyor gibiydi, o daha başka bir şeye odaklaştırmıştı ilgisini. "Ben... Ben bir erkeği şeysiz görmedim... Şeysiz..." Kekeledi, çıplak bedenimi işaret ediyordu.

Alaycı alaycı güldüm. "Senin bir kocan var, Sokullu Paşa."

"Daima karanlık oluyor:" Utanmıştı ama bana bakmaya devam ediyordu. "Ve gözlerimi kapıyorum."

"Ben bir erkek değilim," diyerek ona durumu hatırlattım ve gözünün önünden çekildim.

İlk kararım, üzerinde kırmızı haçlar olan uzun kuyruklu gümüş rengi bayrakları aşağı indirmek oldu.

Gemide işleri yürütmek üzere bırakılan beş gemici ne yaptığımı görünce meraklanmıştı. Adamların isyandan korkacak bir halleri yoktu, neticede ben geçici olarak ikinci kaptandım, sayıları hakkımdan gelebilecek kadardı, içlerinden en güçlüsü bana doğru yaklaştı, bir an onunla kapışmam gerekeceğini düşündüm.

Ama yapmam gereken yalnızca, "Türkler," demekti. "Yukarı çıkıp kendi gözlerinizle görün, inanmıyorsanız..." Beşi birden gözlerini kısarak doğuya doğru baktıktan sonra kendiliklerinden iplere atıldılar.

Guistiniani'nin flama ve bayrakları koyduğu dolap beni gerçekten şaşırtmıştı. Kaptanın bir şekilde, böyle durumlar için bir Türk bayrağını kenara koyduğunu düşünüyordum.

"Guistiniani, sandığımdan daha dürüstmüşsün," diye söylenerek indirilen bayrakları dolaplara tıktım.

Şimdi karar vermem gereken şey, altımızın birlikte gemiyi, direğinde Türk bayrağı dalgalansın veya dalgalanmasın bu belâdan sıyırıp götürebilmek üzere demir alıp alamayacağımızdı. Evet, bu zor bir işti, ama bir aksilik olmadıkça umudumu yitirmemeliydim. İpleri, zincirleri çekip toplamak her zamankinden daha fazla zaman alacaktı, hepsi buydu. Yeniden soyundum, kasıklarımdaki eksikliği sergileme riskini de göze alarak işe giriştim.

Ama birden fark ettim ki bu adamların Sakız sahillerinde evleri, aileleri vardı. Geminin küçük teknesinin geri gelip onları evlerine götürmesi için can atıyorlardı. İçlerinden en genç ve en güçlü olanı her şeyi göze alıp yüzerek kıyıya çıkmak için suya atlamıştı bile. Bunu başarıp başaramadığını asla bilemeyecektim. Tek bildiğim, onun gidişiyle ümitlerimin kaybolduğuydu. Adamların kıyıya bakışları, ne söylersem söyleyeyim onları artık ikna edemeyeceğimin işaretiydi.

Yabancı erkeklerle yüz yüze gelme tehlikesini gören İsmihan, hizmetkârlarıyla birlikte hemen perdelerin arkasına çekilmişti. Ona söyleyecek hiçbir haberim olmamasına karşın, yanına gitmekten kendimi alamamıştım. En azından bir parça güvence vermek zorunda olduğumu düşünüyordum. Ama onun minderde, sakin, sessiz ve kararlı bir şekilde oturuşu, tam tersine bana güvence vermişti ve kurtuluş için başka düşünceler üretebileceğimi düşünmeye başlamıştım.

Gerçekten de bu işe yaradı ve aklıma yeni bir şey geldi. Üzerindeki uzun yeleği çıkarıp atmıştı. Kararlılık içinde, kıpkırmızı ipekten bol şalvarıyla oturuyordu karşımda Metrelerce kumaş kıvrım kıvrım toplanmıştı belinde.

Kendimi dizlerimin üzerinde önüne attım ve ayak bileğini sıkıca tuttum. Bu hem duygusal ve fiziksel çalkantımdan, hem o güzelim kumaşa dokunma arzumdan, hem de yalvarmak içindi, bunun ne kadar gerekli olduğunu biliyordum.

"Hanımım," diye başladım söze, "bu şalvarı feda edebilir misin?"

"Şalvarımı mı?"

"Evet ve onunla birlikte herhangi bir beyaz kumaşı. İğneni eline al ve bize bir bayrak yap. Aslını dünyaya kanıtla."

Ramazan'da bayrak dikmek fikri nedense onu seksen kadırgadan daha çok ilgilendirmişti. Belki de bunun nedeni, kendimi kandırıyor da olabilirdim ama, bileğine dokunan elimdi.

Nedeni ne olursa olsun, sıyrılan ipeğin sesi başardığımın kanıtıydı. Bunu duyunca dışarı çıktım. Bu koşullar altında yapılabilecek en iyi şey buydu. Geminin en uzak köşesine doğru yürüdüm. Biz demir alıp, yelken açana kadar nasılsa biterdi bayrak.

Sofia Baffo bu seyirde yanımızda olmadığı için Allah'a şükrediyordum. Onun kölemiz Piero için gömlek dikişini hatırladım. Bir zamanlar, çok eskiden benim de kölelerim vardı, ne garip ve ne yabancı geliyordu bu bana.... Sofia'nın sorumsuzluğu, tehlike ve hatta acı yaratmaktaki gayreti...

İsmihan ondan ne kadar da başkaydı. Büyük bir heyecan ve çalışmayla bayrağı hizmetkârlarıyla tamamlamaya uğraşıyordu, hem de hiç sızlanmadan. Demirlediğimiz için yangın tehlikesi yoktu artık, gece bastırınca yanlarına bir fener astım.

İftar saatinde su, zeytin ve ekmekle oruçlarını bozup, dualarını ettiler. Guistiniani'nin vaat ettiği güzel yiyecekler yoktu ortada, adanın limon kokulu havası giderek soğuyordu. Ama bunlara karşın İsmihan hiç şikâyet etmeden çalışmaya devam ediyordu.

Adamların aralarında bölüştükleri gece nöbetine aldırmadan ben de ortalığı gözlemeye devam ediyordum. Böyle uyanık kalarak kendi ruh karmaşamdan kurtulmayı umuyordum. Yine de oruç nedeniyle gözlerim kapanmak için fırsat arıyordu. Ama tehdit öylesine çabuk yakamıza yapıştı ki, bunun utancını taşımaktan kurtuldum.

Denizin üzerindeki aydınlığın ay ışığından gelmediğini anlamam zor olmamıştı. O yeşil ışık çabucak gemiye yanaştı ve kürekçiler durdu.

"Dikkat!" diyen Guistiniani'nin alıştığım sesiydi. Sakızlılar ona hemen bir merdiven sallandırdılar ve kısa bir sürede o ve yedi, sekiz kişi güverteye çıktı. Seslerini duyabiliyordum.

"Ne haberler var?"

"Gerçekten de Piyale Paşa mı?"

"Azizler bize yardım etsin, uzlaşma olmadı mı?"

"Karılarımız, çocuklarımız, onlar nasıl?"

Guistiniani bunların hiçbirine cevap vermeden, "O iğdiş horoz nerede?" diye sordu.

Bana daha önce asla böyle hitap etmemişti. Ya da en azından bunu kendi kulaklarımla duymamıştım. Hakaretini ve sonrasını karşılamak için durduğum yerden ileri çıktım.

Beni görünce üslubunu değiştirmişti ama ses tonunu değil. "Veniero," dedi, "haydi git ve hanımını getir."

Belliydi, bu bir iş konuşmasıydı, ama işin ne olduğunu kavrayamamıştım. "Anlayamadım," dedim.

"Beni duydun," dedi. "Hanımını kıyıya götürüyorum. Onu kalede tutacağız. Piyale Paşa tüm önerilerimizi reddetti. Pazarlık edecek bir durumumuz kalmadığını söylüyor, teslim olmamızı istiyor ... Ama bizi küçümseyerek çok yanılıyor. Bakalım ona yarın sabah, Sultan'ın torununa ait küpeli bir kulağı gönderdiğimizde de aynı şeyi söyleyebilecek mi?"

---

# XXIII

"*SEN NEDEN İTİRAZ EDİYORSUN Kİ VENİERO?*" "Epiphany"nin kaptanı sesini yükseltmişti. "Senin kaderinde bir değişiklik olmayacak. Köle kurtarma işi aynen devam ediyor. En azından Piyale Paşa bizim limanımızdan uzakta kaldığı müddetçe." Karanlığa rağmen gözlerindeki hain bakışı görebiliyordum. "Yoksa Türkler'in Sakız'ı almalarını mı istiyorsun, ya da kölelerin kaçış yolunun sonsuza kadar kapanmasını mı istiyorsun? Bir köle olarak mı kalmak istiyorsun, söyle."

Adamın tekrarladığı her "istiyor musun" kelimesi sanki ruhumu kırbaçlıyordu. Çok uzun zamandır hiç kimse hiçbir konuda benim isteklerimin ne olduğunu sormamıştı ve ben de böyle bir sorunun cevabını çoktan unutmuştum. Hatta istemenin ne olduğunu bile... Guistiniani'nin ağır hakaret yüklü sesi özgüvenimi savurup bir kenara fırlatmıştı. Bana zorla kabul ettirilmeye çalışılanlar arasından hangisini gerçekten istediğimi ayırdedebilecek olsam bile, Guistiniani bunu kölelikten daha farklı bir biçimde sunmayacaktı nasıl olsa. Kollarını sabırsızca göğsünde kavuşturarak, arkasındaki bir düzine azman gemiciyle bana kötü kötü bakışı, bu konuda küçük bir ümit ışığı bile uyandırmıyordu bende.

Ve "iğdiş horoz" diyen sesindeki tehdit. Bu kelime hâlâ kafamda yankılanıyordu.

Konuşmam gerektiğini biliyordum ve konuştum da, sesime hâkim olmaya çalışarak, kelimelerin üstüne basa basa, "Bunu İsmihan Sultan'a yapmanıza izin veremem," dedim.

Parmaklarımla kuşağımın içindeki hançerin sapını sıkıca kavramıştım. Ama daha önceki deneylerimden biliyordum ki, bu yalnızca bir semboldü, hadımlığın sembolü ve bütün diğer semboller gibi gerçek anlamda bir işe yaramıyordu.

"Seninle ya da sensiz hadım, biz bunu yapacağız. Onunla kalabilirsin ya da gidebilirsin. Git de özgür ol."

Guistiniani bana doğru kararlı bir adım attı, ben de arkamdaki perdeye doğru geriledim. Hanımım ve Sakız'daki kale arasında yalnızca erkekliğinden yoksun bedenim ve gösterişten başka bir işe yaramayan hançerim vardı.

Arkasındaki homurdanan adamların sözcülüğünü yaparak konuşmaya devam ediyordu. "Ailelerimiz adada

ve onları koruyabilmek için elimizden gelen her şeyi yap-
maya kararlıyız."

"Allah şahidimdir, benim de bir ailem var. O da yal-
nızca İsmihan Sultan'dan ibarettir." Bu sözleri söylerken
öylesine bir güven içindeydim ki buna kendim bile şaş-
mıştım.

Adamlar alaycı alaycı gülüşürken ben kararlılıkla
konuşmaya devam ettim, "En azından o beni, bedenim-
deki eksiklik yüzünden aşağılamıyor. Bu halimle beni ka-
bul edip, seviyor." Mahalle arasında kendinden büyükle-
re kabadayılık eden bir çocuğa benzediğimi biliyordum
ama aldırmıyordum.

Guistiniani'nin sesinde bu kez abartılı bir acıma
vardı. "Evet, kafasız bir köle olarak yaşamayı seçen biri
erkekliği olsun veya olmasın erkek denilmeyi hak et-
mez."

"Özgürlük"... Sanki onu içime çekiyormuşum gibi
derin bir nefes aldım ve gözlerimi kapadım.

Daha önce, böyle zamanlarda bir derviş beni koru-
mak için çıkıp gelirdi. Bir zamanlar dostum olan Hüse-
yin. Çok çok eskilerden biriydi o, çocukluğumun ilk anı-
ları onunla doluydu. Ve ben çaresizlik içinde kaldığımda
bana bir tek o yardım etmişti. Suriyeli tüccar Hüseyin...
Beni doğrayan adamdan öcümü o almıştı ve bu yüzden
de evini, ailesini bırakıp dağlarda bir derviş olarak yaşa-
mını sürdürüyordu. Beni haydutlardan, korsanlardan o
kurtarmıştı. Ne zaman dara düşsem imdadıma yetişen o
olmuştu.

Ama şimdi, bu Hıristiyan sularında böyle bir muci-
zeyi bekleyemezdim. Kendi başımın çaresine bakmalıy-
dım.

Özgürlük de zaten bu demek değil miydi, kendi ba-
şının çaresine bakabilmek...

Gözlerim hâlâ kapalıydı. Karşımdaki adamların tehditkâr tavırlarını görmektense, aklımın gözlerini açmayı tercih ediyordum. Ayaklarımın altındaki tahtalar yükselen denizin etkisiyle çatırdıyordu. Bunu yüreğimde hissediyordum. Tanrının yaratıcı nefesiydi bu.

Hayatım, tüm dünya bu dengede ayakta durmaya çalışıyordu. Ama o dünya, unutamayacağım başka bir şeyi de içeriyordu. Hanımımın hayatını...

Birden burnuma sintinenin kokusu geldi. Amcamın söylediği gibi, "bir körün gözlerini açabilecek" kadar keskin bir kokuydu bu. Gemiciler aslında iğrenç bir cehennem çukurunda yaşıyorlardı. Ambarların, kamaraların pisliği en kalabalık ve kokuşmuş şehirlerin insanlarına bile tiksindirici gelirdi. Hanımımsa amber, karanfil ve portakal çiçeği kokardı. Denizciler bir parça rahatlık ve "özgürlük" - buna öyle diyorlardı- uğruna bu kötü kokulara katlanıyorlardı.

Bu özgürlüğün ağırlığıysa beni eziyordu. Gizli bir kölelik vardı bu özgürlüğün kıvrımları içinde.

Ve gözlerimin kapalı olmasına karşın başka bir şey daha gördüm. Guistiniani'nin küpesini... Tek fenerin, üzerine yansıyan ışığıyla altın haç kızılımsı bir leke gibi belirdi zihnimde.

Sonra, hâlâ kapalı gözlerimin karanlığında diğer adamların takılarını gördüm. Onların basit yüzüklerini biliyordum. Demiri çekerken killi göğüslerini sıvazladıklarında, aylaklık ederken kafalarını kaşıdıklarında, hatta Cenovalı Guistiniani onlara kutsal kitaptan bir dua okumalarını emrettiğinde sıkıntıyla ellerini salladıklarında görmüştüm o ucuz takıları.

Her şey, denizin büyülü nefesiyle küçük ya da büyük parçalar halinde birer birer şimdi hatırıma geliyordu.

Bir birlik içindeymiş gibi gösteri yapmalarına karşın, adamların en azından yarısı simetrik kollu Yunan haçı taşıyordu göğüslerinde.

Dört yıl önce, bu ayrıntıyı görsem bile adamlara yine de cahil sapkınlar diye bakardım. Hiç kimseye kendi öğrenme metodumu tavsiye edemeyeceğim halde, geçirdiğim dört yıl bana pek çok şey öğretmişti. En azından başka görüşlere de saygıyla yaklaşmayı... Cenovalılar, Papa'dan yana Roma Katoliği'ydiler ve bu adayı yönetiyorlardı. Oysa halkın çoğunluğu Rum Ortodoks kilisesine bağlıydı. Gemideki mürettebatın yarısı da böyleydi. Onların Rumluğunun benim kastre edilmiş olmamdan hiçbir farkı yoktu. Bunu hiç kimse isteyerek seçmemişti...

Şu soruyu hatırladım: "Eğer kavgaya girersek Rumlar'ı Türkler'den nasıl ayıracağız?" Bu amcamın gemisinde olmuştu.

Bunun yanıtını Venedikli bir gemici vermişti: "Onları da öldürün. Rumlar'ın Türkler tarafından yönetiliyor olmaları, Tanrı'nın onların sapkınlığından ne kadar memnun olmadığının açık kanıtıdır. Böyle bir cezayı zaten hak ediyor onlar."

Bir zamanlar Katolikler'in yönettiği topraklarda şimdi Türkler'in göstermiş olduğu başarının ne kadarının bu sözü edilen durumla ilgili olduğunu merak ediyordum. Belki de efendilerinin kim olup olmadığı konusuna aldırmıyorlardı. Hatta Türkler'in Katolik Hıristiyanlar'dan bir nebze daha iyi olduğunu düşünüyor olabilirlerdi.

Cenova, hatırladığım kadarıyla Andrea Doria'nın yapmış olduğu demokrasi reformlarıyla ünlenmişti. Ama şu anda etkinliği ancak İspanya'dan doğuya yönelmiş bir orduyla kısıtlıydı. Ve İspanya aklıma "engizisyon"u getiriyordu. Cenovalılar acaba adayı yönetmek için bu yöntemden yararlanıyor olabilirler miydi?

Bu mantık silsilesi beynimde bir şimşek çaktırmıştı. Bunu sorgulayarak ya da derin derin düşünerek bulmamıştım, kim bilir belki de korkunun ve paniğin yaratıcılığıydı bu. Zaten yapabileceğim başka bir şey yoktu, denemeye karar verdim.

"Evet, sizinle geleceğim," dedim. "Hanımımı getirip, sizinle geleceğim."

Arkamda duyduğum acı bir inilti miydi acaba? İsmihan yoksa bizi mi dinliyordu? Az da olsa artık İtalyanca anlayabiliyordu. Bunu düşünmek bile istemiyordum. Cesaretimi yitirmeden atağıma devam etmeliydim.

"Evet, Piyale Paşa'nın donanması karşısında bu küçük teknenin içinde olmasındansa, kalenin güçlü duvarlarının arkasında olmasını tercih ederim. Ne de olsa, sizin o değerli karılarınızın ve çocuklarınızın yaşadığı uyduruk evlerle kıyaslanınca kale adanın en güvenilir yeri. Cenovalılar'ın ailelerinizi kaleye kabul edeceğini herhalde düşünmüyorsunuz. Adınız Guistiniani olmadıkça siz de biliyorsunuz ki bu olanaksız."

İyi gidiyordum. Adamlarda yaratmış olduğum huzursuzluk belirgindi. Ya perdenin arkasındaki hayal kırıklığı?... Şu anda bununla ilgilenecek vaktim yoktu.

"Belki de," diye sürdürdüm konuşmamı, iyice konuya ısınmıştım. "Size zindanlarında bir yer ayarlarlar. Atalarınızın dinini sürdürdüğünüz için sizi sapkınlıkla suçladıkları zamanlardaki gibi... Peki, o halde, sizin işkenceciniz kim? Türk mü, Guistiniani mi?"

Adamlar mırıldanmaya başlamışlardı.

"Piyale Paşa'nın seksen kadırgayla Sakız'ı kontrol etmeye mi geldiğini sanıyorsunuz? Guistiniani'nin dalaveralarını bir kez daha dinlemek için mi geliyor buraya? Tutulmayan vaatlerden bıktı artık onlar. Bu vaatleri siz de biliyorsunuz, size verilmiş ve asla yerine getirilmemiş olanları unutmayın. Başka bir şansınız olmadığı için bunlara katlanıp durdunuz yıllardır, yoksa eminim aptal değilsiniz.

Türk de değil. Bunların ne kadar boş sözler olduğunu duyar duymaz anlıyor o da... Malta'da olanları unutacak mı? Hayır. Ya da..."

Yutkundum ve son sözlerimi söyledim: "Ya da, sünnetli yeniçerilerle dolu bu kadırgaları Cenova'dan yardım filosu gelene kadar oyalayabilmeyi mi umuyorsunuz?"

"Gelecekler!" diye haykırdı Guistiniani. Bu bağırışından memnun olmuştum.

"Gördünüz mü? Kaptanınızın bugün kıyıda çevirdiği iş buydu işte. Cenova'ya hemen bir gemi yolladı, peki içinde kimler vardı? Herhalde sizin karılarınız, çocuklarınız değildi bunlar. Guistiniani'ninkilerdi."

"Yalan söylüyor. Benim karım ve kızlarım sizlerinkilerle birlikte adada aynı kaderi paylaşarak bekliyorlar."

"Senden daha yukarda birilerinin sevdikleri doldurmuştur gemiyi de ondan seninkilere yer kalmamıştır."

"Cenova filosu gelecek."

"Gelecekler... Ama bu en azından iki hafta sürer arkadaşlar. Ben bunu yaşadığım için biliyorum. İki hafta gidiş, iki hafta dönüş, o da eğer her şey yolunda giderse. Bir ay... Bir ay boyunca karılarınız, kızlarınız kaç kez tecavüze uğrayabilirler?"

Mırıltıların yükselmesini bekledim ve konuyu tam ciğerinden yakalamanın zevkiyle devam ettim. "Tabii bir ay iyi niyetli bir yaklaşım. Eğer oradakiler, dünyanın her yerindeki Cenovalılar'ın yaptığı gibi davranmazlarsa... Yani Sakız için harekete geçmeyi düşünürlerse, şimdiye kadar buna aldırsalardı zaten Babıali'ye parayı çoktan gönderirlerdi. Üç yıldır herkesi oyalayıp duruyorlar. Allah'a dua edin ki Türkler Cenovalılar gibi tefeci değildir. Birkaç kese altını feda edemeyen bu adamların sizler için oğullarını feda edebileceğine nasıl inanırsınız? Onların altınlarını ne kadar sevdiklerini bilirim. Aslında bunları siz de biliyorsunuz..."

Pera'daki diğer Cenovalı Selahaddin'e duyduğum nefret sesimi tizleştiriyordu. Ama o adam ölmüştü. *Hatırlamıyor musun, onun hayaları ve cinsel organı koparılmış cesedini sen yıkamıştın, sakin ol.* Bu öfke beni aklı başında olmaktan çıkarıp bir nefret anıtı haline getiriyordu. Beni dinleyen adamların yarısının da Cenovalı olduğunu unutmamalıydım. Olan olmuştu, hiç olmazsa bundan sonraki sözlerimi dikkatle sürdürmeliydim.

"Ama Cenovalılar oğullarını da severler. Onlar bile bu kadar insafsız olamazlar."

Bir süredir Guistiniani burnundan soluyarak, ortalığı adımlayıp duruyordu, patlayacağını biliyordum. Bir yerde dayanamayıp bağıracaktı, yakalayın şu Türk ağızlıyı, diye.

Ama bunu yapmadığı sürece konuşmayı sürdürmeye kararlıydım. Hayatını kurtarabilmek için akıntıya karşı yüzen bir adam gibiydim.

Yalnız, adamın sabrı artık tükenmişti ve benim çenemi kapatmak için yanıp tutuştuğu belliydi. Adamlarının içine düştüğü bu çelişki denizinde yapması gereken benimle kavgaya tutuşmaktı, ama bunu kazanıp kazanamayacağından kendisi de emin değildi.

"Bu adamı dinlemeyin, ona inanmayın," dedi. "Piyale Paşa bugün yanına giden heyete, adaya ziyaret amacıyla geldiğini söylemiş."

Sıra bendeydi, "Ve ona inandınız mı?"

"Bu Türkler'in söylediği."

"Böyle laflara kanan adamlara inanıyor musunuz?"

"Evet, ona inanıyorum." Konuşan adamın sesi umutsuzlukla doluydu. "Türkler sözlerine güvenilmezseler, niye bütün gün orada beklediler? Onları bayraklarla, çiçeklerle karşılamaya hazırlanıyor ada. Ama onlar Paskalya törenlerini bozmamak için gelmiyorlarmış."

"Katolik Paskalyası, dikkat et. Ortodoks Paskalyası'ndan söz eden yok. On beş gün içinde nerede olacak Türkler? Kiliseleriniz camiye çevrilecek, karılarınız da odalık olacak." Belki de atıyordum, bunların bir mantığı yoktu. Ama ortalığı karıştırmaya devam etmeliydim.

"Şerefim üzerine yemin ederim, böyle söylediler bana," dedi Guistiniani.

"Türkler'in şerefinden ne haber?"

"Hazırlıklarımızı tamamladık, buyurun adaya, dedik. Ama gelmedi, gelmediğini görüyorsunuz. Yarın ziyaret ederiz sizi, daha iyi olur, dedi."

"Doğru," diye mırıldandı adamın biri. "Gözlerimizle görüyoruz. Türkler boğazın öbür tarafında duruyorlar. Bu ne anlama geliyor?"

"Belki de bu gece gelmeyi düşünüyorlar," dedim. "Sürpriz yapacaklardır..."

Güverte birden derin bir sessizliğe gömülmüştü. Sözlerimin kanıtlarını duymak istiyorlardı. Ama bir kanıt yoktu, karanlıkta duyduklarımız ve gördüklerimizden başka bir kanıt yoktu ortada.

Bir başkası Guistiniani'nin görüşlerine destek vererek konuştu alçak sesle, " Piyale Paşa bizim bayramımızı bozmak istemiyor, bu bir uygarlık belirtisidir."

"Ne? Bayramda gelip bakirelerinizi götürmediği için mi? Türkler sizin kadınlarınızın giydikleriyle ilgilenmezler. İstediği her şeyi çabucak alacaktır nasıl olsa. Paskalya'da ruhlarınızın direkt olarak cennete gitmesini istemiyor olmalı. Onun planı bu. En azından bir gece daha veriyor size günah işleyebilmeniz için. Tabii ki, Rumlar'ın tümü zaten günahkâr gidecek. Umarım, hepiniz yeterince perhiz yapmışsınızdır."

Aslında Piyale Paşa'nın niyetinin ne olduğunu gerçekten de tam olarak anlayamıyordum. Yalnızca, adayı ziyaret lafı bana inandırıcı gelmemişti.

"Yani tepeden tırnağa silahlı yeniçeriler buraya gelip, portakal çiçeği mi toplayacaklar, buna inanabiliyor musunuz? Ciddi ol Guistiniani. Sizi temin ederim ki, Türkler çok kararlı bu konuda. Ve size Cenovalı'nın bilmediği bazı bilgileri aktaracağım bunu kanıtlamak için."

Aniden aklıma gelenler benim kalbimi bile yerinden çıkaracak kadar hızla attırmıştı. Bu heyecanla adamlara anlatmaya başladım.

"Karşı karşıya geleceğiniz yalnızca Piyale Paşa'nın seksen kadırgası değil. Aynı zamanda efendim Sokullu Paşa'nın ordusunu da göğüslemeniz gerekecek. Çünkü o, şu anda Bozdağ'da Osmanlı ordusunun yarısıyla bekliyor. Benim şizin limanınızda olmamın nedeni de bu, karısını yanına götürüyorum. Sokullu bekliyor, neyi biliyor musunuz? Sakız'ın düşürülmesini."

Konuştukça sözlerime kendim de inanıyordum. Bu müthişti.

"Sokullu'nun Macaristan'da onu bekleyen Sultan'ın yanına bir an önce gidebilmesi için Sakız'ın alınması gerekiyor. Süleyman'ın Tuna'yı geçerken ordusunun yarısından yoksun olmayı düşündüğünü hiç sanmıyorum. Piyale Paşa bu işi çok uzatmayacaktır. Bu bilgi size yetti mi, olacakları anlamanız için? Buraya eğlenmeye gelmiyor. Piyale Paşa'nın güçleri tahmininizden çok daha fazla arkadaşlar. Sokullu'nun şu anda İzmir'de, hatta Çeşme'de olabileceği fikri bana çok ters gelmiyor. Efendim ve askerleri Sakız'ı işgal etmek için hazır şu anda. Sokaklarınız kısa zamanda binlerce yeniçeriyle dolacak, buna inanın.

Ve bu olduğunda, sanırım şafak vaktini geçirmeyeceklerdir, hanımımla ilgileneceklerini mi sanıyorsunuz? Türkler'in kadınlarına nasıl davrandıklarını bilirim. Ya siz? Onlara hiç güvenmezler, yanlarına benim gibilerini niye koyduklarını sanıyorsunuz? Kadınlarıyla ilgili ufacık bir kuşkulu söz duymaktansa onların ölmelerini isterler. Haydi şimdi gidip bildiğiniz gibi yapın. Hanımıma da ne isterseniz onu... Ama bana güvenin, on binlerce yeniçeri de analarınıza, karılarınıza, kızlarınıza akıllarına geleni, her istediklerini yapacaklardır."

Kendimi tutamayıp onlara şu son öneriyi de yaptım: "Beyler, kadınlarınızın böyle bir zamanda güvenliği için siz de bir hadımın yardımını kabul ediniz."

───────── ❧❧ ─────────

# XXIV
❧❧

*V*E BU SÖZLERİMİN ARDINDAN hiç kımıldamadan, İsmihan'ın bulunduğu perdeli bölümün önünde durdum. Öylesine berbat bir tablo çizmiştim ki, kendim bile bunun etkisi altındaydım. Artık yapabileceğim bir şey kalmamıştı.

İşte tam bu anda hanımım işe karıştı. Perdeleri aralayarak dışarı çıktı, bunun ne kadar tehlikeli bir davranış olduğunu yalnızca ben bilebilirdim. Yabancı birtakım adamların önüne çıkıp, onların ilgisini çekmek? Şaşkınlığın verdiği bir sessizlik içindeydim.

Ve hemen hepsinin dikkatini çekti. Tabii ki bir kumaş yığınından çok az farkı vardı, ama öyle bir kumaş yığını seçmişti ki, bunlardan müthiş bir zenginlik ve görkem fışkırıyordu. Altın, gümüş işlemeler lambanın ışığında göz alıcı pırıltılar yayıyordu. Parmağındaki yakut yüzük yakıcı bir kırmızılıkta, kan gibiydi. Giysilerindeki çarpıcı zenginlik, kendi varlığının belirsizliğiyle birlikte bambaşka bir boyut yaratmıştı. Ve bu belirsizlik her erkeğin yaratıcılığında yeniden biçim buluyordu. Görünmeyen yüzüyle gülünç, uğruna savaşılamaz gibi de algılanabilirdi. Kendi kendine, "beni Allah yeni bir Helena olmam için yaratmadı," diye mırıldanıyor olmalıydı.

Ama önümüzdeki duruşuyla, o kimliği olmayan bir kadındı, ya da bütün kadınlardı. Her erkek onun çarşafını kaldırıp oraya kendi annesinin yüzünü, kız kardeşinin gülüşünü, karısının yumuşak memelerini koyabilirdi.

İsmihan elinde hilalli Osmanlı bayrağını taşıyordu.

Aceleyle yapılmış olduğunun işaretlerini görebiliyordum. Başlangıçta dikişler, İsmihan'ın minik bebekleri için hazırladığı giysilerinkine benziyordu, küçük ve titiz. Ama sona doğru bunlar giderek büyümüş ve bayrağın yıldızları dikilmekten çok iliştirilmişti. Ve ilk rüzgârla uçup gidecekleri kesindi.

Ama şu anda yeterince etkileyiciydiler. Hele de bir erkeğin en değer verdiği şey olan bir kadının ellerinde...

"Efendiler," dedi İsmihan.

Yüreğim ağzıma gelmişti. İtalyanca konuşuyordu, Venedikçe, benim anadilimi... Ağır, şiirsel anlatımına ve aksanına karşın onu anlıyorlardı. Müzikal, egzotik, başka bir dünyadan gelirmiş gibi bir İtalyancaydı bu.

"Beyler, bayrağınız hazırdır. Onunla, onun altında yelken açın, Tanrı şahidimdir ki, ailelerinize en ufak bir zarar gelmeyecektir."

Adamlar farkında değildiler ama ben biliyordum,

hanımım cesaretinin ve İtalyanca'sının sınırlarına dayanmıştı. Araya girdim, uzanıp elindeki bayrağı aldım ve benden başka hiç kimsenin o kumaş yığınının altında bulamayacağı sırtına sevgiyle dokundum. "Gidin," dedim. "Gidip ailelerinizi bulun, en değerli eşyalarınızı toparlayın. Yeni bir hayata başlamak için yetecek kadarını, taşıyabileceğiniz kadarını. Eğer Guistiniani bu güvenceyi tepecek kadar büyük burunluysa, eğer çok gururluysa, gemiyi ben idare edeceğim. Hepinizi burnunuz bile kanamadan Piyale Paşa'nın donanmasının içinden geçireceğim. Bu, size Sokullu Paşa'nın hadımı Abdullah'ın, Giorgio Veniero'nun verdiği sözdür."

⁂

O gece, kayıklar kıyı ile gemi arasında binbir çeşit eşya, kadın, çocuk taşıyıp dururken hanımımın yanına gidebilmek için kısa bir fırsat buldum ve minnetle ayaklarına kapandım.

"Sana neler borçlu olduğumu yalnızca Allah bilebilir. Ne kadar yerinde ve zamanında bir davranışta bulundun."

"Bir şey değil," dedi, önce kavuğumu sonra da çenemi tuttu beni yerden kaldırmak için. "Abdullah, senin, benim tek ailen olduğumu söylediğin o an var ya... Bak hâlâ ağlıyorum. Nasıl sana yardım etmeyebilirdim? Bunun için elimden gelen her şeyi seferber etmek zorundaydım. Yaptığın... Benim kulağımı kesmekten söz eden onca adamın karşısına çıkman..."

Yüzümü avuçlarının içine aldı, onun gözyaşlarıyla karışık gülüşünü görebilmem için peçesini kaldırmıştı. "Abdullah, böyle ayaklarıma kapanmaya bir son vermelisin," dedi. "Bana böyle bir bağlılık gösterisi yapmana gerek yok, asla da olmayacak. Ve sen bunu biliyorsun."

Benim hâlâ kalkmadığımı görünce, eğilip, yere, yanıbaşıma diz çöktü. Dudaklarımız birleşmeden önce, "ben sana aidim," dedi.

Ne kadar güzel, sevgi dolu bir andı o. Her dokunuşun bir geçmişi, geleceğe dönük anlamı vardı, ödenmişlik vardı. Her biri bu güzel duyguyu verip aynı karşılığı alıyordu. Her okşayış, her titrek temas birbiri için vardı ve aynı mükemmellikteydi. Âşıklar birbirine "sonsuza kadar" sözünü verdiğinde bu birlikte tüketilen zamanın sonuna kadar demektir. Sonra arkalarını dönüp, uyurlar. Ama bizimkinde, onca açlık, onca yemek gerçek bir sonsuzluk anlamına geliyordu...

...Ama kapının dışındaki dünya devam ediyordu. Çenesinin ucundan son bir kez daha öptüm onu, ayağa kalktım. Hıristiyanlığa hizmet etmektense ona hizmet etmenin benim için daha fazla özgürlük anlamına geldiğini bildiğinden emindim, ona sonsuza kadar bağlı kalacağımı ve aşkımın sonsuzluğunu bildiğini de biliyordum. Artık içimde başka hiçbir duyguyu yaşatmam mümkün değildi.

❦

Sakız'ın gökyüzü gümüş rengine dönmüştü, demir alıp yelken açtık ufuklara. Hava bir önceki güne göre daha rüzgârlıydı, ama yine de çok yavaş ilerliyorduk. Felaket derecesinde yüklüydük. Gemi emekleyen bebeklerden ağlayan ihtiyar kadınlara kadar bir yığın insanla doluydu.

Kaptan yine Guistiniani'ydi. Planımıza uymayı kabul ettiğinde gidip karısını ve kızlarını getirmişti hemen. Bu onun gururuna inmiş ağır bir darbeydi. Kaptan olmak peşinde değildim. Ben arzuladığım şeye kavuşmuştum, İsmihan'ın güvenliğine...

Hanımım kaptanın ailesini birlikte kalmak üzere hemen kendi yanına davet etmişti, bence bunun hiçbir sakıncası yoktu. Bu kadar kalabalığın içinde cilveleşmeyi zaten düşünemezdik. Ayrıca, güverteye ve denize çok dikkat etmem gerekiyordu. Aramızdaki fiziki engele karşın, ileride, *inşallah*, İsmihan'la paylaşacağımız uzun yıllar vardı nasıl olsa.

Böylece o sabah yolculuğumuzun dümenini umutsuzluktan güvenceye çevirmek üzere gemideki görevime başladım.

Heyecan bende nadiren mide bulantısı yapardı. Ama uzun Ramazan gününe geminin bayat ekmekleriyle yapılan hazırlık işe yaramıyordu. Yine de orucumu bozarak İsmihan'la bağımı kesmektense kendi boğazımı kesmeyi tercih ederdim. Telaş içindeki Sakızlılar yanlarında yeterince yiyecek getirmeyi ihmal etmişlerdi. Tek bildiğim şimdilerde ortalığı bol bol kirleten üç beş piliç ve bir keçiydi. Kaldı ki, ben bu insanların sorumluluğunu üslenmiştim ve Piyale Paşa bile onları soymayacağına göre bunu ben kendi ellerimle yapmamalıydım.

İşimizi başarana kadar dikkatimi yüzüme esen rüzgâra ve Guistiniani'ye yoğunlaştırarak idare etmeliydim. Yelkenleri dolduran yumuşak rüzgâr için Allah'a dua ediyordum, çünkü eğer iş kaptanımızın maharetine kalsa durumun çok zorlaşacağı belliydi. Guistiniani hâlâ suçluluk ve sinir içindeydi, bu hareketlerindeki sertlikten belli oluyordu.

"İyi bir başlangıç yaptık. Biz, Sakızlılar karanlıkta bile denizin sığlıklarını biliriz. Ve Türkler, onlar uyuyorlar. Onların ruhu bile duymadan geçip gidebiliriz."

Sancak tarafında dolaşıp herkese sürekli olarak bu

çeşit sözler ediyordu, hatta kimseyi bulamazsa kendi kendine. Bu arada *Ave Maria*'yı söylüyordu. Tabii ki bu herkesin ilgisini çekiyordu ve uyanık olanlar eğer Rumca dua etmiyorlarsa ona eşlik etmeye başlıyordu. Eğer kaptan ben olsaydım onları hemen sustururdum. Bizi sürükleyip götüren rüzgâr, dua ve şarkıları da taşıyabilirdi. Ne de olsa ben iflah olmaz bir şüpheciydim. Oysa Pera'daki evde kendi kendime ben de bunları yapmamış mıydım, şimdi insanların huzur arayışlarına niye kızıyordum?

Fırsat buldukça hanımımın kaldığı bölüme, perdeye doğru bakıyordum. Bakışlarımla bile onu koruyabilmenin peşindeydim.

Türkler'in uyuduğu konusunda yanılıyorlardı. Guistiniani hem kendini, hem de ona kulak verenleri kandırıyordu. Türkler uyanıktı, karınlarını doyururken ertesi gün için planlarını yapıyorlardı. Ben de böyle yapmıyor muydum? Kulağıma gelen Ramazan davullarının sesi Hıristiyan dualarından daha yüksekti. Onları duyduğumdan emindim. Donanma sahura kalkmıştı.

Gidip bunları, düşündüklerimi ve bildiklerimi Guistiniani'ye söylemeyi geçirdim aklımdan. Namazdan sonrası belki daha uygun bir zamandı bunun için. Tabii eğer güvertede seccademi yayacak bir yer bulabilirsem yapacaktım bunu.

Ama yine kaptanımızın sesini duyarak dikkat kesildim: "Onların yanından geçeriz. Evet donanmanın yanından geçebiliriz, nasıl olsa yanımızda Prenses var, sonra da Yunanistan'a yelken açıp, Cenova'ya ulaşırız, evet Allah şahidimdir Cenova'ya ulaşabiliriz."

Bizim ölmemizi istiyordu, gerçekte istediği buydu. Yüklü ve kumanyasız bir halde varabileceğimiz tek yer Anadolu kıyılarıydı, bunu biliyordum. Cenova'da eğer köle olarak satılmasak bile, hanımım ve ben mutlaka çok büyük zorluklara düşerdik. Cenova benim dümen tutabileceğim bir liman değildi. Kaptanı kendi dualarıyla baş başa bıraktım ve ona kendi düşüncelerimi aktarmaktan vazgeçtim.

Ve az sonra da dua etmeme gerek kalmadan beklediğim şey oldu. Osmanlı'nın Ramazan gözcüsünü gördüm. Öylesine yaklaşmıştık ki donanmaya, bize dönük silahlarıyla bir daire şeklinde düzenlenmiş kadırgaları ve onların arasında dolaşan adamları net bir şekilde görebiliyorduk.

Guistiniani'nin, "Sahil gözcüleri," dediğini duydum. "Evet, yaklaşabildiğiniz kadar kumsala yaklaşın ve..."

Ahşabın sığ kumlukta çıkardığı sürtünmenin sesini duydum, mucizevi bir biçimde sağlam tahtalar buna dayanmıştı. "Epiphany" kaymıştı.

"Daha yakına!"

Yakına? Tanrım yeterinden fazla yaklaşmıştık zaten. Dümendeki adamın bu emre uymak için can atmadığını görünce içim rahatlamıştı. Kaptan bilmese de o, bu yükün gemiyi nasıl aşağı çektiğini biliyordu.

Şu Türkler, Allah aşkına İsmihan'ın bayrağını görmüyorlar mıydı?

Bunu kontrol edebilmek için kafamı iyice geri atıp serene baktım, gördüğüme inanamıyordum.

"Guistinani!" diye bağırdım. "Bayrak. Allah'ın belası aptal herif. O bayrak olmadan buralarda dolaşmak..."

"Dinsizlerin renklerini taşıyan bir bayrağın altında kaptanlık yapmam ben."

"O zaman, göreceksin, bir daha asla kaptanlık yapamayacaksın." Kararsız bir Rum'un ellerindeki kırmızı ipeği kapıp, onu kendim direğe çekmek için ileri atıldım.

Rüzgârda dalgalanır dalgalanmaz onu gören Müslümanlar'ın silahlarını ateşlemekten vazgeçeceklerini umuyordum. Neyse ki bu öngörüm doğru çıktı, donanma bize gülle yerine bir filika yolluyordu. Ama büyük gemilerin üzerimize doğru ağır ağır gelmeleri yine de endişe vericiydi. Rüzgâr onlardan yanaydı, bizim ise yükümüz çok ağırdı.

"Kıyıdan uzaklaş. Sancak, sancak," diye dümendeki adama bağırıyordum. Bir başka kayayı daha çatırtılarla sıyırıp geçmiştik bu sırada ve Piyale Paşa'nın kadırgalarıyla neredeyse yüz yüzeydik.

"Yaklaşıyorlar, aptallar," diye bağırıyordu Guistiniani. "Tornistan. Şu çocuklarla kadınlara ayak altından çekin." Tek yaptıkları korkuyla birbirine daha sıkı sarılmak olan zavallı insanların gidecek başka bir yerleri vardı sanki. "Silahlarınızı ateşleyin!"

"Hayır!" diye bağırdım, ilk gördüğüm tüfeği çekip almıştım yerinden. "Hayır. Gemimiz kadın, çocuk ve yaşlılarla dolu. Guistiniani bunu konuşmamız gerek."

"Allah'ın belâsı bir Türk'le konuşup pazarlık etmem ben." Adamın yüzü, şafağın ışığı altında parıldayan ter damlalarıyla doluydu. Gemideki en iyi silah olan küçük topu nişanlıyordu. "Hepimiz şehit olacağız," dedi. "Filikayı vuracağım şimdi."

Eğer tek bir atış bile yapsak hepimizin öleceği gerçekten de kesindi. "Konuşmalıyız," diye yineledim sakin görünmeye çalışarak. Henüz ateşlememişti topu, barut tozu yerinde duruyordu. İçinde bulunduğumuz anda bu bile iyiydi.

Tam o sırada, "Hey!" diye bir bağırış duydum. Biz tartışırken filika çoktan yanaşmıştı gemimize. Türkler hâlâ kuşkuluydular bizden yana. Kötü bir İtalyancayla seslendi biri: "Dost musunuz, düşman mı? Sultan'ın bayrağını taşıyorsunuz ama davranışlarınız buna uygun değil."

Guistiniani hiç kımıldamadı. Yüzü bembeyazdı. Onun yerine ben yürüyüp küpeşteye yanaştım.

"Hey," dedim ben de. Sesimin hafiften titremesine engel olamıyordum. Filikadakilerin elindeki silah bizim gemidekinden az değildi ve adamlar savaşa hazır bir ruh hali içindeydiler.

"Hey," diye tekrarladım ve sonra Türkçe devam ettim: "Ben Sokullu Paşa'nın hadımıyım."

"Hadım? Sokullu Paşa'nın? Buna inanmıyoruz." Filikadaki adamlar kendi aralarında bir şeyler konuşuyordu. Silah tıkırtılarını duyar gibiydim.

"Haremi gemide efendiler. Bana inanın, sizinle birlikte oruç tutmuş olan bana inanın. Erkekliği Pera'nın sokaklarında köpeklere yem olmuş bu hadıma inanın. Ben Paşa'nın hareminin güvenliğinden sorumluyum. Lütfen, bırakın da onları vezire götüreyim. Sizin Sakız'a vermeyi düşündüğünüz dersten önce bırakın da görevimi tamamlayayım."

"Vezir bile olsa bir erkeğin zor başa çıkacağı bir haremi taşıyorsun hadım." Bu sözlerdeki kuşku daha çok şakaya benziyordu. Bunu iyi bir belirti olarak aldım. Silahların bazılarının aşağı inmesini de...

"Evet, evet efendim. Haklısınız. Burada hanımıma dostça davranmış kadınlar, çocuklar da var. Bu nezaketlerinin karşılığında hanımım da onları çarşafının güvenliği altına almıştır."

Aslında şalvarının demek daha doğru olurdu ama bunu kendime saklamıştım.

"Gemiye çıkıp, bunu kontrol edeceğiz," diye ısrar etti Türk. "Aranızda hain Guistiniani'ler olabilir."

Arkamda korkulu bir mırıldanma işittim, kaptan en

azından kendi adının geçtiğini bilecek kadar Türkçe an-
lıyor olmalıydı. Onun mırıltılarını bastırmak için bağıra-
rak konuşmaya devam ettim. "Efendiler, bir vezirin ha-
dımını çiğnemezsiniz umarım. Osmanlı şerefi ve saltanatı
adına bunu yapmazsınız."

Sonunda dediğim oldu. Onların inançlarına göre
oruçlu bir adam yalan da söylemezdi. Kaybedecek bir
şeyi kalmamış bir adamın dışında zaten hangi erkek bir
hadımın kılığına bürünürdü?

Böylelikle filika bize önderlik ederek İzmir'e ulaş-
mamıza yardım etti. Paskalya gelmiş ve geçmişti. Muci-
zeler olmuyordu, yalnızca şans cesarete yardım etmişti,
bir de azimle aşka... Mezar hâlâ boştu, Yeniden Diriliş
ise artık önemli değildi.

Şimdi düşünmem gereken İsmihan'ın hamile kalma-
sıydı. Bebeğin benden olması imkânsızdı, oysa Tanrı bili-
yordu ki bunu canımı verecek kadar isterdim. Yapabile-
ceğim tek şey hanımımı alıp, güvenlik içinde Manisa'ya,
Sokullu'nun yanına götürmekti. Ne yazık bizi orada kar-
şılayacak olan yalnızca Paşa değildi, Sofia Baffo'yu da
unutmamalıydım.

# XXV

*MUHAMMED PEYGAMBER'İN* yedi karısından biri-
nin adı da Safiye imiş. Sofia Baffo'ya da hareme girdi-
ğinde bu ad verilmişti. Sofia ve Safiye söyleniş bakımın-
dan birbirine çok benzeyen iki isimdi. Arapça kökenli
olan Safiye, duru güzellik anlamına geliyordu. Bu açıdan
gerçekten de kıza uymuştu. Öte yandan Latince kökenli

Sofia'nın anlamı bilge idi. Ölümlü bir bedende güzellik-
le bilgeliğin karışımı, barut ve ateşinki gibi geliyordu
bana.

Safiye gibi bir hamile kadın daha önce hiç görme-
miştim. İsmihan'ınkilerden çok farklıydı bu. Hanımım
her defasında biraz daha kendinden vazgeçer oluyordu
bebek beklediğinde. Ondan başka bir şey düşünmüyor,
her şeyi ona göre planlıyor ve yapıyordu. Bana bile za-
man ayıramıyordu, değil kendine...

Öte yandan Safiye, belki daha uzun boylu olduğun-
dan hoşluğundan bir şey kaybetmemişti. Yeleğinin iki
düğmesini artık ilikleyemese de karnı çok büyük değildi.
Her zamanki gibi çevresiyle ilgili ve kontrolü elinde tut-
manın peşindeydi. Hamileliği kafasına takmış bir hali
yoktu.

Hıristiyanlar'a göre Mayıs ayının, Müslümanlar'a
göre Hicri takvimin 973 yılının Dulkadir ayının başında
hanımımı Safiye'nin Manisa'daki hareminde bırakıp,
Bozdağ'daki askeri birliklere doğru yolumu tuttum. Safi-
ye, Ramazan bayramından hemen sonra haremden ayrıl-
mıştı. Durumuna aldırmadan Murad'ı tek başına bırak-
mamak uğruna Şehzade'yle birlikte ordunun kamp ye-
rinde kalıyordu.

Ordu kampları...Yeryüzünde bir hadımın kendini
daha fazla yabancı hissedeceği bir yer daha olamazdı
herhalde. Savaş olsa daha farklı olabilirdi belki de. Yu-
nanlılar zamanında benim gibi yaratıkların ordulara ko-
muta ettiğini duymuştum ama bu artık benim hayal ede-
bileceğim bir şey değildi. Şu anda kendimi yeterince ra-
hatsız hissediyordum.

İlkbahar bitmek üzereydi. Ağaçlarda ne çiçeklerin
tümü dökülmüştü, ne de meyvelerin tümü belirmişti.
Dikkatle bakınca yaprakların arasında her ikisi de vardı.

Kamp yerindeyse ilkbahar haftalar önce çekip gitmişti. Binlerce askerin adımıyla yamaçlarda hiçbir şey kalmamıştı. Yeniçerilerin, sipahilerin talimleri eğitim alanına dönen çayırlıkları ezip geçmişti. İlkbahar çiçeklerinin yerini çoktan yazın tozu almıştı burada.

Efendimin Bozdağ'ı bırakarak Piyale Paşa'ya yardım için Sakız'a gitmesine gerek kalmamıştı. Ada bir ay içinde tamamen Osmanlı'ya geçmişti. Kaptan Paşa'nın sabrı sonucunda ada halkı bu işten çok zarar görmeden iş halledilmişti. Manisa'dan duyduğumuz kadarıyla Süleyman onlara karşı adil davranmıştı. Yalnızca Guistinianiler cezalandırılmıştı. "Epiphany" ile İzmir'e gelenlerin dışında tümü İstanbul'a getirilip köle yapılmıştı.

Başkentte Müslümanlığı kabul etmemekte direnen, yaşları sekizle on sekiz arasında pek çok gencin öldürüldüğü de kulağımıza gelen haberlerdendi.

Ama hayatta ölümden daha beter şeyler de vardı. Buna yemin edebilirdim.

Böylelikle Guistiniani sülalesi ortadan kaybolmuştu. Diğerleri, yani adanın Rum ahalisi bir ay içinde kendilerine tanınan haklarla yeniden tarlalarının, işlerinin başına dönmüşlerdi. Ve sanıyorum Cenovalılar'ın zamanından daha iyi koşullara kavuşmuşlardı. Evet, tüm bilgilerimiz bunlardı Sakız'la ilgili olarak.

Ortalık düşmana saldırıp parçalamaya hazır askerlerle doluydu. Halka halka yerleşmiş bu birliklerin arasında Paşa'yı aramayı sürdürüyordum. Adını her andığımda fırtınanın merkezine yaklaşıyor gibiydim.

Disiplinli asker ocağının Sokullu'ya ev ortamından daha iyi geldiğine emindim. İçimi sıkan, sadece bu ortama aykırı duran hadımlığım değildi, Vezir'e taşıdığım ve büyük bir olasılıkla elinden gelse hiç aldırmayacağı haber de beni utandırıyordu.

Keşke İsmihan da diğer kadınlar gibi kocası kendiliğinden ona geldikçe mutlu olabilseydi. Ne yazık ki tüm çaba ve fedakârlıklarımıza karşın Sokullu, onunla yalnız dört gün geçirmiş, bayram biter bitmez de görevinin başına dönmüştü. Ve İsmihan, karnı boş, Manisa'da kalmıştı. Ama onun da bir sabrı vardı, böyle zamanlarda Sultan torunu olmanın ayrıcalıklarını kullanmaktan sakınmadığını biliyordum. Bu durum onlardan biriydi. Ona karşı çıkamazdım.

Erkeklerle dolu dönümlerce alanı onun isteklerini iletebilmek için dolanıp duruyordum. Hanımım bu sabah yıkanıp temizlenmişti, bir kez daha istekliydi ve kocasını yanına istiyordu. Yanlarından geçip gittiğim adamlar gördüğüm en sert erkeklerdi, uzun sakallarını sıvazlayarak, haşin bakışlarla beni süzüyorlardı. Benim buraya ne için geldiğimi tahmin edebiliyorlardı, bundan emindim. Kaybettiğim şeyler için duyduğum utanç yalnız yüzümü değil içimi bile kızartıyordu.

Yine de İsmihan'a amacında yardımcı olmaya kararlıydım ve şu anda, yapabileceğim tek şey buydu.

Sonunda komutanın çadırına ulaşmıştım. En ortada oluşu, büyüklüğü, kumaşıyla kendini belli eden bir çadırdı bu. Her tarafından sallanan parlak bayraklar hilaller, yıldızlar, stilize çiçeklerle süslüydü. Bazılarında mavi, yeşil, kırmızı ve altın ipliklerle yazılmış dini yazılar vardı. Tepesini sedefli levhalar süslüyordu. Kapı önünde her zamanki gibi vezirin yedi tuğu dalgalanıyordu. İki sıra yeniçeri yolumu keserek beni durdurdu.

Bir kez daha, "Sokullu Paşa?" diye sordum.

Çevredeki uğultu içinde sesimi tam olarak duyup duymadıklarından emin değildim. Karşımdaki yeniçeriler sakin ve disiplin içinde görünüyorlardı ama etrafta koşturup duran diğerlerinin gürültüsü inkâr edilemezdi.

Beni anlamış olmalılar ki elleriyle arka tarafı gösterdiler, ben de o yönde ilerledim.

Ulaştığım nokta gerçekten de çok daha sakindi. Birden benden başka bir hadımın daha orada olduğunu fark ederek hem şaşırdım, hem de rahatladım. Ona doğru yürüdüm, ne yazık ki duyduğum rahatlama uzun sürmedi. Bu Gazanfer'di, Safiye'nin dev hadımı... Ve onun yanında kendimi asla huzurlu hissetmemiştim.

"Hanımın?" Bunu yalnızca laf olsun diye söylemiştim.

Ama Gazanfer tek kelime etmeden önünde beklediği çadırın perdesini açtı ve beni içeri buyur etti.

Safiye, kendisi için hazırlandığı belli olan bir yığın minder ve halının arasına yayılmıştı. Neredeyse odacığın tamamını kaplamıştı denilebilir. Halının bir köşesine iliştim. Gerçekten de burası iki kişilikti. Safiye ve doğmamış çocuğundan başkasına yer yoktu.

Gözde beni görünce hiç bozulmamıştı, tam tersine gerçekten de çok memnun olmuş gibi duruyordu.

"Ah, Veniero. Bu seni ilgilendirecek." Kelimelerin hakkını vererek, dudaklarını şişire büze konuşuyordu. Bana yanı başındaki minderde yer vermek için toparlandı.

"Şeyi, şeyi bulmaya gelmiştim."

Safiye hızlı bir hareketle çenemi tutarak beni susturdu. Onun dokunuşuyla zaten ağzım kilitlenmişti.

Neden sonra kendimi toparlayınca fısıldayarak İtalyanca sordum, "Burası da ne?"

Safiye parmağını dudağına götürerek yine beni uyardı. Sonra yavaşça, "burası Sultan'ın Gözü," dedi. Kınalı parmaklarının ucuyla önündeki perdeyi aralamıştı.

Gördüklerim nefesimi kesmişti. Efendim, ensesindeki kırışıklıklara dokunabileceğim kadar yakınımda, önümde minderlerin üstüne bağdaş kurmuş oturuyordu, yanında da Şehzade Murad vardı. Sokullu, bembeyaz sarığı, zarif altın işlemelerle süslü yeşil giysileri içinde ağırbaşlı ve saygındı.

Onların karşısında açık duran otağ kapısından içeri güneşin ışıkları giriyordu. Büyük çadırın kenarında mavi, sarı giysileriyle tüm Avrupa'yı korkutan yeniçeriler çepeçevre dizilmişti. Bugün yabancı elçiler kabul ediliyordu. Bu zengin ve güç fışkıran ortamdan nasıl etkilenecekleri belliydi.

Hiçbir detayı algılayamayacak kadar şaşkındım. Bu çadıra ve çadırda olanlara aşinalığı belli olan Safiye ise bugünü diğerlerinden ayıran tüm detayların bilincindeydi. Kolumu çekerek bana dikkat etmemi işaret etti. Beni yöneten bu yoğun gücün rehberliğinde bir kez daha baktım önümde olup bitene. Âdet gereği beyaz Osmanlı kıyafetleri giymiş olan heyet Venedik'e aitti.

Venedikliler kibirli bir şekilde eğilip selam verdikten sonra getirdikleri armağanları sundular: Toplarca kadife kumaş, Murano camından cami kandilleri, inciler... Sakız olayını protesto etmeye gelmişlerdi, oysa bana göre bu çoktan beklenen bir şeydi.

Dostluk ve etkileri benim için çok gerilerde kalmış vatandaşlarımdansa, Sofia'yı izlemek daha ilginçti. Yanakları kızarmıştı. Yoksa bebek mi kımıldanıyordu içinde? Kendi çocukluğunu mu anımsıyordu? San Marko meydanında koşturduğu, manastırda ağaçlara tırmandığı günler mi gelip geçiyordu aklından? Anadilimizi duyunca, saklamaya çalıştığı gurbet acısını mı duymuştu içinde?

Heyetten birinin konuşmaya başlamasıyla bu düşüncelerden uzaklaştım. Adam, "bunu protesto ediyoruz vezirim," diyordu. Balyoz'un en değerli adamlarından

biri olarak konuştuğu belliydi. "Bizi bizzat Sultan Haz-
retleri'nin kendisinin kabul edeceğini düşünüyorduk,
ama burada yalnızca vezirler var."

Bu yüz bana yabancı değildi. Yumuşak, yuvarlak ve
biraz kadınımsı. Bu genç adam, bana Sofia Baffo için ba-
basının ortaya koyduğu ödül ilanını veren Venedikli'ydi.
Biraz daha gerilere gittim. Bu yüzün siyah bir maskeyle
gizlenmiş olduğu günlere. Benimkinin tıpatıp eşi olan o
maskeyle geldiği Karnaval gecesine. Dört yıl sonra bugü-
ne gelmişti demek ki... Artık pazarda haber peşinde koş-
muyordu, önemli bir diplomattı. Buna şaşmamak gere-
kirdi, ne de olsa Venedik'in en saygın ailelerinden birin-
den geliyordu.

Adı neydi? Oh, evet, Barbarigo.

Genç Barbarigo henüz bu yolları öğrenmemişti gali-
ba. Burayı başka saraylarla karıştırıyor olmalıydı. Hâlâ
konuşup durduğuna göre nerede olduğunun bilincinde
olmadığı belliydi.

"Bir hakaret değil bu, affedin," diye alttan alarak
konuşmasını sürdürdü. "Ama Sultan Süleyman Vene-
dik'ten gelen heyetleri daima kendisi kabul etmiştir. Bir
de tabii kendisinin sağlığıyla ilgili yayılan söylentiler var.
Kendisini görmekten onur duyardık."

Efendimin yalnızca sarığını görebiliyordum ama, yü-
zündeki alaycı gülüşü tahmin etmekte zorlanmıyordum.

"Ama onun huzurundasınız," dedi Sokullu, eliyle
Safiye ile benim olduğum bölümü işaret ediyordu. "Ba-
kın," dedi, "burası Sultan'ın Gözü'dür."

Barbarigo bununla yetinmek zorundaydı.

İstanbul'da "Sultan'ın Gözü", Süleyman'ın özel ola-
rak mermerden yaptırdığı bir bölümdü Divan'da. Sul-
tan'ın biricik karısı Hürrem orada oturup, kocasına ya-
kın olsun diye yaptırıldığına dair laflar edilirdi.

Efendim de herkes gibi, hatta herkesten daha fazla Sultan'ın orada olmadığını biliyordu. Süleyman şu anda Macaristan yolunun yarısını tamamlamış olmalıydı. Sözünü ettiği şey daha çok simgeseldi. Sultan'ın hizmetkârlarının olduğu yer, aynı zamanda Allah'ın gölgesinin de dolaştığı yerdi. Söylemek istediği özünde buydu.

Ama Paşa gerçekte işaret ettiği yerde şu anda kimin oturduğunu biliyor muydu? Bence oranın boş olduğunu düşünüyordu, sözünü ettiği manevi varlığın dışında birinin varlığından habersizdi. Ve eğer orada çöreklenip gelişmekte olanı görse eminim tüyleri diken diken olurdu.

Safiye'nin tavırları bir kez daha ilgimi çekmişti. Duyduğu sözler üzerine, sanki kendisi Muhteşem Süleyman'mış gibi doğrulup, kımıldanışı gözden kaçırılabilecek gibi değildi.

O ipekler içindeki yumuşak, yuvarlak güzellik sanki içine ustura saklanmış bir çiçek demetiydi. Safiye, önünde konuşan genç Venedikli'ye tatmin olmuş duygularla, gülümseyerek bakıyordu.

"Bekle de gör," diye mırıldandı, sanki bunları ne bana ne de elçiye söylüyordu, dünyaya, hatta Tanrıya açıklıyordu düşüncelerini, tavrı buydu. "Ben de onun gibi yapacağım." Benim "O"nun kim olduğunu sormama gerek kalmadan açıkladı. "Hatta Hürrem'i geçeceğim bile, Süleyman'ın gözdesini geçeceğim, göreceksin."

O an anladım ki Venedik'in kanalları da, serin esen rüzgârları da Safiye için bir anlam ifade etmiyordu. Orası yalnızca dikbaşlılığı öğrendiği ve Korfulu bir köylüyle evlendirilmeye zorlandığı yerdi. Orada kalsaydı nakış işleyip, mektup yazacaktı. Oysa burada, harem perdelerinin ardından, bir kadının ellerinin nerelere uzanabildiğini kimse tahmin edemezdi.

*Venedik, Konstantinopolis'in yanında nedir?* Aylardır, yıllardır aklından geçirdikleri gözlerinden okunuyordu. *O küçücük Cumhuriyet, her an denize kayacak olan o kent; üç kıtaya yayılmış, Atlantik'ten Hint Denizi'ne uzanan, Roma İmparatorluğu'ndan bile daha büyük olan, milyonlarca insanın yüzlerce dili konuştuğu bir güçle karşılaştırılabilir mi? San Marko Katedrali Aya Sofia ile kıyaslanabilir mi, ya da Dük'ün sarayı Topkapı'nın yanında nedir? Burada ben parmağımın ucunu kımıldatarak Dük'ten daha fazlasını yaptırabilirim. Onun tüm düşünceleri, dilekleri, hedefleri buraya rağmen gerçekleşemez.*

Genç Venedikli elçi bunlardan habersizdi. Çoktan Macaristan'a gitmiş olan Sultan'ın huzurunda olduğunu sanarak yaptığı hareketler ve sözlerle kendisini "Sultan'ın Gözü" önünde küçük düşürüyordu ve bunu bilmiyordu.

Şimdi kırmızı sarıklı hizmetkârlar konukların ellerini yıkamaları için su döküyorlardı gümüş ibriklerden. Sonra tütsülenmiş havlular geldi. Daha sonra da kızarmış kuzu, hindi, bıldırcın ve bol yağlı pilav tepsileri.

Adamlar dikkatlerini yemekten çok nasıl yiyeceklerine vermişlerdi, sol ellerini kullanmamak için uğraşıyorlar, pilava ellerini daldırıyorlar, beceriksiz hareketlerle beyaz onur giysilerini kirletiyorlardı.

Türklerse kolları göğüslerinde kavuşturulmuş sakin sakin seyrediyordu bu manzarayı. Onlara göre dinsizlerle aynı sofrada oturmak günahtı ama bu konuklarını ağırlamalarını engellemiyordu.

Safiye'nin bu âdetleri gülünç bulduğunu hissediyordum. Kendisini gülmemek için zor tutuyordu. Bir zamanlar bu âdetlere alışmakta nasıl yabancılık çektiğini çoktan unutmuştu.

Bense Baffo'nun kızının aniden alışmadığım bir bi-

çimde, yüzü sararak kolumu tutmasının heyecanı için-
deydim. Onu kaldırmamı istiyordu. Elinden tutup, yar-
dım ettim, ayağa kalktık. Gazanfer kıpırdanmamızı fark
etmişti, perdeyi kaldırdı. Ben de Safiye'yi ona doğru
uzattım. Kadının kendisini onun yanında çok daha iyi
hissettiği gözle görülebiliyordu. Dev adam onun peçeleri-
ni düzeltti, bu iş Safiye'nin hâlâ hiç aldırmadığı bir şeydi.

Şehzade'nin gözdesi kendini dikleştirerek, toparlan-
maya çalıştı. Derin bir nefes aldı. Ama tam o sırada yeni-
den yüzü sarardı. Gazanfer'e iyice yaslandı, bakıştılar,
konuşur gibiydiler ve ben ne dediklerini anlamıyordum.
Ama söylediklerini duyabiliyordum.

"Genç olan. Balyoz değil, yardımcısı."

Kadın ve hadımı şifreli gibi konuşuyordu. "Aradı-
ğım o olabilir," diye devam etti, "gözlerini gördüm, ide-
alizm ve enerji dolu..."

Sustu. Gazanfer'e daha fazla yaslandı. Adam ne de-
mek istediğini anlamıştı.

"Ebe mi hanımım?" diye mırıldandı adam, tıpkı
dua eden birine benziyordu.

Safiye'nin cevabı, "Ebe, aslanım," oldu.

# XXVI

*"EBE?"* BEN BU SORUYU kendi kendime tekrarlayıp
dururken, Gazanfer de hanımını kucaklamış, hemen yan
taraftaki tahtırevana koyuyordu.

Tam o sırada, ağrısı herhalde bir an için kesilmiş
olan Safiye sabırsızca, adamın omzunun üzerinden bana
dönüp, "sen hadımların en ağır kanlısısın," dedi. Sabır-

sızlığının nedeni ben miydim, yoksa sancıları mı? "Sultan'ın, efendimizin torununun çocuğu olacak." Bunu, "Sultan bugün pilav yiyecek" der gibi bir sesle söylemişti. "Ayva'nın görevinin başında olması gerektiğini anlamıyor musun?"

"Tabii," diye kekeledim. "Allah Osmanlı kanını korusun."

"Hayır, bekle..." Yine nefesi kesilmişti, Gazanfer'in omzunda bir süre dinlendikten sonra devam etti, "git onu bul Veniero. O gelene kadar Gazanfer'in yanımdan ayrılmasını istemiyorum. Git, getir onu haydi..."

"Tabii."

"Ve Veniero..."

Hadım kapıyı kapamadan tekrar dışarı eğildi:

"Ve bir de Balyoz'un yardımcısını Veniero?"

"Ben mi?" Aslında sormak istediğim soru başkaydı: *Niye Şehzade değil, vezirler değil, Sultan değil?*

"Evet sen. O dili konuşmuyor musun?"

"Anlıyorum. Barbarigo'ya ne dememi istiyorsun?"

"Ona fırsat bulur bulmaz gelip Gazanfer'i bulmasını söyle. Bu kadarı yetmez mi?"

"Tamam, anlaşıldı."

"Çocuğum doğduğunda onu vaftiz edecek bir Katolik rahip istesem ne olacaktı?"

Hiçbir şey, diye geçirdim içimden. Ama tabii ki bunu söylemedim. Bu Safiye Baffo'ydu, haremde bir başkasının ölümüne yol açabilecek şeyleri rahatlıkla yapabilirdi o.

İsteklerinin ilki için koşturmakta hiç tereddüt etmedim. İkincisini bir kenara attım. Saray hareminde bir Baffo kızının olması genç Venedikli'yi niye ilgilendirsindi ki, ya da onun küçük, sağlıklı bebeği...

Bunu yerine getirdikten sonra da efendime gidip,

hanımımın isteklerini ilettim. Haremdeki diğer haberleri söylemedim tabii.

Safiye üç saatlik bir çabayla, pek az ağrı çekerek doğurmuştu ve bir iki gün içinde ayağa kalkıp, Ayva'nın tüm yasaklamalarına karşın "Sultan'ın Gözü"ndeki yerine geçip kurulmuştu.

Sokullu bunları öğrenir öğrenmez, genç babayla vedalaşıp, karargâhı toplamış ve Avrupa'ya doğru yola çıkmıştı. Karısının yanına, Manisa'ya da uğrayamamıştı. Bu gerçekten üzüntü vericiydi.

Çok kısa bir süre sonra tüm ordunun Pazarcık'ta toplandığını öğrendik. Vezir-i Âzam, Sultan'a torununun çocuğunun doğumunu müjdelemiş, Sultan da ona Mehmed adını vermişti.

Her şeyin uygun olduğuna karar verince Ayva da, Safiye'yi, bebeği, dört bakıcıyı alıp Manisa'ya dönmüştü. Kadın hâlâ söyleniyordu: "Bir karargâhta doğan Şehzade... Olacak şey mi bu?..."

İsmihan yeğenini görür görmez çok sevdi, yanaklarından akan gözyaşlarına rağmen ondan bir an bile ayrı kalmaya dayanamıyordu. Sonunda öyle bir hal aldı ki, bebekle bakıcılardan daha fazla ilgilenmeye başladı. Bu ilginin Safiye'ninkinden fazla olduğunu söylemeye bile gerek yoktu. O, kafese kapatılmış bir dişi aslan gibi dolanıyordu ortada. Bebekle ilgili tek derdi, saltanat bebeklerinin içinde büyütüldüğü, mücevherle bezenmiş beşiğin İstanbul'da bırakılmış olmasıydı.

İsmihan arkadaşını yatıştırmaya çalışıyordu: "Sayısız koç kurban edildi, hem burada, hem de İstanbul'da. Toplar yedi pare atış yaptılar kutlamalar için, ben doğduğumda üç pare atılmış..."

"Bunları duymak istemiyorum," diye öfkeyle bağırıyordu Safiye. "Nasıl o beşiği İstanbul'da unutabilirsin?

İnsanlar onun sıradan bir fahişenin çocuğu olduğunu mu sansınlar?"

Ve Ayva, sarı şekerlemelerinden birini daha sakince ağzına attı.

Safiye, sözlerinin yeterli etkiyi yarattığına emin olmuşa benziyordu, şöyle uzaktan oğlunu bir süzdü ve "Çok uslu," dedi.

İsmihan bu fikre katılarak başını sallarken "maşallah" demeden duramadı. Çocukların kötü gözlere karşı böylelikle korunabileceğine o da yürekten inanıyordu. "Maşallah," diye tekrarladı, hatta işi ileri götürüp, "Sarımsak, sarımsak gerek!" diye bağırdı.

Sonrası inanılmazdı. Çocuğu, beşiği, tüm odayı Kur'an'lar, mavi boncuklar ve yığınla sarımsakla doldurdu. Kendi bebekleri için bunları yapamamıştı, şimdi en ufak bir şeyin eksik olmasına tahammül edemiyordu ve hiçbir riski göze almak istemiyordu.

Aslında sıradan bir beşikte yatmasına karşın bu küçük bebek başka hiçbir bebekle karıştırılamazdı. Giysilerinin zenginliği ve süsü, bakımına gece gündüz gösterilen olağanüstü ilgi onu diğerlerinden hemen ayırabilirdi.

İsmihan onu evdeki beşiklerden çok farklı bir başkasına yerleştirdiğinde, doğrusu ben de şaşmıştım. Çocukların bakımına duyduğum meraktan çok beşiğin farklılığıydı bu ilgimin nedeni. Öylesine eski ve yıpranmıştı ki, Safiye'ye hak vermek bile içimden geçmedi değil. Bakıcılar onu temizleyip ovmak için çok uğraşmışa benzemiyordu.

Bu beşiği ilginç yapan İsmihan'ın çocuğun poposunun hemen altına denk gelen yere yerleştirdiği seramik kaptı. Böylelikle bebeğin bakımı çok kolaylaşıyordu.

İsmihan bebek çişini yaptıkça, sanki çıkan altınsuyuymuş gibi davranıyordu. Ben de bunu ilgiyle izliyor-

dum. Minik Şehzade'nin farkında bile olmadığı, o vücu-
duna göre oldukça büyük görünen henüz sünnet edilme-
miş et parçasına, belki de içim burkularak bakıyordum
her defasında.

Kendi yoksunluğum yüreğimde ve beynimde yankı-
lanıyordu. Evet, bu zenginlik ve ilgiden çok, o et parçası-
nı kıskanıyordum. Ve onun getireceği ölümsüzlüğü, Mu-
rad kendi avuçlarına tutunan minik parmaklarda bunu
derinden hissediyordu.

"Veniero, Balyoz'un yardımcısı?" Her karşılaşma-
mızda Safiye bana bu sözleri İtalyanca fısıldıyordu.

"Balyoz'un yardımcısı mı, ne demek istiyor?" Bebe-
ğin cişini yapmasına gösterdiği ilgi İsmihan'ın İtalyan-
ca'ya ve Safiye'ye olan ilgisini azaltmamıştı.

Bu yüzden ilk yalnız kalışımızda ona bunun neden-
lerini açıklamak zorunda kaldım. Safiye'nin doğumun-
dan hemen önce bana söylediği isteğini aktardım ona. İs-
mihan'ın verdiği tepki çok şaşırtıcıydı.

"Ve sen hâlâ Barbarigo'yu çağırmadın, öyle mi?"
Hayal kırıklığı içinde, neredeyse kendi dileği yerine geti-
rilmemiş biri gibi çıkıyordu sesi.

"Bebeğin vaftiz edilmesini istiyor, yani söylediği
bu..."

"Peki bunun ne zararı var? İnşallah, zamanı gelince
sünnet edilecek ve gerçek bir mümin olacak. Şimdi üze-
rine dökülecek bir parça suyun ne sakıncası olabilir?
İlerde kutsal bir bıçak nasılsa her şeyin hakkından gele-
cek."

*Tıpkı bana yapılan gibi mi?* Bu düşüncemi dile geti-
rememiştim.

Hanımım ısrar ediyordu. "Safiye'nin buna çok üzül-
düğünü görmüyor musun?"

"Evet, görüyorum."

"Bir anneyi mutlu etmek istemiyor musun?"

"Bunu ancak Allah yapabilir."

Hanımım benimle tartışmayı uzatmadı ama, Safiye'nin isteğini unutmamamı istediğini de kesinlikle belirtiyordu. "Harem," dedi, "bu isteklerin kimseye zarar vermeden saklanabilmesi, gün ışığına çıkmadan halledilebilmesi için vardır, bunu unutma."

Ve ben de sonunda buna uyarak gittim.

Tüm adaklara ve top atışlarına karşın, Manisa'daki Venedik heyeti küçük Şehzade'yle ilgili ilk haberleri yine de benden almış oldu. Doğruydu, haremin işleri dışarıdakilerden çok ayrıydı.

Barbarigo'yu görünce aklımdan geçenler dile getiremeyeceğim kadar yoğundu. İkimizin de aynı maskeyi takarak gittiğimiz o karnaval, Baffo'nun kızıyla tam kaçacakken onları güya aile şerefimiz adına ihbar edişim, Barbarigo'nun beni babasının gücünü ima ederek tehdit edişi... Hepsi bir bir gözümün önünden geldi geçti. Onun nefreti, benim kıskançlığım... Bir gün bu adamla benden çaldığı her şey için dövüşeceğim, evet tam böyle demiştim içimden o günlerde.

Oysa bugün yüzümdeki utanç buna izin vermiyordu. Maskeli olmamız mümkün değildi, duygularımı ve geçmiş kimliğimi keskin ve düzgün bir Türkçe'yle saklamaya çalışarak şunları söyledim:

"Gidip, Vali Baffo'ya kızının ve torununun sağlıklı olduğunu söyleyin."

"Aziz Marko aşkına!" diye bağırdı genç diplomat. "Osmanlı'yı yöneten Hıristiyanlar... Manastırdan çıkma bir kızın çocuğudur o. Bu asırlardır yapılan anlaşmalardan çok daha fazlasını sağlar Hıristiyanlar'a."

Genç adam kolumu tutup sıktı, gerçek değerinden çok daha gösterişli yüzüklerini bile hissetmiştim bu temasla. Çok etkilenmişti, "Demek ki bu ülke gerçekten de Hıristiyanlar tarafından yönetiliyor," dedi.

"Yani yeniçeriler," diye devam etti, "paşalar, vezirler, hepsi de Hırıstiyan evlerinde doğmuşlar. Bu imparatorluğun dünyanın en büyük imparatorluğu olmaması için hiçbir neden yok. Yöneticilerin tümü de bizden."

"Türkler," dedim, "herkesin zaten özünde Müslüman olduğuna inanırlar, onlara göre yanlış olan Hıristiyan anne babalardır."

Efendim, büyük vezir Sokullu Paşa'nın doğduğu yerle ilgili herhangi bir etkiyi Divan'a taşıdığını sanmıyordum. Daha sonra yaşadıkları, önceki izleri çoktan silip götürmüş olmalıydı. Bir de şunu merak ediyordum, bu Barbarigo ait olduğu Hıristiyan toplumlarına göre, bir Osmanlı-Hıristiyan imparatorluğunun daha adil, daha iyi olabileceğine acaba neden inanıyordu? Bunu ona sormak istiyordum.

Ama genç adam kaşlarını kaldırıp çoktan benim ilk cümlemin yarattığı kötümserliğe kendini bırakmıştı. Bir Hıristiyan'ın gözlerindeki kötümserlik... Ne garip, beni ise Müslüman ölümcüllüğü iyimserliğe doğru itmişti galiba...

Andrea Barbarigo, Sofia'yı gerçekte tanımıyordu, bundan emindim. Baffo'nun kızı için Hıristiyanlık ya da Müslümanlık fark etmezdi, bunların hiçbir önemi yoktu. Çocuğu sağlıklıydı, erkekti ve en önemlisi Osmanlı kanından geliyordu, saltanatın varisiydi, onun aldırdığı şeyler işte bunlardı.

Venedik, Barbarigo'yu buraya yollamadan önce evlendirip sakinleştirmeliydi bence. Safiye'nin de söylediği gibi adamın gözlerinde derin bir romantizm ve idealizm kaynaşmış gibiydi. Ve kısır, kullanılmamış şehveti harem duvarlarının arkasıyla ilgili olarak en kolay öyküleri yaratıyordu; zavallı, kurtarılmayı bekleyen kadınları...

Böyle düşünmesinin bence bir zararı yoktu. Ama bilmiyordu ki, bu çeşit hayaller, onu hep hayal edip de kavuşamadığı bir çift kuğu gibi ele, Safiye'nin ellerine bırakıyordu. Ve bu eller onu kukla gibi oynatacaktı.

---

# XXVII

*S*ONBAHARIN O İLK GÜNÜNÜ çok net hatırlıyorum. Dışarda şakır şakır yağmur yağıyordu, yazın aman vermeyen sıcaklarından sonra kutsal bir nefes gibiydi bu. Ali'nin karısı mevsimin ilk mangalını üzerinde pırıldayan közlerle odaya getirmişti ve İsmihan'ın gözleri tıpkı bunlar gibi pırıldıyordu. Kışın gelmesine sevindiği belliydi. Çünkü kış ona kocası Sokullu Paşa'yı, Safiye'yi ve küçük bebeğini de getirecekti. Sonra hayat her zamanki yoluna girecekti.

Bu geceyi sakin bir şekilde geçirmeyi düşündüğü belliydi. Kederli ya da canı sıkkın olduğuna dair dedikodular türemesin diye her gece, o yatana dek çalıp söyleyen sazendeler ortalarda görünmüyordu. Mevsimin bu ilk yağmurlu gecesini sessizce hadımıyla satranç oynayarak geçirmesinin bir sakıncası yoktu.

Onu eğlence içinde görenlerin dört yılın ruhunda yarattığı değişimi anlamaları mümkün değildi. Olsa olsa biraz kilo aldığından söz edebilirlerdi. Eh, bu da iyi bakıldığı ve mutlu olduğundan, der geçerlerdi.

Ama ben bütün hayhuya, şen şakrak kahkahalara karşın mutluluğun bu evde göründüğü kadar var olmadığını biliyordum. Bu aldatıcı izlenim konuklar için yüze takılan bir maske ya da peçe gibiydi.

Safiye ve diğer arkadaşlarının burada olduğu kış aylarında bu daha az fark ediliyordu. Böyle zamanlarda daha rahat, şakacı oluyordu, yüzüne renk geliyordu. Ama yaz boyunca çabucak solgunlaşıyordu. İşin gerçeği, İsmihan çok mutlu değildi. Ve bir hadım bazı konularda işe yaramıyordu.

Yani, konunun özü, Sokullu karısına iyi kocalık yapamıyordu. Çok fazla iş, mutluluğu da yanında taşımıyordu. Zaten Türkler de şöyle diyorlardı: İşin eşi olmaz.

İsmihan zaman zaman bundan şikâyetçi olsa da sonunda, "Yine de Allah'a şükürler olsun, keşke her kadın benim gibi olsa... En azından çocuğum yok, diye beni boşayamaz, ben Sultan torunuyum. Bu da bir hediye..." der işin içinden çıkardı.

Ama ben bu konudaki kusurun kimden geldiği konusunda onun kadar kesin kararlı değildim. Sokullu o kadar uzun zamandır kendi arzularını körleştirmişti ki, artık onları duyamaz bir haldeydi. Ondan olan çocukların hayata karşı isteksizliklerinin bir nedeni de belki buydu.

Paşa'nın annesi oğlu evlendikten altı ay sonra, elinde gergefiyle ölmüştü. Bana asla söylemediği halde bildiğim bir şey vardı: O, oğlunun yalnızca tek bir kadına karşı görevlerini yerine getirebileceğinin farkındaydı ve bunu saygıyla kabullenmişti. Ama ufak tefek, yaşlı bir kadın için yeterli olabilen şeyler gelişmekte olan genç bir kadına az geliyordu.

Efendim Sokullu orduda paşalık yaptıktan sonra, Ali Paşa'nın ölümünün ardından kısa bir süre donanma komutanlığı, Kaptan Paşa'lık da yapmıştı. Bu görevi Vezir-i Âzam'lık izlemişti. Bu, imparatorlukta Sultan'dan sonra en büyük, en önemli makamdı. Kaldı ki sultanlar oraya ulaşabilmek için ne özel olarak çalışmış, ne de bir beceri göstermiş kişilerdi, buna olsa olsa yalnızca doğumsal bir tesadüf denilebilirdi.

Sokullu Paşa'nın ne denli çalışkan, işine bağlı biri olduğunu söylemek gereksizdi. İçinden gelse bile romantik arzuların peşinde koşmaya hiç vakti yoktu. Evde olduğu zamanlarda, haftada iki kez titizlikle karısının yatağını ziyaret ediyordu. Ama bu ne onun, ne de karısının hoşuna gidecek, onları mutlu edecek ölçülerde oluyordu. Ve bu ziyaretlerin ürünü olan üç bebek de yaşamamıştı.

Maddi olarak Paşa'nın karısını ihmal ettiği asla söylenemezdi. Büyük bahçeli konak kısa zamanda hanımının verdiği davetlerle ün yapmıştı. Konuklar bin bir ikramla ağırlanıyor, hediyelere boğuluyordu. Hatta kapıyı çalan kimsesiz yoksullar, dilenciler bile asla eli boş dönmüyordu buradan. Zaten ihtiyacı olan birilerine elindekileri vermek İsmihan'ın en hoşuna giden şeydi. Yine de geçip giden yıllar içinde giderek olgunlaştığı kesindi.

Bana böyle toplantılardan sonra sık sık, "Bir davetin gürültü patırtıdan ibaret olduğunu biliyorum," diyordu, "eğer gerçekten kutlamaya değecek bir neden yoksa, yalnızca birinin servetinin tadını çıkarmak demek bu. Kutlamaya değecek şeylerse ya bir evlilik, ya bir doğum, ya da sünnettir. Bu insanların büyük bir kısmı benim yanıma param için geliyorlar. Bunu biliyorum. Parayla satın alınmış insanlar beni kandıramazlar."

Bu sözlere verebileceğim cevap, "Ben de o parayla senin için satın alınmış biriyim"den başka ne olabilirdi?

Gönlümü almayı nasıl da biliyordu: "Sen de beni kandıramazsın Abdullah."

Sonbaharın o ilk gecesi, işte böyle başbaşa oturmuş

hem sohbet ediyor hem de satranç oynuyorduk. Sokullu altı aydır İstanbul'da yoktu. Hâlâ efendisinin yanında, Tuna boylarında savaşıp duruyordu. Bu öylesine büyük bir görevdi ki, hiç kimse sesini bile çıkaramazdı.

Ama İsmihan sekiz aydan fazladır boş bir karınla dolaşıyordu. Şikâyet ederek sızlansa da gücünü toplayabildiği için memnun gibi duruyordu. Bu boşluğu doldurmakta galiba ben de etkili oluyordum.

Sokullu Paşa'nın ise, gönderdiği mektuplardan da belli olduğu gibi tek sorunu bir varise sahip olmak değildi. Daha çok bana hitaben yazılmış bu resmi anlatımlı mektupları satır satır, tek kelimesini atlamadan İsmihan'a okuyordum.

Mektuplarından birinde Paşa, "Hanımının büyükbabası," diye yazıyordu, "Allah uzun ömürler versin ama, artık eskisi gibi değil. Bu yıl her zamanki gibi ordunun başında at sırtında gidemiyor. Evet, yine önde, ama artık bir arabayla yapıyor görevini. O olmazsa kazanmamız mümkün değildir. Hepimiz bunu hissedebiliyoruz. Ne gelirse Allah'tan gelir, ama bu işin çok uzayacağını sanmıyorum. Bizim eksikliğimizde taht için bir çekişme ve hatta iç savaş çıkma olasılığı her zaman aklımızda bulunmalıdır. Böyle bir durumda hanımının benim evimde olmasını isterim, başka hiçbir yere ve hatta babasının evine bile gitmemelidir. Sizleri telaşlandırmak istemem, ama tahtın gerçek varisi olan Selim'in yerine oğlunu başa getirmenin peşinde olanları unutmamalıyız."

İsmihan, "Safiye gibi," diyerek bu konudaki fikrini belirttiğinde ben de başımı sallayarak ona hak vermiştim.

Vezir'in mektubu şöyle devam ediyordu: "Şehzade Murad Manisa'da ve görevini başarıyla sürdürüyor. Bunu kendi gözlerimle - Allah'a şükürler olsun senin yanında- bizzat gördüm. Manisa tahta en yakın sancaktır ve yönetimi geleneksel olarak saltanatın varisine verilmiştir. Ama tüm yeteneklerine karşın Murad henüz çok genç ve deneyimsiz. Ve babadan oğula kuralına karşı çıkmak, ileride imparatorluğun bölünmesine neden olacak hareketlere yol açabilir. Bunları göz önüne alarak hanımının hiçbir şekilde şu sıralarda İstanbul'dan ve hatta evinden ayrılmasına gönlüm razı değildir. Allah hepimizi korusun."

Daha sonra gelen mektuplarındaysa Sokullu, Süleyman'ın onu ve herkesi şaşırtarak, arabadan da olsa ustalıkla orduyu yöneterek zaferlere koştuğunu anlatıyordu. Kış basana kadar da belli ki buna devam edecekti.

Ve işte İstanbul'da yağmurlar başlamıştı, artık kış geliyordu. Belki oralara çoktan kar bile düşmüştü. Ordu artık geri dönmek zorundaydı. Ama bunu Sultan'ın sağlığını bozma pahasına yapmayacakları da kesindi.

Herkese çok uzun gelen bir altı ayı geride bırakmıştık.

# XXVIII

*İ*SMİHAN'IN TOMBUL YÜZÜ, oyun oynarken yüzüne vuran lambaların ışığında parlıyordu. Güzelliği nefes kesici değildi ama, yumuşak ve insanı rahatlatıcıydı. Düşünceleri de öyleydi, konuşmaları da... Oyun oynarken bile birbirinden değişik şeyler söyleyip, ilginç öyküler uyduruyordu.

"İmparatorluk için savaşan bir yığın zavallı askercik... Allah onları korusun."

"Görüyor musun Sultan nasıl ilerliyor? Önünde hiçbir kâfir duramaz onun."

"File bak, sanki kontrolü kaybetmiş gibi, ama işte bak sipahi geliyor, ona yardım edecek ve düşman askerini esir alacaklar birlikte." (Türkler Avrupalılar'dan farklı olarak papaz yerine fil diyorlardı.)

"İşte baş vezir çıktı ortaya. Ne zeki, ne cesur bir adam... Kâfirlerin ateş hattında dolaşıyor korkusuzca, üstelik onların dilini de iyi biliyor. Daima Sultan'ına bağlı. Ama prensesini evde tek başına bırakmış, zavallı kadın kendini ya düşman ordularına teslim edecek, ya da sıkıntıdan ölecek!" (Osmanlılar'ın bu oyunu oynarken taşların tümünü de erkek olarak adlandırmaları şaşırtıcı değildi. Vezire biz batıda Kraliçe diyorduk.)

İsmihan oyunu kişiselleştirmezse ilgisi dağılıyordu. Piyonlardan birini kendisiyle özdeşleştiriyordu daima, yoksul bir asker oluyordu. Ve normalde hiçbir oyuncunun göze alamayacağı işlere kalkışıp, o tek asker uğruna inanılmaz ataklar ve fedakârlıklar yapıyordu. Bir de onu tablanın öteki ucuna taşıyabilirse, bu harikulade güç üzerine inanılmaz güzellikte, bin bir gece masallarıyla yarışabilecek öyküler uyduruyordu bir anda.

İsmihan, çok romantik ve edebi yaklaşımına karşın kötü bir oyuncu değildi. Bu kez oyunun galibi o olmak üzereydi ama nedense birden ilgisi kayboluverdi. Pek çok kez Şah'ı onun önünde ölüme bırakmak zorunda kalmama karşın, birden çok saçma bir hareket yaparak oyunu uzatmıştı. Bunu bilerek mi yapıyordu, yoksa kafası başka bir yerlerde miydi, anlayamamıştım. Tablaya dikkatini verebilmek için uğraşıyordu, bu belliydi.

"İsmihan," dedim, uzanıp fildişi masanın üzerinden elini tuttum kaygıyla.

Tam bana dönüp bakıyordu ki selamlıktan gelen gürültüyle irkildik.

"Kim olabilir?" dedi.

Yüzünden kısa bir an için, duymayı arzu ettiği cevap geçivermişti. *"Kocam!"*

Oturduğumuz odadaki kafesli bir pencere, selamlığın oturma salonuna bakıyordu. Bu ilave, Safiye'nin önerisiyle yapılmıştı. İsmihan'a kocasının işleriyle ilgilenirse ilişkisinin daha iyi olabileceğini tavsiye etmişti Baffo'nun kızı ve buradan Paşa'nın önemli erkek konuklarıyla yaptığı konuşmalar rahatlıkla izlenebiliyordu. Onun önerisiyle pencere yapıldıktan sonra Safiye'nin ziyaretleri oldukça sıklaşmıştı. Oysa İsmihan'ın casusluk yapmaya hiç hevesi yoktu doğrusu ve çoğunlukla pencereyi hiç kullanmıyordu. Ama şimdi duyduğumuz sesler üzerine ikimiz de oraya yönelmiştik.

Kapıcı Mecnun kapıyı açıp, tanımadığımız bir adamı çoktan içeri almıştı bile. Mecnun, Ali'yi çağırıyordu. Ali gelip adama kim olduğunu ve ne istediğini sordu. Adam konuşmadan elindeki küçük bir şeyi ona gösterdi.

"Bu kocamın mühür yüzüğü," diye fısıldadı İsmihan. Ali ve Mecnun'un adama gösterdikleri saygı ve konukseverlik onun haklı olduğunu gösteriyordu.

İriyarı bir adam olmasına karşın kaba görüntülü değildi. Otuzlarında olmalıydı. Uzun, kıvrık bıyığında tek bir gri yoktu. Sarığı bir zamanlar beyaz olmalıydı ama yağmur ve tozdan kirlenmiş ve şekli bozulmuştu. Tepesindeki bölümün rengi belli değildi, onun da üstünde olması gereken siyah tüyler ise çoktan sert bir rüzgârla uçup gitmişti herhalde.

Üzerindeki uzun yelek alınıp da kıyafetinin temiz kalan bölümü, mor pantolonu ortaya çıktığında onun Sultan'ın hassa alayından bir sipahi olduğunu anladık.

"Sana benziyor bu adam Abdullah," diye mırıldandı İsmihan.

"Evet" dedim ben de sessizce, "eğer bir sipahi üniformasını Allah bana da ihsan etseydi..."

"Git de onunla ilgilen Abdullah," dedi İsmihan.

"Ben mi?"

"Evet, lütfen. Ali de Mecnun da bu işleri bilmezler ve biliyorsun ki selamlıkta başka hizmetkâr yok. Ali yalnızca yemek getirmeyi bilir, Mecnun'sa önünde eğilmeyi. Ama sen onunla sohbet edebilirsin ve adam sıkılmaz, ayrıca... Niye geldiğini de anlarsın."

Odaya girdiğimde Mecnun, eğilerek selam verip yerine geri gidiyordu. Ali ise konuğumuz için mangal ve su getirmişti. Ben de onu selamladım, kendimi tanıttım ve hanımımın ona "hoş geldiniz," dediğini söyledim. Adam başını eğerek karşılık verdi. Kibar biri olduğu belliydi, çünkü, gözünden kaçmamış olduğuna emin olduğum tepedeki kafesli pencereye bir an için bile bakmamıştı.

Küçük gözleri parlaktı, köşeli ve güçlü çenesi birkaç günlük sakalla kaplıydı. Bayağı uzun boyluydu ve vücudu çok orantılıydı. Sipahiler düşünsel etkinlikten çok bedensel eğitimle ilgili olduklarından zaten güçlü kuvvetli olurlardı ama bu adam daha da etkileyici bir fiziğe sahipti.

Yürüyüşü ve hareketleri bir savaşçının kaba sabalığından uzaktı, hatta adeta zarif bir dansçı gibiydi.

En belirgin özelliği ise gülüşüydü. Bembeyaz dişlerini göstererek, "adım Ferhad," dedi.

O sırada Ali çay ve yiyecek getirmişti. Konuğumuz aç olduğu belli olsa da nezaketini bozmadan iştahla yemeye başladı. Çok uzun süredir at sırtında olduğunu anlıyordum. Yemeğini bitirdikten sonra ellerini gül suyuyla yıkadı. Bir askere pek uymayacak olan bu tavır bile onda garip durmuyordu.

"Nereden geliyorsunuz?" diye sordum, "Çorlu?"

"Atım oradan," dedi, "ben dört gün önce Sofya'dan yola çıktım."

"Sofya?" diye şaşarak tekrar sordum. "Ama orası çok uzaktır, çok çok uzak..."

Sipahi gülerek omuzlarını silkti. Bu, böbürlenmekten çok bir zorunluluğu anlatan tavırdı.

"Herhalde çok önemli bir işiniz olmalı," diye sürdürdüm sorularımı.

Sipahi gülümseyip, tekrar omuzlarını silkti. Bu gece ondan daha fazla bilgi almam olanaksız görünüyordu. Adam benim yanımda uyumaya başlamıştı.

Ertesi akşam uyandığında, gün boyu gürültü olmaması için hizmetkârların hepsine sessiz olmaları emrini veren İsmihan beni tekrar adamı oyalamakla görevlendirdi. Bir önceki görüşüme göre adam oldukça rahatlayıp, dinlenmişti ve çok daha sevimliydi ama yine de onunla iletişim kurup bilgi almak aynı zorluktaydı.

"Bir konuk olarak tabii ki dilediğinizce evimizde kalabilirsiniz," diye onu överek konuşmaya başladım. "Ama burası yaşlı köleler ve kadınların yaşadığı bir yerdir. Sizin gibi genç bir sipahi için Büyük Saray çok daha hoş olabilir."

Kabalığımı bağışlarmış gibi bir gülümseme yayılmıştı yüzüne, ama yine de bir açıklama yapmadı. Yalnızca, "Hanımınıza söyleyin, korkmasın dostum," dedi. "Eğer bir sorun varsa bu yüzüğü gösterin onlara".

Başımı sallamaktan başka yapacak bir şeyim yoktu. Evet, hepimiz o yüzüğü biliyorduk.

"Tek söyleyebileceğim, bilsinler ki onların ve benim efendim olan birinin yanından geliyorum. Vezir-i Âzam ve ben çok ağır bir yükün sorumluluğunu taşıyoruz."

Eğer biraz daha dikkatle dinleseydim bu sözlerin gizli anlamını çözebilirdim. Ama ne yazık ki bu fırsatı ıskalamıştım ve gerçeği tam olarak öğrenmemiz için, tatminsiz bir şekilde, daha bir ay birlikte yaşamamız gerekiyordu.

# XXIX

 $\mathcal{H}$ AVA TEKRAR DÜZELMİŞTİ ama yine de yaz aylarındaki gibi öğleden sonraları bahçede oturamıyorduk artık. Yağmurlarla tazelenen güller daha önce hiç görmediğim kadar güzeldiler. Yeniden açmaya başlamışlardı. Özellikle de hanımımın dairesinin çevresindekilerde neredeyse hiç yaprak görünmüyordu, üzerleri tomurcuk ve açmış çiçeklerle öylesine doluydu. Onlardan yayılan güzel koku insanın başını döndürüyordu.

Ferhad, kafasında onu meşgul eden düşüncelerin ağırlığından kurtulmak istercesine sürekli bahçede dolaşıyordu. Hanımım da açık havayı seviyordu. Çoğunlukla ikisinin bahçedeki gezileri aynı zamanlara rastlıyordu, ama neyse ki haremlikle selamlık arasında büyük bir duvar vardı.

Konuğumuz geleli aşağı yukarı iki hafta olmuştu, bir öğleden sonra mutfak için alış veriş yapmak üzere hanımımı elinde udu, melankolik şarkılar mırıldanırken yalnız başına bıraktım. Canı sıkılmasın diye yanına bir hizmetkâr yollamak istediysem de bunu reddetti. Kendi başına kalmaktan çok mutlu olduğunu ve böyle bir iş için kimseyi öğle uykusundan kaldırmamamı istedi.

Belki de düşüncesizlik ettiğimi düşünenler olabilir, ama doğrusu hiçbir kötü niyetim yoktu.

Ayrıca Tanrı'nın dediğine kim karşı çıkabilirdi?

Geri dönüp bahçeye girdiğimde İsmihan'ın şarkılarını duydum ve şaştım. Onun uzun zamandır bu kadar güzel ve içten şarkı söylediğini duymamıştım.

Bülbül gibi, diye düşündüm, mutlak diğer kuşlar bu ötüşe cevap verirlerdi.

Şarkısını bozmamak için sessizce ona doğru ilerledim, ama gördüklerim karşısında donup kaldım.

İsmihan, minderler arasında oturuyordu. Üzerinde pembe, sırma işli bir elbise vardı, simsiyah saçları ve gözleriyle sanki güllerin arasında çarpıcı ve değişik bir başka çiçek gibiydi. Güzelliği beni uzun süredir zihnimde gerilere attığım bir ana götürüvermişti. Evet, o istediği zaman çarpıcı olmayı bilenlerdendi. Ama beni daha da allak bullak eden, hanımımın arkasındaki gölgeydi, bu Ferhad'dı.

İsmihan onun orada olduğunu biliyordu. Bundan emindim, yoksa neden yüzü gözü pırıl pırıl, coşku içinde şarkı söylesindi? Ama yine de sanki bunun farkında değilmiş gibi davranıyordu. Çünkü bildiğine dair en ufak bir hareket yapsa, Ferhad'ın derhal özür dileyip, hayatı boyunca kimselere görünmemek için ortadan kaybolması gerekecekti.

Evet, manzara buydu, en küçük bir esintiyle uçup gidecek, yaprak kenarındaki bir kelebeğin duruşu gibiydi içinde bulunduğumuz an. Bana sonsuz gibi gelen bu süre içinde ne yapmam gerektiğini düşündüm.

Bu olamazdı, vicdanım bunu söylüyordu. Bu benim sorumluluğum altında olan bir olaydı ve pek çok hadım bundan çok daha azına izin verdikleri için öldürülmüştü. Bu affedilmez bir suçtu.

Bir çakıl taşını ayağımın ucuyla ittim. Genç adam hemen ortadan yok oldu. Hepimiz rahat bir nefes aldık ve tekrar konuşmaya başladım. Gerçi sesim başlangıçta sert ve haşindi ama yine de kendime hâkim olmayı başarabilmiştim.

"Nasılsın?" diye ilgisizce sordum İsmihan'a.

Yalnızca, "İyi," diye cevap verdi. Yalan söylermiş gibi bir mahçubiyet içindeydi. Onu yüzlemeyecektim ama, artık iki katı daha dikkatli olmaya yemin etmiştim. O, haremin duvarları içinde olmadıkça ensesinden ayrılmamaya kararlıydım.

Ferhad orada olmasa bile, hanımım, günler boyunca kafesli pencerenin önünde durup selamlığı seyretti. Ne yanına arkadaş çağırdı, ne benimle yarım kalan satranç oyununa devam etti, ne de yeni bir şiir kitabını okumaya başladı. Kalbi biraz daha hızlı çarpsa da bunun bir sakıncası yoktu benim için, artık gözümün önündeydi. Harem ve selamlık arasındaki kapıları sıkıca kontrol ediyordum. Güvendeydik. Kelimeler olmayınca aşk da gelişemezdi nasıl olsa.

Hanımımın beni yanına çağırdığı güne kadar bu çeşit düşüncelerle avunup durdum.

"Al Abdullah," dedi, elindeki pembe bir gülle, soluk renkli sümbülü bana uzatmıştı. "Bunları alıp, selamlıktaki bir vazoya yerleştirir misin lütfen?" İsteğini açıklamaya çalışıyordu: "Dört duvara baka baka canı sıkılmasın konuğumuzun, bari vazosunda bir iki çiçek görsün."

"Sadece iki tane mi?" diye sordum. "Bir kucak çiçek olsa daha fazla hoşuna gider herhalde. Kızlardan birini bahçeye yollayayım da, biraz gül kessin. Ya da onca çabayla açtırabildiğin nergislerden bir demet toplasın."

"Başka bir gün," dedi, yüzü kızarmıştı. "Bugün yalnızca bu ikisini götürmeni istiyorum."

Başımı sallayıp, dediklerini yapmak üzere gittim. Doğrusu buna çok aldırmamıştım. Ne de olsa çiçekler tüm güzelliklerine karşın aşk şiiri ya da acıklı şarkılar kadar etkileyici değildi. Selamlığa mektup taşımamı istememişti ya benden.

Selamlıkta her zaman içine çiçek koyduğumuz Çin vazosunu aradım, ama yerinde yoktu. Tam Ali'yi çağırıp vazoyu soracaktım ki, küçük sehpanın üzerinde durduğunu gördüm. Boş değildi, içindekiler üstelik tazeye benziyordu, sabah kesilmiş olmalıydılar.

Doğrusu tuhaf bir buketti bu, çok çekici olduğu söylenemezdi, söylenebilecek tek şey erkeğimsi bir görüntüsü olduğuydu. Birkaç çınar yaprağı ve selvi dallları arasına yerleştirilmiş iri sarı papatyalardan oluşuyordu bu buket.

Herhalde İsmihan bu sıradan buketi görüp konuğumuza acıyıp yenilerini yollayarak nezaket göstermek istemiş olmalı, diye düşündüm.

Ama bu düşünce aklıma o anda geliveren ve haremde pek sevilen bir ozanın dizeleriyle hemen uçuverdi aklımdan.

Şair diyordu ki:

*"Selvilerin iniltili fısıltılarını duyunca ne çok ağladım,*
*Onlar bana dediler ki,*
*Gel de paylaş yüreğini bizimle,*
*Sevgilin güzel biliriz, ama bak biz de öyleyiz*
*O uzun boyluysa, biz de başı göğe değen selviyiz."*

Bu şiiri duyduğumdan beri her rüzgâr esişinde selvilerin iniltili fısıltılarını duyar gibi oluyordum ben de. Tıpkı şiirdeki gibi bir zamanlar benim sevdiğim de uzun boyluydu ama o artık yoktu. Ve tıpkı şair gibi ben de cevap veriyordum o ağaçlara:

*"Ama sizden bana ne fayda*
*Dudaklarım onun alevini isteyince..."*

Bu yüzden vazodaki selvi dalını çıkartırken hep bunu tekrarlıyordum içimden. Birden aklıma başka bir şey daha gelmişti. Selviler diğer ağaçlar gibi yapraklarını dökmezlerdi ve şairler dizelerinde bu ağacı çoğunlukla sonsuzluk anlamında kullanırlardı.

Çınar yapraklarının ve iri sarı papatyaların da birer anlamı vardı. İlki, ele benzediği için dokunuş, tutuş anlamına geliyordu, çiçekler ise sevgilinin yüzünü sembolize ediyordu.

Birden anladım ki, bunlar bir rastlantı değildi. Bitkiler özenle seçilip dikkatle yerleştirilmişti: Yapraklar, papatyalar ve selvi dalı... Yani: "Ey sevgili, senin o güzel yüzün ebediyen bende kalacaktır."

Peki gül ve nergis ne anlama geliyordu? Aşk mektubu gibi taşıyıp buraya getirdiğim o iki çiçek ne demek oluyordu acaba? Daha önce de İsmihan'dan başka kadınlara çiçekler, armağanlar götürmüştüm ve bunların çeşit çeşit anlamlara geldiğini biliyordum. Örneğin amber ya da sedef çiçeklerinden oluşan bir buket, unutulmamak anlamına geliyordu, çünkü çiçeklerin kokusu uzun süre ellerden gitmiyordu, portakal çiçekleriyse yeni doğum yapmış bir arkadaşa en iyi dileklerin iletilmesiydi. Ama her defasında bunların ne amaçla gönderildiğini bildiğim için anlamlarını bulmam da zor olmuyordu. Oysa şimdi durum farklıydı ve zordu.

Bildiğim kadarıyla nergis gözlerle ilgiliydi, gül ise pek çok şeye tercüman olabiliyordu. Yanak, yüz, dudak... Hatta tomurcuksa yeni bir bebek bile akla gelebilirdi.

Sonsuz çağrışım yapabilirdi gül, ama ben aklıma gelenin doğruluğundan emindim. İsmihan'ın en sevdiği şiirlerden biri bunu aklıma getirmişti.

*"Hoş kokulu meltem, nergise müjdeyi vermiş*
*Gül inzivadan çıkıyor ve diyor ki*
*Söyle haydi çabuk gelsin bahçeye,*
*Nergis mutluluktan yere kadar eğilivermiş."*

Durumu açıklayan ne kadar yalın, ne kadar mükemmel bir şiirdi bu. Üstelik şairin aklından herhalde başka âşıklar geçmemişti bunları yazarken. Ama bu isteğin gerçekleşmesi olanaksızdı. Sonsuz bir şekilde olanaksızdı. "Ah hanımım," diyerek yukardaki kafesli pencereye baktım. Bu sırada vazonun ne kadar ustalıkla tam İsmihan'ın görebileceği yere konulmuş olduğunu bir kez daha fark ettim. "Bunu yapamam, bunu yapamam..." Kafesten hiçbir cevap gelmedi. Tahmin etmiş olduğumu anlamıştı ve biliyordu ki varlığımın tek nedeni olan, onun namusunu korumaktan vazgeçemezdim. Sessizlik devam ediyordu ve bu derin sessizliğin içinden bana ulaşan bir mesaj vardı. Eğer ona ihanet edersem bir daha asla onun güvenini kazanamayacaktım ve bu ölümden daha beter bir durumdu benim için.

*Lütfen, lütfen onları vazoya koy. Yalnızca bu defalık...* Sessizlik selamlık içinde yankılanıyor gibiydi. *Aşkımızın ne kadar olanaksız olduğunu bilmediğimi mi sanıyorsun? Kalbi kırık, yalnız ve canı sıkkın bir prensesin duyduğu umutsuz bir aşk bu. Başka bir şey ummuyorum. Yalnızca bunu yap, çiçekleri değiştir. Şiirin sonunu bilmiyor musun? Mutlu bitmiyor. Ama ben onu yine de severim, güzelliği için. Orada âşık bir buluta, kadın da bahçeye benzetilmiştir.*

*"Yolculuktan dönmüştü*
*Gözleri yaşla doluydu*
*Bu gözyaşlarıyla uyandırdı sevdiğini*
*O ise uzanıp peçesini yırttı*
*Yüzü dolunay gibiydi*
*Bu yüze uzaklardan baktı*
*Ve bağırdı, çığlığını herkes duydu*
*İçindeki ateş sinesini yardı*
*O gizli yanan ateş şimdi ortadaydı*
*Gözlerinden hayat suyu fışkırdı*
*Aşkının bahçesinde yeni çiçekler açsın diye*

*Ama o ateşle yanıvermişti sevgilinin bedeni*
*Aşkı bir daha asla tomurcuklanamayacaktı."*

**Kapalı bir bahçeye bulut ne der? Biliyorum, bu aşk**
**imkânsız, asla birbirimize sarılamayız.** *Ama yine de, ne*
*olur, ne olur Abdullah, yoksa öleceğim...*

Bir süre sessiz kalakaldım. Sonra o iki çiçeği vazoya
yerleştirdim. Hatta yapraklar, sedir dalı ve papatyalardan
oluşan buketi hareme getirip hanımımın görebileceği bir
yere koydum. Ama kararlıydım, Sakız'dan, hatta eşkı-
yadan bu yana yaptığım gibi görevimi yine yerine getire-
cektim. Bu gece konuğumuzla yüzleşip ona ne yapmaya
çalıştığının, bu evin huzurunu ve şerefini ne hakla tehdit
ettiğinin hesabını soracaktım.

Ferhad, odasına girdiğimde canlı ve güçlü ayaktay-
dı, vazonun hemen yanı başında kendinden geçmiş gibi
duruyordu. Parmaklarıyla gülün yapraklarından birini
okşuyordu. Güçlü kuvvetli de olsam bir hadımın yeter-
sizliğini yaşıyordum. Sokullu Paşa döner dönmez ondan
birkaç yardımcı isteyecektim.

Aslında içimde yanan bir başka ateş daha vardı: Kıs-
kançlık ateşi... Adamın vücudunun her bir noktasına de-
lice gıpta ediyordum. Onun bahçeyi sulayabilecek kuv-
vete sahip olmasına deli oluyordum ve kavuğumun altın-
da beynim bu duygularla allak bullak, adeta kaynıyordu.

Her türlü kötü duygu ve düşünceden uzak bir gü-
lüşle Ferhad bana döndü. Belki de bir başka mesajı taşı-
dığımı düşünüyordu. Ama ona verecek bir şeyim yoktu.
İlk konuşan o oldu, demek ki benden yana bir beklenti
içinde değildi. Haber alacak olan bendim.

"Sultan Süleyman öldü," dedi. "Allah rahmet eyle-
sin."

Ben de aynı sözleri mırıldandım. Sonra sordum, "Bu
felaket ne zaman oldu?" Neyse ki aklım başıma gelmişti.

"Buraya gelmezden bir hafta önce."

Böyle bir durumu haftalardır sır olarak saklayabilen çelik gibi sinirler beni haberin kendisinden çok daha fazla etkilemişti.

"Şimdi sana bunu söyleyebileceğimi biliyorum," diye devam etti Ferhad. "Çünkü Sultan Selim üç gün önce Kütahya'dan buraya geldi ve saraydaki görevini devraldı."

"Şehzade, yani Sultan Selim İstanbul'a mı geldi? Hanımım, ki onun kızıdır, bu konuda tek bir kelime duymadı."

"Kadınlara gereğinden fazla bilgi vererek onları tehlike altına sokmak doğru bir şey değildir. Ama artık bir sakınca yok. Selim dün sabah buradan ayrıldı, güvenli ve hızlı bir grupla birlikte."

"Selim geldi, gitti ve biz hiçbir şey bilmiyoruz..."

"Hanımının asil kandan olduğunu biliyorum ve mümkün olan en kısa zamanda bir açıklama yapmam gerektiğini de... Ama yine de en iyisi yeni Sultan'ın görevine başlamasını beklemekti. Yalnız bunun ortalığa yayılmaması gerekiyor, en azından kısa bir süre için. Mümkün olduğunca çalışanların bu konuda dedikodu yapmalarına engel olman gerekiyor."

Başımı salladım.

"Umarım hanımına büyükbabasının ölümünden duyduğum üzüntüyü ve başsağlığı dileklerimi aktarırsın, tabii babasının tahta çıkışından ötürü duyduğum memnuniyet ve sevinci de..." Ses tonu sanki söyleyecek daha çok şeyi varmış ama buna cesaret edemiyormuş gibi gelmişti bana.

Söylediklerini yapacağımı göstermek için tekrar başımı salladım. Aslında söylediği her kelimenin zaten o kafesli pencereden duyulduğuna emindim.

"Ama Sultan –Allah rahmet eylesin– ordunun başında, Macaristan'daydı," dedim. "Askerler onun ölümünü şimdiye dek öğrenmiş olmalılar, böyle sırlar uzun süre gizli kalamaz."

"Efendimiz Sokullu Paşa, çok cesur ve dikkatli bir adamdır," diye cevap verdi Ferhad. "Ölüm Sultan'ı Zigetvar'da otağında yakaladı. Ve efendimiz bu durumun ortaya çıkması halinde ordunun savaşmaktan vazgeçebileceğini biliyordu. Bu durumda kuşatma yarım kalacaktı. Buna izin verilemezdi. Sokullu Paşa zaten böyle bir duruma hazırlıklıydı; mesajlar ve onları kimlerin ileteceği çoktan belliydi. Nitekim Sultan'ın ölümünden sonra hemen hemen haberciler önemli mesajı iletmek üzere yola koyuldular ve mesaj Sofya'ya kadar geldi, ben orada görevliydim, Allah'ın yardımıyla hemen onu buraya, İstanbul'a ilettim. Benden sonraki ise bunu derhal Kütahya'ya ulaştırdı. Efendimizin yüzüğü benim burada kalmamı sağladı, konukseverliğiniz için minnettarım, böylelikle hiç kimselere görünmeden ve dedikodulara yol açmadan saklı kalabildim.

Sokullu Paşa'nın orada yaptıklarına gelince... Bunları da duyduğum kadarıyla sana aktarayım.

Sultan öldüğünde yanında yalnızca Paşa ve iki hekim varmış. Vezir'in kendi elleriyle onları boğduğu söyleniyor ama ben buna inanmıyorum. Tek bir cesedi gizli tutmanın zorluğu düşününce bu çok mantıklı gelmiyor bana.

Sanırım tek yaptığı onların dışarı çıkmasına engellemek olmuştur. Sultan'ın yatağının dibinde yatarak onu korumuştur mutlaka. Cesedin kokmaması için adamların canla başla çalışmış olduklarından da hiç şüphem yok.

Üstelik ordunun bu kritik durumunda Paşa her saat başı dışarı çıkıp yeni emirler vermiş onlara. Sultan'ın ağzından çıkıyormuş gibi.Bunun ne kadar cesaret verici olduğunu düşün.

Zaman zaman cesedi canlıymış gibi göstermek için boyadıkları bile olmuş. Perde arkasından Sultan'ı görenler onun ölmüş olduğunu akıllarına bile getirememişler doğal olarak. Başarılardan sonra Sultan adına armağanlar bile dağıtılmış. Sonra önümüzdeki yıl devam etmek üzere bastıran kış öne sürülerek ordunun artık geri çekilmesini emrettiği söylenmiş askerlere. Ve çekilmeye başlamışlar, cesedi gündüzleri arabaya geceleri de otağa taşıya taşıya yapmışlar bu işleri...

Allah'ın izniyle eğer her şey yolunda giderse, Selim orduyu Belgrad'da karşılayacak, ordunun kumandasını ve babasının naaşını teslim alacak, o zaman işler yoluna girmiş olacak."

"Allah'ın izniyle her şey inşallah söylediğiniz gibi olacaktır," dedim.

O da "İnşallah," dedi. "Aslında bana büyük konukseverlik gösterdiğiniz bu evden yarın sabah kuzeye gitmek üzere ayrılacak olmamın üzüntüsünü taşıyorum, bunu da söylemek zorundayım."

"Gerçekten de üzücü," dedim, kendi adıma mı, hanımım adına mı konuşuyordum, emin değildim.

Bu olanları İsmihan'a aktardığımda, gözlerindeki yaşları kapatmak için gülmeye çabalayarak bana, "Tıpkı sana benziyor," dedi.

"Büyük nezaket," diye cevap verdim ama, doğrusu Ferhad ve benim kadar birbirine benzemeyen iki adam zorlukla bulunurdu.

Sipahinin anlattıkları ben de ona karşı değil, ama bir başka adama karşı büyük bir saygı ve hayranlık uyandırmıştı. Efendimin zekâ ve becerisi önünde bir kez daha eğiliyordum. İsmihan'a yönelik tavırlarından ötürü geçmişte pek çok kez onunla ilgili olumsuz duygular yaşamıştım. Ama şimdi biliyordum ki, iş eşe izin vermese de bir devleti koruyabiliyordu. Bunun nasıl olduğunu gözlerimizle görmüştük. Bir imparatorluğu darmadağın olup parçalanmaktan kurtaran yalnızca onun beyni ve elleriydi. Bundan kendi payına düşebilecek bir büyük başarı ve para da yoktu ortada, Vezir-i Âzam'lıktan daha ötede bir mertebe söz konusu değildi. O daima Sultan'ın sadık bir kölesi olarak kalacaktı. Selim ya da Süleyman... Onun için önemli olan imparatorluğun devamıydı. Bütün bunları görev aşkıyla yerine getirmişti. Sokullu gerçekten de eşine az rastlanır bir dürüstlük, zekâ ve çalışkanlık örneğiydi.

Hanımımın karşısında bunları düşünerek otururken o da büyükbabası ya da âşığı, belki de her ikisi için üzüntüyle içini çekiyordu. Yaklaşık üç hafta önce yarım bıraktığımız satranç tablasının bozulmadan bir kenarda durduğunu gördüm birden. Yalnızca İsmihan'ın kafesten salıverdiği kuşlar çarpıp taşlardan birini devirmişti, padişahı, şahı... Ama vezir sapasağlam ayakta duruyordu. Şah yeniden ayağa kaldırılabilirdi ve oyun devam edebilirdi.

Sonunda Ferhad evden çıkıp gidince bunu yaptık. İsmihan'la tablanın başına geçip, karşılıklı oturduk. Tüm neşeli tavrına karşın içten içe üzüldüğünü biliyordum. Onun mutluluğu uçup gitmişti, imparatorluksa yaşayacaktı.

# XXX

$\mathscr{S}$ÜLEYMAN'IN ÖLÜMÜ bir ay kadar daha halktan saklandı. Tam kış bastırmıştı ki, herkes bu gerçeği öğrenerek sarsıldı. Toplar atıldı ve hanımım odalardaki aynaları kaldırıp, duvar süslemelerini kumaşlarla örterek açıkça ağlamaya başladı.

Süleyman, Sinan'ın onun adına yaptığı caminin bahçesinde, sevgili karısının yanı başına gömüldü.

Kırk gün boyunca kızı Mihrimah Kur'an okuttu. Süleymaniye'de de Kur'an okutuluyordu ama Mihrimah'ınki yalnızca kadınlar için, özeldi.

Biz de kırk gün boyunca bunlara katıldık. Avluda merhumun ruhu için yoksullara yemek dağıtıldı; ekmek, pilav ve helva... Bismillahirrahmanirrahim sözleriyle yankılandı her yer. Kadınlar kutsal sözler mırıldanarak kış boyunca muhabbet ettiler. Ellerinde ya birer fincan adaçayı ya da ıhlamur vardı. Zaman zaman da Ayva'nın soğuk algınlığına karşı hazırladığı ancak bol şekerle içilebilen özel karışımlar... Çocuklar koşturup duruyordu ortalıkta. Böyle uyuşuk bir şekilde geçecek bir kırk güne kendimi hazırlamaya çalışırken üç ya da dördüncü gündü ki Nur Banu ortaya çıktı. Asıl şaşırtıcı olansa Safiye'nin oğluyla birlikte gelmesiydi.

Bu, İsmihan'ı gerçekten mutlu etmişti. Birbirlerine sarılıp, bol bol hasret giderdiler. Odanın bir köşesine çekilip konuşmaya başladılar. Bu kalabalıkta ne söylediklerini dinleyebilmek için yanlarına gitmek çok zordu, ama Nur Banu'nun sözlerini bulunduğum yerden rahatlıkla duyabiliyordum.

"Evet, oğlumu Manisa'da tek başına bırakıp gelmiş

buraya. 'Çocuğun sağlığı için bu daha iyi', diyormuş gözde, Ayva da işin bahanesi..."

Sevgili Safiye'sine iltifatlar yağdırdığı belli olan Kalfa'ya şöyle bir bakıp tekrar dikkatle Nur Banu'yu dinlemeyi sürdürdüm. Öyle bir konuşuyordu ki Kur'an okuyan hafızla yarışabilirdi.

"Yönetimin kalbinde olmanın bir Şehzade için en iyi eğitim biçimi olduğunu iddia ediyor. Bir çocuk için? Hiç zannetmem... İnşallah, yazdan önce koşturmaya başlayacak. Gözümün nuru burada ne yapsın? Ayrıca, önemli olan Sancak Beyi babasının neler yaptığını öğrenmek değil mi? Ben Murad'ımı böyle eğittim. Sonuç da işte ortada, Allah'a şükürler olsun. Ama gözde böyle düşünmüyor ve oğlumu da etkiliyor. Neyse, ben elimden geleni yapıyorum, Murad'ın yatağına yeni cariyeler yolladım. Öyle güzeller ki, kış boyunca oğlum hiç üşümez artık. Madem ki onu yalnız başına bıraktı, o zaman sonuçlarına da katlanmak zorunda."

Meraklı bir kadın lafa karışmıştı, "Peki onunla aran nasıl?"

Nur Banu, kendini beğenmiş bir tavırla, "Onun burnu çok büyük," dedi. "Allah'a şükür ki planladığı şeyler gerçekleşmedi de Selim Sultan oldu."

"Bunun için Vezir-i Âzam'a çok şey borçlusun."

Nur Banu kadına şöyle bir baktı sonra kocasını savunarak, "Selim tahta geçti. Çünkü o babasının yaşayan tek oğlu, başka bir nedeni yok bunun," dedi.

"Duyduğumuza göre, tahta Selim geçince vezir işleri daha rahat yürütebilecekmiş. Selim onu engelleyecek biri değil, diyorlar..."

"Harem dedikodularına aldırmak pek akıl kârı değildir, diyenler çok haklı."

Kadın bozulup, sustu.

"Evet," diye sürdürdü konuşmasını Nur Banu, kendi bilgilerini ortaya koymakta hevezliydi. "Gözdenin Sokullu'ya gece gündüz beddua ettiği malûm. Ama hayal kırıklığını ille de birine yüklemek zorunda. Bu Allah'ın istediğidir. Ya buna inanıp, uygun davranır ya da yarın Kıyamet Günü'nde yaptıklarının hesabını verir. Bundan emin olabilirsin, Allah her şeyi herkesten çok daha iyi bilir."

Bu sözlerden sonra kadınlar âlemi tekrar dualara döndü. Kendime bir fincan anasonlu çay aldım, sırtım ürpertiler içindeydi, omuzlarımda ağır bir yük hissediyordum. Safiye'nin beddualarının bu ruh halimdeki payı kesinlikle çok büyüktü. Onu öylesine iyi tanıyordum ki, beddualarını havaya atılmış palavralar olarak değerlendirmem mümkün değildi.

Sanki korumak ister gibi hanımıma doğru baktım. Safiye, İsmihan'ın dost tavırlarına karşı kayıtsız duruyordu. Ama bu onun zaten her zamanki tavrıydı. Aslında orada yeni bir tehdit görmemiştim. Gördüğüm yeni şey, Safiye'nin boynundaki, Murano camından, bembeyaz, mermer gibi gerdanlıktı. Böyle bir gerdanlık gerçek mücevher değerindeydi bunu biliyordum, bilemediğim nereden gelmiş olabileceğiydi. Kim bilir belki de Murad, bunu gözdesine çocukluğuna dair anısal bir hoşluk olsun, diye vermişti.

İsmihan'a gelince, o da her zamanki gibi, Safiye'nin kayıtsızlığının farkında değildi. Küçük Şehzade yeterince ilgi çekiciydi. Mehmed büyümüş de küçülmüş bir pozla, İsmihan'ın ona yönelttiği iltifatlara, sevgi sözcüklerine gülümsemeden, kocaman kahverengi gözleriyle dikkat içinde etrafına bakıyordu. Artık kendi başına oturabiliyor, dört küçük dişiyle ona verilen helvayı iştahla yemeye çalışıyordu. Çevresine destek için dizilmiş minder ve yastıkların arasında şimdiden tahta kurulmuş küçük bir sultana benziyordu.

Safiye de onu gerçekten sultanmış gibi izliyordu, zaten galiba aklı da yalnızca bu konuyla ilgiliydi. Bunun dışındaki her şeye kayıtsız duruyor ve pek az konuşuyordu. Duyabildiğim kadarıyla bunların da odada olup bitenlerle pek ilgisi yoktu.

"Ordu iki günlük yürüyüş mesafesinde," diyordu. "Selim ve Sokullu'nun kumandasında buraya doğru geliyorlar. Yüce Sultan Kanuni'nin kaybıyla duyduğumuz acıyla ağlamaktan daha başka yapmamız gereken işler olduğunu söyleyenler de var. Onun Avrupa'da elde ettiği geçmiş başarılarını, hak ettiği biçimde kutlamamız gerekiyormuş. Dediklerine göre, tüm donanmanın katılacağı büyük bir zafer geçidi yapılacakmış Haliç'te. Ben doğrusu üzüntümü bir kenara atmak için o kadar da hevesli değilim."

Bu sözler bence yeterince anlamlıydı, ama başkalarının bunu fark ettiğini sanmıyordum. İsmihan sevgiyle onu rahatlatmak için elini omzuna attı. Konuşma yine de etkili olmuştu. Kadınlar şimdi bu zafer kutlamasını nasıl izleyebileceklerinin ya da bir anlamda ona nasıl katılabileceklerinin planlarını yapmaya başlamışlardı.

Hanımımın yeğenlerinden biri olan, talihsiz Beyazıd'ın kızının Yedikule yakınlarında bir konağı vardı. "Orası Haliç'e çok uzak değil," dedi. "Benim haremimin pencerelerinden her şeyi gayet güzel izleyebiliriz. Mihrimah Hala, eğer izin verirsen..."

Büyük Mihrimah Sultan bu sözlere cevap vermeden boş boş baktı. Kendi mekânından ayrılmak istemiyordu, ne de olsa herkesin onun ayağına gitmesine alışıktı.

Ama diğer kadınların –İsmihan da dahil olmak üzere– yüzünde bir parça, böyle bir ortamda eğlenmeye can atmanın verdiği utanç vardı, ama yine de bu fikre hemen katıldılar.

Biri, "hem yalnızca bir gün için," dedi.

Hemen biz hadımlara bu işi iki gün içinde nasıl ayarlayabileceğimiz soruldu.

"Allah'ın dediği olur, ona karşı çıkılmaz ki..." diye duruma bahane arıyordu bir başkası.

"Mevlithanları da oraya götürürüz," diye halasını ikna etmeye çalışıyordu yeğen.

Hanımım, "Safiye, sen de geleceksin, değil mi?" diyordu.

Safiye sanki çok üzgünmüş ve bunlar onu pek ilgilendirmiyormuş gibi omzunu silkti. Bu tavrına inanmak hiç içimden gelmiyordu. Özellikle de onun gibi devlet yönetimine aşırı meraklı birinin bununla ilgili bir şeyi kaçırmak istemesi imkânsızdı. Ama onun asıl merak ettiği kimin hangi makama getirildiğiydi, yoksa debdebeli gösteriler umurunda bile değildi. Yine de, "Buna oğlumun babaannesi karar verir, ben onun kararına uyarım," dedi.

Nur Banu'ya sorduklarında o da kararsız kalmıştı, Safiye'nin tavrı onun için de şaşırtıcı ve alışılmadıktı. Safiye'nin tam olarak ne yapmak istediğinden emin olmak istiyor, diye düşündüm. Böylece bunun tam tersini yapmayı amaçlıyordu besbelli.

O sırada hadımlar arasında Gazanfer'in olmadığını fark ettim. Onun rahatsız edici varlığı olmayınca en azından bir tehlike için endişelenmem gerekmiyordu. Ama fırsat bulduğumda Safiye'ye bunun nedenini sormadan edemedim.

Benden böyle bir soru beklemediği belliydi. Bana, sanki arkadaşının neden onunla oynamak için gelmediğini soran bir çocuk muamelesi yaparak konuşmaya başlamıştı. "Mihrimah Sultan'ın evine gelmiyor. Nedenini bilmiyorum ama burayı sevmiyor. Hadımların kaprislerini bilirsin. Benimle bir ilgisi olmadığından eminim. Ne zaman buraya gelmeye kalksam işlerimi Nur Banu'nun hadımlarıyla hallediyorum."

Bunun üzerine gidip biraz daha araştırma yapmaya karar verdim. Odanın öbür tarafındaki Nur Banu'ya yanaşıp aynı soruyu bu kez ona yönelttim.

"Bilmiyorum," dedi. "Memleketinden bazı arkadaşlarını ziyaret edecekmiş. Safiye de izin vermiş. Bu kadın kölesini idare edemiyor, asla... Bir köle, arkadaş ziyaretlerini kendi kafasına göre yapamaz. Zaten geldiklerinden beri yaptığı tek iş ziyaret."

"Gazanfer nereli?" diye bir soru daha sordum.

"Macaristan sanıyorum. Yani batıda bir yerden, bilmiyorum."

Başka bir sorum kalmamıştı, sustum.

Günbatımında sıra "seher vakti" adlı bölümün okunmasına gelmişti. Ne çelişki! Bu, büyü ile uğraşan kötü ruhlu kadınların kötülüğü ve nasıl cezalandırılacakları ile ilgiliydi. Son dualar da okundu ve o günkü işler sona erdi.

Yaşlı bir kadın ve iki kızından oluşan hafız ekibi çok beğenilmişti. Şimdi bir kenarda tebrik ve küçük armağanları kabul ediyorlardı. Süleymaniye Camii'nin yanındaki vakıfta kaldıklarını biliyordum bu insanların.

"Onları evlerine götürür müsün Abdullah?" dedi İsmihan. "Hafızların biliyorsun ki bir hadımları olması mümkün değil, onlara bu hizmeti bir kerelik de olsa sen ver lütfen."

Dediğini yaptım, İsmihan'ı Sokullu Paşa'nın konağının güvenliğine bıraktıktan sonra kadınları da kendi kaldıkları yere götürdüm. Süleymaniye'den ayrılırken camide Sultan için yapılan mevlitten çıkan bir yığın erkeğin arasına karışmıştım. İçimde tuhaf bir his vardı, sanki gözetleniyordum. Oysa hiç kimsenin bana baktığı bile yoktu. Ama biliyordum ki, bu neredeyse tümden bir aldırmazlık boyutuna varan tavır, gizli bir gözetlemeyi taşıyordu içinde. Birinin kendisini rahatsız eden bir şeye, sakat ya da biçimsiz bir şeye bakmamak için gözlerini kaçırması gibi bir tavırdı bu.

Tüm kalabalığa karşın, caminin kubbesi insana büyük bir sakinlik duygusu veriyordu. Gökyüzünde ilk yıldızlar pırıldamaya başlarken lambalar da yakılmıştı. Sanki cennet çok yakınlardaydı ve dört ince uzun minareyle gökler bize uzanıp, dokunuyordu. Geniş ve zarif avluda o müthiş Sultan'ın ruhu dolaşıyor gibiydi. Merdivenlerde durup tepemdeki gök kubbeye bakarak derin bir soluk aldım. Artık işim bitmiş, gitme zamanım gelmişti.

Birden duvar boyunca uzayıp giden kemerli pencerelerden birinin dibinde pırıldayan beyaz bir ışık gördüm. Bu camdan küçük bir şişeydi. Çevremdeki herkes yürüyüp giderken ben hiç kımıldamadan durup bu mucizevi şeyi seyretmeye başladım. Böylesine harika ve incecik bir şişe nasıl oluyor da bunca kalabalığın arasında kırılmadan, ezilmeden kalabiliyordu? Ve nasıl oluyordu da benden başka hiç kimsenin ilgisini çekmiyordu?

Bu, çok ustalıkla yapılmış şişe İtalyan camındandı. Böylesi bir şeffaf beyazlığı, yalnızca Venedikli ustalar becerebilirdi. Daha fazla dayanamadım ve bana bir ucubeymişim gibi bakmamaya çalışan insanlara aldırmadan şişeyi aldım, sanki o benimdi.

Ve hemen anladım ki gerçekten de bu benimdi. Bir armağandı. Şişenin daracık ağzına bir kâğıt sıkıştırılmıştı. Şişeyi ters çevirip onu dışarı çektim.

Net olarak göremiyordum, ışık yetersizdi. Bunun ne anlama geldiğini daha çok hissediyordum denilebilir. Kalbim gümbürtüyle atarken, henüz yakılmış en yakın sokak lambasının altına doğru gittim. Okudum. Bu İtalyanca'ydı. Onu yazanı biliyordum. Dostumun kokusunu duyuyordum sanki. Hüseyin'in... Ve yine çok garip bir şekilde ben bunu uzun bir süredir bekliyordum.

Dönüp hızla merdivenlere baktım. Bir yığın yuvarlak sarık ve aralarda bolca derviş başlığı... Bir duadan sonra camiden ayrılan kalabalık. Ama aralarında ailemin eski dostu, çocukluğumdan bu yana sevdiğim, bana karşı duyduğu sorumluluk ve üzüntüden ötürü ailesini, işini bir yana bırakıp alçak kasabımı öldürerek, kendini bir derviş olarak dağlara vuran Hüseyin'i göremiyordum. O benim koruyucu meleğimdi. Ve işte şimdi yine gelmişti.

"Sinyorina, yeni Sultan'ı ve ona destek veren efendini ortadan kaldırmayı planlıyor," yazıyordu notta. "Hanımını zafer kutlamalarından uzak tut."

⚜

# XXXI

*ĞVE VARINCA BİR BAŞKA MESAJ DAHA* aldım. Bu Sokullu Paşa'dandı ve her zamanki gibi benim adıma gönderilmişti.

Sabırsızlık içinde bekleyen İsmihan'a, "Biliyorsun ki bunları sen de açıp okuyabilirsin," dedim. Benim Vezir' in mührüyle kapatılmış zarfı aceleyle açışımı seyrediyordu. "Zaten onları senin için yazıyor."

Söylediklerime aslında kendim de inanmıyordum. İsmihan asla ve asla bir başkası adına gönderilmiş mektupları açmazdı, hatta bu kocasının mührünü taşısa bile.

Bundan emindim. Tıpkı Sokullu'nun, doğrudan Sultan'ın, efendisinin kızı olan karısına hitaben bir mektup yazmayacağı gibi...

"Ne diyor, ne diyor?" diye sabırsızlıkla ellerini ovuşturarak soruyordu İsmihan.

"Halkalı civarındaki çiftliğindeymiş. Buraya bir günlük yoldan az. Orada orduyla birlikte babanız Sultan'ın gelişini bekleyecekmiş, akşama da burada olacağını umuyor, yani eve dönüyor. İyi haber değil mi?"

"Ama eğer bir günlük yoldan daha azsa, neden bu gece gelmiyor, yarın sabah yine gider."

"İş hanımım, iş, görev... Ordu içinde yapması gereken bir yığın işi vardır Paşa'nın." Karısına söyleyebileceğimden çok fazla işi olduğu muhakkaktı Sokullu'nun ve hatta kendisi bile bundan şu an için habersiz olabilirdi.

"Gidip onu görmelisin," diye ısrar ediyordu İsmihan. "Gidip ona benim hoş geldin dediğimi söyle."

"Bu gece olmaz." İnsanı mevlit kadar yorup, serseme çeviren bir şey daha yoktu. Ayrıca şişe ve içindeki küçük notun ağırlığını da taşıyordum omuzlarımda.

"O halde yarın," dedi. "Yarın sabah erkenden Abdullah, lütfen. Bunu yapmalısın. Aylardır onunla yatağımı paylaşmadım. Lütfen." Karmakarışık yüzümü tombul elleriyle okşuyordu.

Ve sonunda anlaştık. "Hanımının acil mesajlarını dış dünyaya taşıyamadıktan sonra zaten bir hadım ne işe yarar?" dedim.

Ertesi sabah kendimi çok daha iyi hissediyordum. İsmihan, halasıyla tekrar Kur'an okuyacaktı. Atıma atlayıp surların ötesine çıktım, hava soğuk ve berraktı.

Askerlerin bir hadıma yönelttikleri garip bakışlara aldırmadan çamurlu ordugâhta yolumu bulup Paşa'nın sayısız sarı çadır arasındaki süslü, önünde yedi tuğun dalgalandığı otağına ulaştım. Sultan biraz arkadaki çiftlik evinde kalıyordu, ev halkının nerede olduğuna dair hiçbir fikrim yoktu doğrusu.

Beni görünce, "Hadımım," diye şaşkınlıkla söylendi. "Şu anda burada en son görmek istediğim insan..."

Yine de beni içeri davet edip oturttu. Kibar olmaya çalışarak, "Nasılsın?" diye hatırımı sordu. Sesi her zamankinden daha keskin çıkıyordu. "Hanımın nasıl?"

"Hanımım dönüşünüzden ötürü çok mutlu ve benden size..." Çamurlu çizmelerimin altındaki üç kat halıyı ve tahta döşemeyi bile hissederek kımıldamadan durdum.

"Hayır. Ne isteyeceğini biliyorum ve cevabım hayır. Abdullah senin bağlılığını takdir ediyorum ama yine de söyleyeceğim tek şey 'hayır'dır. Şimdi, git de dinlen birkaç saat, biliyorum ki yorgunsun. Ama ordu yürüyüşe başlamadan evvel geri dönmüş olmalısın, bunu unutma."

"Efendimiz bunun nedenini sorabilir miyim?"

"Allah aşkına, evet unutmuşum sivil yaşamın nasıl olduğunu. Her şeyin bir nedeni olmalı ve bunu açıklamalısın değil mi? Ve siz Venedikliler de bu konuda en beterisiniz. Madem öğrenmek istiyorsun söyleyeyim, bunun nedeni Sultanımız. Allah yardımcım olsun... Sultanımız henüz kırk beşinde olmasına karşın yetmiş yaşında ölen babasının onda biri bile değil. Kanuni neredeyse ölene kadar at sırtından inmedi, bu ise çadırdan çıkmıyor."

"Ne demektir bu efendim?" diye sordum. Vezir-i Âzam'ın kendi ağzından bu sözleri duymanın verdiği şaşkınlıkla haddimi aşmayı göze almıştım.

"Şunu demek istiyorum. Sultan Selim, sevgili karımın sevgili babası, berbat bir sarhoş."

"Ama içki İslam'da kesinlikle yasak değil mi?"

"Evet, hem de kesinlikle. Ama bu Selim'i durdurmuyor. Ona kendi ordusu, sarhoş, diyor. Sarhoşluk, kadın ve hatta oğlan düşkünlüğü... Ordu yine de bunlarla başa çıkabilir. Ona bağlı kalıp, sağlığı için dua edebilirler, onun için söyledikleri sarhoş lafı bir lakap olarak da kalabilir. Bunlar bir yerde çok da önemli değil, ama daha önemli olan korkaklığı. Belgrad'a geldiğinde, Süleyman'ın ölümünü adamlara açıklamamızdan sonra kılıçların altından geçmeyi reddetti. Öylesine bir korkak. Belki senin için, bir Venedikli olarak bu önemli değil, geçmişten kalma basit bir âdet olarak düşünebilirsin bunu. Bu Türkler biliyorsun ki, vahşi steplerden geleli çok da uzun bir zaman geçmedi. Allahım, hâlâ kokusu üzerlerinde! Sanki ben ucu püsküllü yedi tuğla dolaşırken bunun çekebileceği sinekleri bilmiyor muyum?"

"Afedersiniz efendimiz ama bu kılıçların altından geçmek ne anlama geliyor?"

Paşa oturdu. Büyük çadırın tek konforu renkli yastıklarla donatılmış bir divan, bunun önündeki sehpa ve orta direğe asılmış bir saatti.

"Her yeni Sultan," dedi, "tahta çıkınca iki yana dizilmiş askerlerinin çaprazladığı kılıçların altından geçer. Eğer bu askerlerden biri onun liderliğinden hoşnut değilse, kılıcını o geçerken aşağı indirir. Tek vücut halinde at koşturup savaşması gereken küçük bir göçebe kabilede bu tabii ki kabul edilebilir bir uygulama. Süleyman bunu cesaretle yaparak tüm ordunun sonsuz bağlılığını kazanmıştır. Ve o da ordusuna güvenebileceğinden emindi. Karanlıkta ona yöneltilmiş hiçbir hançer yoktu, düşmanı varsa bu şansı onlara baştan vermişti zaten. Gerçi bu elli yıl önceydi ve bugünkü ordu aynı ordu değil. Hâlâ hatırlıyorlar yine de. İslam ordusu bu çeşit âdetlerini asla unutmaz.

Selim bunu yapmayı reddetti. İstanbul'da zaten tahta çıkışını kutladığını söyledi. Saray çalışanları ve hadımlar eteğini öpmüşler... Orası harem, burası ordu. Selim, yeniçerilerin onu sevmediğini biliyor. Onun sultan olmasının tek nedeni iki kardeşinin ölmüş olmasıdır. Adamlar Mustafa'yı seviyorlardı, hatta belki Süleyman'dan bile daha fazla. Ve Beyazıd'ı da seviyorlardı çünkü o Mustafa'ya benziyordu. Hürrem'in uğruna o ikisi öldürüldü ve Selim onlarla kıyaslanamaz. Kılıçların altından geçmekten korkabilir, çünkü o askerlerin pek çoğunun yakınları Mustafa'nın, Beyazıd'ın ordusunda oldukları için öldürüldüler. Ama cesur davranıp, onlara saygı gösterseydi, askerler de ona hoşgörüyle yaklaşırlardı. Bu tavır bir Sultan'a yakışmıyor...

Eğer bu insanlara hükmetmek isteniyorsa, onların âdetlerine saygısızlık edilemez, vahşi ve cahil oldukları söylenemez, harem ordunun önüne geçemez. Aksi takdirde gevşek, korkak, karı kılıklı diye anılmaktan kurtulamaz. Ve bu şekilde tarif edilenler Osmanlı'ya baş olamaz."

"Böyle mi diyorlar efendimiz?"

"Tam olarak... Allah biliyor ya haklılar da... Selim, askerlerinin gelip tek tek otağda eteğini öpmelerini istedi bir de. Burası harem mi? Onlar da buna cevaben dediler ki: O gelsin de bizim kıçımızı öpsün.

Sana şunu söyleyeyim, uzun zamandır bu adamların kazan kaldırmalarını önlemeye çalışıyorum. Kanuni'nin tabutunun başında bile bundan geri durmadılar. Geri döndüğümüzde her birine iki bin gümüş ve armağanlar vermeyi vaat ettim de durumu kurtardım."

"İki bin mi?" Çok şaşırmıştım.

"Evet öyle, çok sıkı pazarlıklar yaptım, ama iş gerçekten de bıçak sırtında."

"Peki Selim bunu ödemeye razı mı?"

"Evet. Zaten başka bir seçenek yok, ya bunu verecek ya da her köşesine ayrı bir pusu kurulmuş upuzun bir yolu yürüyerek geri dönecekti. Bu hazineyi sarsacak ama onu koruyacak askerler olmazsa bir hazine ne işe yarayabilir? Başka bir şeyi daha kabul etmesi gerekti tabii ki."

"Nedir bu efendimiz?"

"Bunu ilk olarak bazı din adamları önerdi, diğerleri de peşi sıra gittiler, bu da yeni Sultan'ın suratına atılmış bir tokat gibiydi. Sultan'ın içki yasağı koymasını istediler. Karşı çıkanların da şiddetle cezalandırılmalarını... Ve bunu kabul ettirdiler. Bazı askerler bundan hiç hoşlanmasa da Sultan'ın da bundan payını alacağını düşünerek fazla ses çıkarmadılar.

Bir süre ses etmeden yürüdüler. Ama o günlerde Doğu Sırbistan'ın en güzel bağlarından geçmeye başladık. Tam da ürün alınıyordu. İki gün içinde Sultan tepesindeki dindar adamları def edip kanunu iptal etti. Öylesine içti ki, sabahleyin ata bile binemiyordu. Sanki ölecekmiş gibi babasının arabasında bütün gün yattı."

"Ama artık ordu burada efendim, neredeyse İstanbul'un surlarının dibinde."

"Evet, ne kadar şikâyetçi olsalar da yürümeye devam ettiler, saman arabalarına dikkat etmek gerekiyor. Bugünlerde yollar bunlarla dolu."

"Saman arabaları mı?" Hiçbir şey anlamıyordum.

"Yine eski bir Türk geleneği. Ordu yoldayken böyle başkaldırı eğilimleri belirince yollar bu arabalarla doluyor ve zamanı gelince bunlar ters çevrilip yol kapatılıyor. Askerler ileri gidemiyor, yolu açmaya da çaba göstermiyorlar, ta ki istekleri yerine gelene kadar."

"Aslında sonbahar sonunda böyle arabalar görmek

çok normal," dedim. "Pek çok kişinin bugünlerde ortalığın saman arabalarıyla dolu, dediğini duydum."

"Evet. Bu iyi bir işaret değil," diyen Paşa çaresizce omuzlarını silkti ve devam etti: "Köylüler ordu geçerken yolları açık tutmaları gerektiğini iyi bilirler. Eğer gerçekten de bir kaza olursa ailece hemen bunun çaresine bakarlar, çünkü cezası ağırdır. Korkarlar. Böyle şeyler kaza olamaz, bundan eminim, sen de ol. Bu ters dönen arabalar bir başka planın parçaları. Sahipleri belli değil. Bu bir isyandır."

"Allah'a şükürler olsun ki, artık evde sayılırsınız, korktuğunuz isyan olmadan..."

"Hâlâ evde değiliz Abdullah, bunu unutma."

"O halde efendimiz size söyleyeceklerim büyük bir sürpriz olmayacak," dedim ve yanımda getirdiğim cam şişedeki mesajı ona gösterdim.

Sokullu Paşa sinirli bir şekilde burnunu ovuşturdu. "Abdullah, şimdi böyle şeyleri düşünemem," dedi.

"Ama efendimiz bu sizin sözünü ettiğiniz isyanı gösteriyor. Murad babasının yerine geçmeyi planlıyor olmalı."

"Bu nasıl olsa gerçekleşecek."

"Ama zamanı geldiğinde... Bu nota göre bu iş için yarın düşünülmüş. Belki de Şehzade çoktan yola çıkmıştır Manisa'dan buraya."

"Bir harem kadını mı bu işi idare ediyor sence?"

"Bundan eminim."

"Bunu nasıl beceriyor?"

"Emin değilim ama canavar gibi bir hadımı var. Gazanfer."

"Kusura bakma ama Abdullah, bir hadım ve bir harem kadını?"

"O bir Macar, efendimiz."

Sokullu bir an durdu. "Ya diğeri?"

"Venedikli efendimiz."

"Onu tanıyor musun? Böyle bir şeyi yapabilir mi?"

Bundan emindim. Sokullu Paşa hanımı ve annesinden başka bir kadın tanımıyordu. Şehzade'nin bir oğlu olduğunu tabii ki duymuştu, ama annesini tanımazdı. Safiye Baffo'yu... Ama tanısa iyi olurdu, işte bu İslam âleminin bir eksikliğiydi.

"Efendimiz hem bunu, hem de daha fazlasını yapabilir o."

Sokullu bu bilgileri sindirmeye çalışır gibi yürümeye başlamıştı. "Macar ha?" dedi. O vahşi adamların arasında ilerlemeye çalışmak bayağı bir belâydı, zaten rahmetli Sultanımız da orada yorulup öldü. En huzursuzluk verenler onlardır. Ve bir Venedikli. Bu da Çanakkale'ye doğru geldiğini duyduğum Venedik filosunu açıklıyor."

"Efendimiz, bu kadar ileri gidebilir mi?..." diye başlamıştım cümleme ama sustum, kendi kendimle çelişmek istemiyordum. Ayrıca o yapabilirdi. Bunu ve daha da fazlasını... Yutkundum, kendimi de suçluyordum. Eğer Selim, efendimin anlattığı gibiyse, tahtta kalabilmek için bayağı bir toparlanmaya ihtiyacı vardı. Sokullu ise ona yardımcı olmak için elinden geleni yapıyordu. Ayrıca Selim benim hanımımın babasıydı. Ve Safiye de ona karşıydı. Yani benim kaderim de onunkiyle yakından ilgiliydi.

"Efendimiz," dedim. "Bu durumda zafer kutlamalarını erteleyecek misiniz?"

"Çok geç," dedi. "Böyle bir şey korkaklık olarak nitelendirilir ve aynı zamanda da yeni bir Sultan'ın saltanatı için de kötü bir işaret olarak kabul edilir. Zaten yeterincesi var başımda bunların..."

Ama dönerken etrafına dikkat et. Allah'tan ümit kesilmez. Onun koruyuculuğuna daima ihtiyacımız var."

Dönüş yolumda gerçekten de askerlerin sessiz bekleyişleri dikkatimi çekmişti: Ama bütün bunlar belki de eski savaş hikâyelerinin bir uzantısıydı. Efendimin gördüklerinden daha fazlasını görebileceğimi hiç zannetmiyordum. Benim insan ruhundan anlayabilme yeteneğim haremle sınırlıydı. İş erkeklere gelince bunun uzmanı tabii ki efendim Sokullu Paşa'ydı.

Son sözleri kulaklarımda yankılanıyordu: "Allah âdemoğluna yarın için ne düşünüyorsa, onu verecektir, elden başka bir şey gelmez."

Ama söz konusu kadınlar olunca galiba işler biraz değişiyordu.

# XXXII

"*BENİM İÇİN BİR MESAJI YOK MU?*" diye merakla sordu İsmihan.

Onu ertesi gün görebileceğinin dışında getirdiğim yeni bir haber yoktu. Ve Paşa'nın erkek görüntüsü öylesine beynime işlemişti ki, İsmihan'ın isteklerine uygun bir şeyler uydurmakta zorlanıyordum. Yalan söyledim. Dedim ki, "Yarınki gösterilere gitmemelisin, oturup halanla birlikte Kur'an oku, bu daha güvenli." Herhalde söylediklerim Paşa'nın da isteyebileceği şeylerdi. Ama gerçekte İsmihan'la ilgili fazla bir şey söylememişti.

İsmihan'ın işin ana fikrinde incinmesini engellemeye çalışırken, detayda bu başarıyı gösterememiştim. Yüzü allak bullaktı. Gözyaşlarını tutmakta zorlandığı büzülen ağzından ve nefes alışverişinden belliydi. Onu en çok neyin üzdüğünü bilemiyordum. Bu acaba yarınki göste-

riyi kaçırmaktan ötürü müydü, yoksa yedi aylık bir ayrı-
lıktan sonra bile karısına karşı hiçbir sevgi izi taşımayan
sözlerle hâlâ alıştığı gibi emir verip, alıştığı gibi bu emir-
lerin yerine getirilmesini bekleyen bir adamla evli olmak-
tan ötürü müydü?

Kendi payıma bundan üzüntü duyuyordum. Tahmi-
nimin ilk bölümüyle ilgili bir fikir yürütmekten kendimi
alamadım, "Bunu demek istememiştir."

"Hayır, bunu demek istemiştir," dedi İsmihan. "Bi-
liyorsun ki kocam daima ne demek isterse onu der. On-
da şaka namına hiçbir şey yoktur."

"Hanımım, kutladığımız olayın babanın saltanata
geçişi olduğunu muhakkak ki o da biliyor..."

"Tabii ki biliyor. Yoksa benimle niye evlendi? Bun-
dan eminiz. Bu evliliğin aşkla hiçbir ilgisi yok." Artık
gözyaşlarını tutamıyordu ve ağlamaya başlamıştı.

"İsmihan, hanımım," dedim, ellerini avucuma alıp,
o uyuyana kadar siyah saçlarını okşadım.

Ertesi sabah uyandığında çok daha iyiydi. Zafer kut-
lamaları bir yana halasına bile gitmek istemiyordu. Öğle-
den sonra bana, "Abdullah sen rahat et," dedi. "İstedi-
ğin yere git, nasıl istersen öyle yap." Bana emir vermiyor-
du, çok nazikti. Belki de aklı başka bir yerlerde dolaşı-
yordu.

Belki de yanaklarını kızartan neşenin nedeni kapı
önündeki yeniçerilerdi. Geceleyin gelmişlerdi buraya.
Paşa onları ne olur ne olmaz, diye bizi korumak üzere
erken yollamıştı. İsmihan eğer bunu kocasının ilgi ve
sevgisinin gizli bir işareti olarak aldıysa benim söyleye-
cek bir sözüm olamazdı.

Yedikule'deki yeğenin evine gidebilmek için bol
...aktim vardı ve hatta sokaklarda bir parça avarelik
etmek için de...

Haliç kıyısındaki bir duvardan yapılan hazırlıkları izledim bir süre. Yerlere serilecek halılar, binlerce çiçeğin taç yaprağıyla dolu kâseler ve palmiye dalları, kahramanları ve yeni Sultan'ı karşılamak üzere hazırdı.

"Geliyorlar, geliyorlar!" Haberler hızla yayılıyordu, bağırışlar ve müzik sesi kulaklarıma kadar gelmeye başlamıştı. Davullar, zurnalar, ziller ve binlerce askerin ayak sesi...Artık Haliç'e ilk birliğin indiğinden emindik.

Herkes kendini bu havaya iyice kaptırmıştı ki bir çatırtı koptu. Çok masum bir kazaya benziyordu bu çatırtıyı yaratan olay. Saman yüklü bir araba halıların, çiçeklerin üzerine devrilivermişti birden. Bu bir kaza olamazdı, bugün herhangi bir gün değildi, Sultan geliyordu.

*Allahım,* diye İtalyanca düşünmeye başlamıştım. *Bunlar isyanlarını surların içinde yapmaya karar verdiler, imparatorluğu ta kökünden sarsmak arzusunda oldukları muhakkak.* Bu düşünce bile gösterinin mükemmelliğini izlememi engelleyememişti.

Arabayı devirdikten sonra kaçtıklarını düşündüğüm iki karanlık kişi kalabalığın içinde uzaklaşıp gitmişti bile. Üzerlerindeki ağır, siyah pelerinlerin altındaki üniforma ya da rütbeleri görmek olanaksızdı. Binlerce insan onları seyrederken askerlerin içinden ikisinin nasıl sıralarından fırlayıp kaçıverdiğine aklım hiç ermemişti. Bu arada sanki sokaklarda biriken çocuk ve erkekler, onları çağıran kadınların fısıltılarına uyarak içeri doğru çekiliyor gibiydi.

Diğerleri, yani sokakta kalan bizlerse ne olacağını büyülenmiş gibi, düşünmeden bekliyorduk. Keşke Sokullu bana da kesin olarak evde kalma emri vermiş olsaydı, diye düşündüm. Ama artık yapacak bir şey yoktu.

O sırada yeniçeri birliklerinin ilki köşede göründü ve içlerinden biri, "Yemin ederim ki!" diye bağırdı. Sesi alaycıydı ve olacakları bilmenin güvenini taşıyordu, "bu bir saman arabası!"

"Saman arabası, saman arabası." İşte bu çığlık, durmuş birliklerde geriye doğru yankılandı. Sanıyorum ki bu bağırış, asırlardır Yunanlı ve Türk hükümdarların İstanbul'a giriş yaptıkları ve şu anda da Selim'in beklediği Topkapı'ya kadar ulaşmıştı. Askerler Sultan'ın atının bu gürültüyle nasıl şahlanıp, kişnediğini ve beyaz sarığının altında padişahın suratının nasıl renkten renge girdiğini düşünüp kaba kaba gülüyorlardı.

O sırada askerlerin yanında iki atlı belirdi, bunlardan genç olanı Sokullu'nun yardımcısı Pertev, diğeri ise Ferhad'dı. İkincisini görünce adaşı olan Ferhad Bey'i hatırladım; yaklaşık bir ay kadar önce imparatorluğu kurtaran ve neredeyse benim İsmihan'ı yitirmeme yol açacak olan sipahiyi. Ve birden bu sabah kapımızın önünde gördüğüm askerlerin bir kısmının da aynı mor kılığı taşıdıklarını düşünerek ürperdim. Ama benim tanıdığım sipahi beyiyle arasındaki tek benzerlik aynı adı taşımak olan bu Paşa şu anda çok daha fazla ilgimi çektiği için bu düşünceden hızla uzaklaşıverdim.

"Haydi, haydi, kendinize gelin arkadaşlar," diyordu genç Paşa. "Bu yaptığınız Sultan'a baş kaldırmaktır."

"Çok çok iyi," diye bağırdı içlerinden biri. "Zaten istediğimiz de bu."

Ve kimse nasıl olduğunu anlamadan adam atından çekilip yere düşürüldü, büyük bir toz bulutu kalkıvermişti. Sarığı yerde yuvarlanıyordu.

Ferhad Paşa bağırarak konuşmaya başlamıştı. "Eğer birinden intikam alacaksanız, gelin benden alın, beni öldürün. Ben yaşlıyım ve ülkemin barışı, esenliği uğruna can vermeye hazırım."

Buna da kimse kulak asmamıştı, onu da aşağı çekip hakaret etmeye başladılar. Artık ortalığı öfke ve şiddet sarmıştı, yalnızca askerleri değil, seyredenleri de. İnsanlar rastgele taş atıyordu ve kılıçlar da çekilmişti ki efendim Sokullu göründü.

Askerlerin arasından mızrağının ucuyla kendine bir yol açarak en başa geçti. O sırada biri onu da atından aşağı çekmek için hamle edince suratına yediği darbeyle durakladı, ama bu kez darbe ne kılıç ne de mızraktı. Bu, gümüş paralarla dolu bir keseydi. Etrafa saçılan paralar tıpkı ateşe atılan suyun etkisini yapmıştı.

Bu keseyi başka keseler de izledi. Sokullu, atının yanına astığı heybeden çıkardığı para keselerini ortalığa saçıyordu. Yeniçeriler ve hatta bir kısım halk bu gümüşlere hücum etmişti. Devrilmiş olan saman yüklü araba, altındaki meteliklerin çıkartılabilmesi için çoktan kenara çekilmişti. Ve sonunda askerler tekrar yürümeye başladılar.

Selim, ağır vücudu, ağarık gözleri ve kırmızı yüzüyle atının üzerinde göründüğünde halk çılgınca tezahürata başlamıştı. Ama bu tezahürat Sultan'a yapılmıyordu, insanlar, "Sokullu, Sokullu Paşa!" diye bağırıyorlardı ve ben de canı gönülden onlara katılmıştım.

Gözümün ucuyla İsmihan'ın yeğeninin konağından çıkan tahtırevanı gördüğümde nerdeyse bağırmaktan sesim kısılmak üzereydi. Tahtırevanın perdelerini dikkatle kapatarak yanı başında ilerleyenin kim olduğunu anlamakta zorluk çekmemiştim. Bu hiç kimseyle karıştırılamayacak olan hadım Gazanfer'di.

# XXXIII

$\mathscr{P}$AŞA'NIN EVİNDE KURBAN KESİLMİŞTİ ve onun dönüşünün şerefine en sevdiği yemekler pişirilmişti. İsmihan en güzel elbiselerini giymiş, mabeynde kocasını bekliyordu.

Saatler geçti, geçti ve Sokullu görünmedi. Sonunda sorunun ne olduğunu anlayabilmek için saraya bir çocuk göndermeye karar verdim. Nefes nefese geri geldi:

"Yeniçeriler kazan kaldırmış."

"O bu sabahtı," dedim. "Efendimiz onlara paralarını verdi ve onlar da vazgeçtiler."

"Ama yine isyan ettiler," diye ısrar etti haberci. "Neredeyse Sultan'ın Sarayı'nın avlusuna kadar ulaşmışlar. Kapıları tutup Selim'in içeri girmesine engel oluyorlarmış. Selim sur dışındaki köşklerden birindeymiş, Allah bilir başımıza neler gelecek..."

"Hareme ne olacak?" diye sordu İsmihan, ellerini ovuşturuyordu. "Askerler oraya da saldırır mı acaba? Keşke Safiye Manisa'da olsaydı."

*Bunu ne kadar istediğimi bir bilebilseydin.* Bunu aklımdan geçirdim ama daha kötüsünü söylemek zorundaydım. "Efendim Sokullu da saray duvarlarının içinde. Onu rehine olarak tutuyorlarmış."

O gece İsmihan güzelim elbiseleri içinde, başını yastığa bir an bile koymadan oturdu, sanıyorum kendisinin bir yetim mi, dul mu, yoksa her ikisi de mi, ve yahut hiç biri mi olduğunu düşünüp durdu. Ben de onunla birlikte bekledim.

Bir gün, bir gece ve bir gün, bir gece daha geçti. Sokaklarda öldürülen birkaç kişinin haberini duymuştuk

ama bu daha çok ateşli bir hastanın dudaklarındaki
uçuklar gibiydi. İşin özü çok daha büyüktü belli. Kapıcı-
mızın oğlu dükkânın birinde, Sokullu'nun evi için alış
veriş ettiği anlaşılınca dayak bile yemişti. Ama en sonun-
da top atışlarını duyduk, bunlar iyi haber anlamına geli-
yordu, isyan bitmişti, Sultan saraya girmişti. Venedik fi-
losu tekrar Akdeniz'e dönmüştü ve Selim Babıali'deki
tahtına güvenlikle oturmuştu.

"Ama ne pahasına, ne pahasına!" diye dolanıp
duruyordu Sokullu ortada. Selamlıktaydık ve onun ra-
hatlaması için elimden gelen her şeyi yapmaya çalışıyor-
dum.

"Nedir bu paha efendim?" diye sordum.

"İmparatorluğu mahvettiler, olan budur. Göremedi-
ler sonuçları. Yalnızca kendi şahsi çıkarlarını düşündü-
ler. "

Hazine tükenmişti, bunu biliyordum. Kaptan Paşa'
nın Sakız'dan aldığı paradan başka Mihrimah Sultan'ın
şahsi servetinden de pek çoğu gitmişti. Bu harikulade
saygın kadın kendisini, sarhoş kardeşini ve Saray'ın ka-
dınlarını utançtan kurtarmak için elinden gelen fedakar-
lığı yapmıştı.

"Ama yine de bu en kötüsü değil," dedi Sokullu.·

"Daha fazlası mı var? Allah korusun, daha kötü ne
olabilir?"

"Hazine önemli değil. Yeni vergilerle bu iş çözümle-
nir," dedi Paşa. "Ama bir yığın başka hak kazandılar.
Eski yasalar kökünden sarsıldı. Artık evlenebilecekler,
yalnızca bu mu, artık rütbeleri babadan oğula da geçebi-
lecek. Ve yeni adamlar da alınacak orduya, hatta Türk-
ler'den bile. Bu ordunun sonu olacak, gerçek budur. Or-
dunun sonuysa imparatorluğun da sonu olur, bundan
eminim.

Dünyanın en güçlü ordusunun üstün yetenekli, tek tek seçilmiş askerleri şimdi sokaklarda bir kadın bulabilmek için çoktan naralar atmaya başlamışlardır, tıpkı zafer kutlamaları sabahı gümüş metelikler için attıkları gibi. Artık bu şehirde kimsenin kızı, karısı güvenlikte değil. Bu azgınlar kendilerine bir karı bulunca ordudan kopacaklardır ve savaşmayı bir kenara atıp erkek çocuk sahibi olmanın peşine düşeceklerdir. Böyle bir güruh nasıl olur da Hıristiyan ordularıyla dövüşebilir? İmparatorluk bitmiştir. Bu duruma düşmemesi için ne kadar çok çalışmıştım..."

"Ama efendimiz kendi kanınızdan bir oğulun bunca sevdiğiniz orduya katılmasını arzu etmez miydiniz?"

"Oğul mu? Benim bir oğlum yok ki."

"Allahın izniyle bir gün olacak efendimiz."

Paşa arkasını dönüp, odayı adımlamaya başladı. Öfkesi yüzünden belli oluyordu, şakakları nabız gibi atıyor, yüzündeki kırışıklıklar titriyordu. "Hayır," diye sözlerine devam etti. "Onun bir tüccar ya da esnaf olmasını tercih ederim. Zaten eğer yaşamayı becerebilse bile kesinlikle zayıf, naif biri olacağından eminim. Böyle bir erkek çocuk, ne imparatorluğu ne de Allah kısmet ederse ilerde doğacak olan kız kardeşlerini koruyabilir. Bu da hiç mi hiç hoşuma gitmez benim. İşte görüyoruz, koskoca Süleyman'ın aciz oğlu önümüzde, en güçlü aileler bile zaman içinde çürüyüp yok olabiliyor."

"Ama Paşam siz onun bu zayıflığını büyük bir başarıyla kapattınız."

"Evet, sanırım imparatorluk biraz daha devam edebilir. Eğer kendi adamlarımı seçmem konusunda özgür bırakılırsam... Ve tabii ki Allah'ın izniyle. Ama ben de gidince..."

Geleceğe ilişkin belirsizliğin kaygıları içindeki Sokullu gözlerini hiçbir şeyi görmeden odada dolaştırdı ve daldı. Öylece karşısındaki ahşap dolaba bakıyordu. Ben de o yöne çevirdim gözlerimi.

Dolabın raflarından birindeki mavi beyaz Çin vazosuna takılmıştı Sokullu'nun şahin bakışlı gözleri. Üzerinde üç pembe elmayla yaprakları hafiften kurumuş bir ağaç dalı vardı vazonun içinde. Bakar bakmaz aklıma şu şiir gelmişti:

*"Yarin yanağı gibi kızarmış elmalar*
*Aramızda tepesi karlı yüce dağlar*
*Gümüş bir kılıçtır parlayan şırıltılı sular*
*O güzel olmayınca uzar gider geceler*
*O güzelin yanında bir anda biter gündüzler*
*Gözyaşımla sulanır*
*Aşk bahçemizde çiçekler."*

Elma dalındaki anlamı bir anda çözmüştüm ama korktuğum gibi Ferhad'ın Paşa'nın gönderdiği askerler arasında olduğunu anlamam biraz daha uzun zaman almıştı. İçlerinden yalnızca bir ikisinin yüzünü görebilmiştim ve İsmihan da bana bu konuda tek bir kelime bile etmemişti. Ferhad, Süleyman'ın ölümünün saklanmasında görevini başarıyla yerine getirmişti, isyancıların arasında yer almayarak da sadakatini kanıtlamıştı.

Evet, ama bir başka gerçek daha saklıydı bu vazoya yerleştirilen elmalarda. İmparatorluğu korumuş, ama haremin huzurunu alt üst etmişti.

Efendim uzun uzun elmalara baktıysa da bundan hiçbir anlam çıkarmadığına emindim. Sokullu ne şiire ne de çiçeklerin anlamına meraklı biriydi. Bu tuhaf buket için bir an bile kafasını yormadığına emindim. Evimizde elma ağacı olmadığı halde bunların nasıl vazoya geldiğini de merak etmediği kesindi. Bu dalın ordusuyla birlikte kenarında yürüdüğü, şehrin kuzeyindeki meyve bahçelerinden gelmiş olabileceğini ise aklına bile getirmemişti kuşkusuz. O sırada aklı aşkta değil, isyandaydı Paşa'nın.

Tam bu sırada imzalanması gereken evrakla biri içeri girdi. Sokullu bunları okuyup geri yolladıktan sonra konuşmaya karar verdim. Kimseye ihanet etmeden bu tatsızlığın bir çaresini bulmalıydım.

Hadımların ender de olsa kullandıkları bir hitap şeklinin yakınlığına sığınarak sözü açtım: "Sayın amcam, eve ilk geldiğiniz gece önünüze bir sorun getirme kabalığımı lütfen bağışlayın ama, son zamanlarda hareminizi korumakta öylesine kaygı duydum ki, bunu söylemeden edemeyecektim. Daha fazla adama gereksinimimiz var."

"Kaç kişisiniz?" Sokullu, bunu karargâh denetlermiş gibi askeri bir ses tonuyla sormuştu.

"Yaklaşık otuz kadın hanımıma hizmet ediyor efendim. Aşçılar, çalgıcılar, hizmetkârlar hepsi bunun içinde."

"Hayır, hadımları kastettim, siz kaç kişisiniz?"

"Yalnızca ben," dedim. Sorusuna şaşmıştım. "Benden başka biri hiçbir zaman olmadı ."

O da aynı şaşkınlıkla sordu, "Yalnızca sen?"

"Evet sayın amcam," dedim.

Efendim kahkahalarla gülmeye başlamıştı, bu ne onun, ne de benim alışık olduğum bir durumdu.

"Kusura bakma Abdullah," dedi, soluklandı. "Sana gülmüyordum, kendime gülüyordum, bir de durumun saçmalığına."

"Efendimiz?"

"Bir buçuk aydır bir cenazeyi yarım milyon kişilik bir orduyla korudum. Ya evim, karım? Gencecik, canlı ve mutlaka ki canı çok sıkkın, zavallı karımın korunmasını neredeyse çocuk sayılabilecek yaşta bir hadıma bıraktım. Evlendiğimden bu yana, yıllardır. Sahi kaç yıl oldu? Üç mü?"

"Dördü geçti efendimiz."

"Dört mü? Hey büyük Allahım. Bu gerçekten de çok gülünç. Eğer imparatorluğu korumakta başarılı olamasaydım tarih beni affederdi, bundan eminim. Böylesine büyük bir imparatorluğu aynı huzur içinde tutabilmek her zaman mümkün olmayabilir. Herhangi bir devlet adamı bunun zorluğunu bilir. Ama en sıradan bir çöpçü bile evini belli bir düzen içinde tutmak zorundadır, bunun özrü olmaz. Eğer bir erkek evinde onurunu koruyamazsa bunu telafi etmek için Divan yeterli bir yer değildir..."

Tam bu sırada yeni bir haberci geldi, ama Sokullu bir el hareketiyle onu başından savdı. Tekrar bana döndü ve dedi ki, "Bana ilk getirildiğin günü hatırlıyorum. Çok genç ve masum duruyordun, gözlerinde taze bir acının izleri vardı. İnşallah bizim ihtiyar Ali bu çocuğu doğru dürüst eğitecek bir baş hadım bulur da, çocuk ziyan olmaz, diye düşünmüştüm o sırada. Sen odadan çıktığında bunları ona söylemeyi planlıyordum ama görüyorum ki, ya o ne dediğimi anlamamış, ya da ben başka işlerin arasında ona bu emri vermeyi unutmuşum. Herhalde ikincisi olmuştur. Kendi düşüncelerimi kendime saklamaya öylesine alışığım ki, bunu söylemeyi unutmuş olabilirim. Zaten biliyorsun işim başımdan aşkın... Daha sonra şu eşkıya meselesi olunca baktım, sen çoktan olmuşsun, düşündüm ki...

Ben kendi kendimi yetiştirmiş bir adamımdır. Pek tabii ki Süleyman, Allah gani gani rahmet eylesin, beni devletin üst kademelerine çıkartan adamdır ama, bu görevlere layık olabilmek için, oralara tırmanabilmek için gerekenleri saptayan her zaman ben oldum, kendim...

Sen de aynı hamurdan birisin, görüyorum, emir almasan da tek başına doğru kararlar alıp bunu uygulayabilen birisin. Şimdi merak ettiğim, bunca yıl sonra benim yokluğumda ne oldu ki, sen artık tek başına bu işe yetemediğini düşünüyorsun?"

Herkesi titreten o sert bakışlar dikkatle üzerime çevrilmişti, ama buna hazırdım ve hanımıma ihanet etmeden sorunumuzu çözecektim.

"İnsan gençken," dedim, sakin konuşmaya dikkat ediyordum. "Evet, insan gençken, toyken her şeyin hakkından gelebileceğini sanıyor. Yokluğunuzda öğrendiğim en önemli şey, gençliğin verdiği bu cesareti ve ataklığı dikkatle kullanabilmek oldu."

Sokullu Paşa tekrar güldü ve, "Sen benim altmışımda düşünmeye başladığımı yirminde çoktan öğrenmişsin," dedi. "Bu yıl, seferdeyken hesaplarımı tutacak birini bulmam gerektiğini düşündüm ve buna karar verdim. İlerde bu çeşit isteklerini onunla kolaylıkla halledeceksin. Ama o güne kadar, sana ben izin veriyorum, git ve istediğin kadar hadım al. Burayı imparatorluğun en iyi korunan haremi yap. Yalnız sana şunu söyleyeyim, kontrol edebileceğin, söz geçirebileceğin adamlar al. Mükemmel bir baş hadım olacağından eminim, diğerlerinin senin gençliğinle ilgili olarak söylediği şeyler beni hiç ilgilendirmez."

"Teşekkür ederim, sayın amcam."

"Neden gidip bir ya da iki tane genç, yeni hadım edilmiş çocuk almıyorsun? Seferden dönen ordunun getirdiği bir yığın hadımla dolacak yakında pazarlar. Allah biliyor ki ben askerlerimin böyle işler yapmasına asla izin vermem, ama her yerde, her zaman bulunmam da mümkün değil. Çok iyi pazarlıklar yapacağına ve aldıklarını mükemmel bir biçimde eğiteceğine kuşkum yok. Sen hiçbir eğitimden geçmeden kendini yetiştirdin, şimdi senden âlâ bir hoca olamaz. Osmanlı geleneğine uygun, namuslu bir evin düzenini devam ettirmelisin. Büyük Sarayı kendimize bir örnek olarak alamayız."

Yeniden, yeni Sultan aklına gelmişti, başını iki yana salladı. "Şu Murad'ın oğlunun anasının bu isyan işlerine karışmış olabileceğini söylemiştin, değil mi?"

"Bundan eminim efendim."

"Bunu tam olarak ben bilemem, etrafımdakiler de öyle. Bunu yalnızca sen bilebilirsin hadım. Haremin gizli kapaklı işleri asla tam olarak anlaşılmaz."

"Doğru Paşam."

O sırada aklına yeni bir şey gelmişti sanıyorum, yüz hatları yumuşayıp yuvarlaklaşmıştı sanki.

"Abdullah," dedi. "Hanımın nasıl, karım?"

"Sağlığı yerindedir efendim, Allah'a şükürler olsun."

"Çocuk? Bir çocuk vardı?"

"Doğumdan hemen sonra öldü, bildiğiniz gibi."

"Bunu duydum mu, duymadım mı?"

"Sanırım duydunuz."

"Eğer bir oğlum olsaydı bunu bana söylerlerdi. Kaç etti? İki değil mi toprağa verdiklerimiz?"

"Üç efendim."

"Dedikleri gibi, Allah'ın isteği..."

"Evet efendimiz."

"Bu gece beni görecek mi, ne dersin Abdullah?"

Ağzının kenarında kaygıyla oluşan çizgiler onun kendini bu durumda ne kadar çaresiz hissettiğinin belirtileriydi. Azgın düşman birlikleriyle sarılmış olsa bile bu kadar endişelenmezdi. Üç gün boyunca kendi isyankâr askerleri tarafından rehin tutulmak bile bebeğini kaybetmiş, sevgi ve ilgi bekleyen bir kadınla yalnız kalmaktan daha kolaydı onun için. Paşa böyle duygusallıklara hiç alışık değildi, hatta altmışında olmasına karşın hâlâ bir acemiydi bu durumlar için.

"Efendimiz, dört gündür sağlığınıza dua ederek, korku içinde sizi bekledi hanımım," dedim.

Sözlerimin onda bir parça da olsa bir romantizm yaratmasını bekliyordum, ama galiba bu yönde bir gelişme olması olanaksızdı.

Sokullu, dudaklarında utangaç ve çocuksu bir gülüşle, genzini temizledi ve "Hanımına söyle," dedi. "Eğer uygunsa onu bu gece ziyaret etmek isterim."

"Söylerim efendimiz," dedim. "Çok mutlu olacak." Saygıyla önünde eğilip, hızla odadan çıktım, bu çeşit rahatsız durumları izlemekten nefret ediyordum.

Hareme koşup İsmihan'a haberi ilettiğimde başını salladı. Sanırım konuşmamızın her kelimesini kafesli pencerenin arkasından zaten dinlemişti.

"Kocam sakalındaki beyazları boyamaya başlamış," dedi.

"Öyle mi?," diye sordum. "Doğrusu hiç fark etmedim."

"Evet," dedi. "Kınayla boyamış, görmüyor musun, nasıl kızıllaşmış gri sakalı?"

"Sanırım bunu askerlere karşı hâlâ genç durmak istediği için yapmıştır," diye cevap verdim. İsyanda bunun ne kadar önemli olduğunu görmüştüm. Onun elindeki mızrağın ucuyla yeniçerileri kenara itip ilerleyişi ve atının üzerindeki görkemli duruşu bir kez daha gözlerimin önüne gelmişti. Biraz vaktimiz olduğunda mutlaka İsmihan'a kocasının güç ve görkeminden söz etmeliydim.

"Sanırım askerler için," diye tekrarladı sözlerimi. Bu durumda Paşa'nın sakalını boyamasından kendine çıkaracağı bir pay kalmıyordu.

İsmihan kafesin önünde bir an daha durdu. Bakışları, yeni birtakım evrakların üzerine eğilmiş kocasının üzerindeki bir noktaya kilitlenmişti. Eski Çin vazosunda duran üç elmalı dala. Ve sanıyorum kilitlenen yalnızca bakışları değil, aynı zamanda yüreğiydi...

## XXXIV

*BAŞKENTTE HER ŞEY YOLUNA GİRİNCE*, yeni Sultan'ın haremi de, başlarında Nur Banu'yla Saray'a yerleşti. Şaşırtıcı bir biçimde isyandan hemen sonra İstanbul'a gelen Şehzade Murad'a ise Manisa'ya geri dönmesi söylendi. Başkaldırı olarak değerlendirebilecek bu davranış derhal bir bağlılık ve sadakat gösterisine dönüştürülüvermişti. Bir daha da hiç kimse bundan söz etmedi.

Murad önceleri sevgili Safiye'si yanında olmadan gitmeyeceğini söylediyse de, aşkının gelemeyeceğini açıklaması karşısında ses çıkaramadı. Bunun hemen ardından Murad herkesin gözü önünde Safiye yanına gelene kadar asla ve asla bir başka kadına dokunmayacağına dair yemin etti. Otuz şahitle birlikte camiye gidip müftünün önünde bunu tekrarladı bile. Ve sonra "sevdiği kadını ve oğlunu" Allah'a emanet ederek bekârlığa ve işine dönmek üzere yola çıktı.

Sancaktan gelen paranın büyük bir bölümü o günden sonra Safiye'den Murad'a, Murad'dan Safiye'ye haber, şiir ve armağan taşıyan özel ulaklara verildi.

Büyükbabasının duaları, mevlitleri tamamlanınca hâlâ karnı boş olan İsmihan, Konya'daki Mevlevi dergâhına gitmeye karar verdi. Buraya gelen hastaların şifa bulduğu söyleniyordu. Gözleri açılan körler ya da yürümeye başlayan kötürümlerle ilgili bir yığın hikâye dilden dile dolaşıyordu. Nicedir bir bebek için uğraşıp didinen ama buna bir türlü kavuşamayan kadınların, Mevlana'yı ziyaret ettikten sonra kolayca emellerinin gerçekleştiği de anlatılan mucizeler arasındaydı.

Sokullu bile birkaç kez bu konuyu dile getirmişti. Batıl inançları olan bir adam değildi ama, belki de karısı ya da karısından uzaklaşarak kendisi için bir tatili gerçekleştirmek istiyordu. Emin değildim.

Beş yıldır evli olmalarına karşın bu çift hâlâ bir konuyu ortak olarak tartışıp sonuçlandıracak yakınlıkta değildi. Sokullu için en önemli şey Sultan'ın beceriksizliğine karşın imparatorluğu dağılmaktan kurtarmaktı. İçinden gelerek, karısına bir isteği olup olmadığını sorduğundaysa İsmihan, asla aklından geçenleri dile getirmiyordu. Hele de böyle bir yolculuğu... Çünkü babasının kullarından, kölelerinden birine her dileğini söyleyebilecek bir konumda, Osmanlı kanından bir prenses olmasına karşın, iyi yetiştirilmiş bir Müslüman kızının kocası yanında olmadan Anadolu'yu bir baştan bir uca geçmek istediğini söylemesi alışılmış bir durum değildi.

Kaygılarını bana anlatırken, "Herkes neler söylemez ki?" diyordu. "Aslına bakarsan bir çocuk sahibi olabilmek için uzun bir yolculuğa çıkmaktansa onun yatağında olmak daha akıllıca değil mi?"

"Hayırlısıyla," dedim, "Allah'ın dediği olur." Onu rahatlatmak istiyordum.

Sokullu'nun açısından da benzer kaygılar vardı. Sultan'ın kızına emir verir gibi bir ortam yaratmaktan kaçınıyordu. Haydi bunu bir yana bırakıp, git, dese, İsmihan'ın istemese de kocasını hoşnut etmek için, evet diyebileceğini düşünüyordu. Ve tabii o da çıkabilecek dedikodulardan çekiniyordu.

Bense hanımımın çocuk sahibi olabilmesi için elimden gelen her şeyi yapmaya hazırdım. Artık altımda çalışan beş hadım daha vardı, onların yardımıyla böyle bir yolculuğu kolaylıkla güven içinde gerçekleştirebilirdik. Ve hatta belki ben bile böyle bir rahatlık içinde bunun keyfini sürebilirdim. Bir parça heyecan ve yorgunluk olacağını biliyordum, Sakız gezisi gibi. Ama ondan farkı bir tehlikenin söz konusu olmamasıydı ve bir de ruhuma acı veren çelişkilerimin artık sona ermişliği. Hemen kararımı verip uygulamaya koyuldum. Yapacağım şey haremle selamlık arasında gidip gelmekti. Böylece Sokullu karısı için bir jest yaptığını düşündü, İsmihan da kocasının isteklerini yerine getirmenin mutluluğunu yaşadı. Sonunda Konya gezisi kesinlik kazandı.

Hazırlıklar için koştururken tesadüfen Andrea Barbarigo'ya rastladım.

İstanbul'a gelen diplomatların hemen öğrendikleri bir şey vardı: "Eğer devletle ilgili bilgi almak istiyorsan, devlet adamlarına gitme. Ya ağızları çok sıkıdır ya da bu çok pahalıya mal olur. Git Moşe'ye sor." Moşe ve karısı Esperanza tıpkı benim haremle selamlık arasındaki durumuma benzer ama kuşkusuz çok daha kârlı bir ilişki kurmuştu Saray'la diplomatlar arasında. Her yere girip çıkıyor, her şeyi görüp, öğrenebiliyorlardı ve uygun parayı verene bunları aktarıyorlardı ve hatta aktaracak bilgi olmayınca kendileri bir şeyler uyduruyordu.

Bu Yahudiler'den Barbarigo'nun neler öğrenmeye çalıştığını bilmiyordum. Aslında bu çok umurumda değildi, nasılsa bir hafta içinde güneye doğru yola çıkıyorduk. Ona şöyle başımla hafif bir selam verdikten sonra kendi işlerime döndüm. Bu Venedikli'yi tekrar görmeyi ummuyordum ve kısa sürede de unutacaktım küçük bir detay dışında.

Moşe Malki'nin kiraladığı özel bir arka odası olduğunu biliyordum. Ne amaçla olduğuna gelince, bu tamamen kiralayana kalıyordu. Dükkândan çıkarken, göz ucuyla, farelerin cirit attığı, çöplerle dolu sokakta, Malki'nin dükkânıyla bitişiğindeki arasında, o sırada uzaklaşan tanıdık bir tahtırevanı ve yanında malum Macar hadımı gördüm.

*Senin nasıl bir fahişe olduğunu biliyorum Sofia Baffo,* bakışlarımla bu mesajı ona doğru yolladım. *Her oyunda en tepeye oynarsın sen, her oyunda... Ama ben İsmihan'la birlikte senden uzaklara gidiyorum, hem de aylarca burada olmayacağız. Senin belândan uzaklara.* Hanımımın tahtırevanının peşinde böyle pisliklerle uğraşmak zorunda olmadığım için çok mutluydum. Yoluma devam ettim.

İki gün sonra Konya yolundaydık. Başlangıçta bana çok zor gelen ve kaçmak için fırsat kolladığım beş vakit namaz, artık zevkle yaptığım, beynimi ve ruhumu dinlendiren, nadiren yerine getiremediğim bir iş olmuştu. Yine de kendimi dönmüş hissetmiyordum. Mevlana Müslümanlar için olduğu kadar Doğu Hıristiyanları için de kutsal kabul edilen biriydi. Benim içinse orayı Müslüman ya da Hıristiyan olarak ziyaret etmenin arasında büyük bir fark yoktu.

Yine de yolculuğumuz ilerledikçe kendimi daha iyi hissetmeye başlamıştım. Güneye indikçe, tepelere çıktıkça günler de uzuyor, ilkbaharın sıcaklığı kendini gösteriyordu. Erikler, kayısılar çiçek açmaya başlamıştı, gözümüzün önünde yabani sümbül ve gelincik tarlaları uzanıp gidiyordu. İsmihan da, ben de geçmişte kalmış çocukluğumuza dönüyor gibiydik.

Konya'ya yaklaştıkça bin bir yerden bu kutsal yeri ziyarete gelenlerin sayısı artıyordu. Yollar kalabalıklaşmıştı. Bu insan yoğunluğu benim için çok ilginçti.

Özellikle de içlerinden biri özellikle dikkatimi çekmişti. Eşkıyadan sonra zaten her derviş benim için ilginçti ama bu adam daha özel bir durumdu. *Ama yine de bu nasıl Hüseyin olabilir, eski dostum?* diye düşündüm. *Bu kemik torbası gibi adam bana isyanın haberini veren kişi olabilir mi?* En azından bizi eşkıyadan kurtaran adamın vücudu kentli bir tüccara benziyordu.

Adamın giysileri yamalar içindeydi, oradan oraya dolaşan bu yoksul derviş daha çok bir dilenciye benziyordu. Diğeriyse buna göre daha muntazam bir giysiye sahipti. Eşkıyanın inindeki dervişin birkaç günlük sakalı oldukça siyahtı. Bu garibanın ise uzun ve gri bir sakalı vardı, ağzında pek çok dişi eksikti. Hüseyin'in olmayan dişinin yerinde bir altın şıkırdardı. Derviş olmaya karar verince ilk yapılması gereken tabii ki zenginlikle ilgili her şeyi bir kenara itmekti. Ve çok iyi hatırlıyordum; eşkıyanın ininde gördüğüm dervişin de aynı dişinin eksik olduğunu görünce onun benim dostum olduğundan emin olmuştum. Bu adam da o olabilir miydi?

Efendim, bir zamanlar bana, "Bütün dervişler birbirine benzer," demişti. Ama bazen de inanılmaz farklılıklar gösteriyorlardı. Eğer bu adam Hüseyin ise beş yıl boyunca çok zor, insanlık dışı koşullarda yaşamış olması gerekiyordu. Hayır, bu dervişten ya da Allah'tan bir işaret almadıkça bundan emin olamazdım.

Akşehir yakınlarında adam yanımıza gelip dilenmeye başladı. Yavaşça, "Allah rızası için, Allah rızası için," diyerek dolaşıyordu.

Heybesinin içine yarım ekmek attım. Bana teşekkür ederek baktı. Bu o bakıştı, aynısıydı, o mistik, tahakküm eden bakış. Ona yemeğimden bir parça uzattım. Gözleri kalbimi deliyor gibiydi. Hiçbir şey söylemedi, ben de öyle ve başka yerlere baktım.

Bundan sonra da nereye gitsek ürkek bir sokak köpeği gibi etrafımızda dolaştı durdu, ama ne kadar ısrar edersek edelim gelip yanımıza oturmadı. Artık o bizim dervişimizdi. Ve bir dilim ekmeği alabilecek iletişimin dışında tek kelime etmiyor, insanlara sokulmuyordu. Aramızdaki bazı batıl inançlılar onun varlığını bir uğur olarak kabul etmişlerdi.

# XXXV

*Z*İYARETÇİLER, *KONYA'YA ULAŞMADAN* önceki son geceyi eski bir kervansarayda geçirmeyi âdet haline getirmişlerdi. Söylenenlere göre burada görülecek rüya çok önemliydi, çünkü dileklerinin kabul edilip edilmeyeceğini o gece Mevlana onlara rüyada gösteriyordu. Ertesi sabah tanıdıklarımızdan yaşlı bir kadın, Konya'ya gitmekten vazgeçip geri döndü, çünkü rüyasında ona bu yolculuğa devam etmesinin gereksiz olduğu gösterilmişti.

İsmihan ise uyandığında öylesine mutluydu ki... O da rüyasında kocaman bir bahçenin bir yığın güzel çocukla dolu olduğunu görmüştü, tıpkı çiçekler gibi güzel çocuklarla.

"Hayırdır inşallah," diyordu. "Öylesine güzeldi ki, hiç uyanmayabilirdim. Bunun gerçekleşmesi için derhal yola çıkalım, sabırsızlanıyorum."

Hemen fırlayıp, toparlandım, ben de sabırsızlanıyordum çünkü ben de bir rüya görmüştüm.

Gözlerim onu dün gece son olarak gördüğüm, kıvrılıp yattığı köşede arıyordu. Ama ortada yoktu. Gün boyunca da etrafıma bakındım durdum. Evet, rüyamda ben dervişi görmüştüm.

Bu rüyada her şey büyük bir hızla geriye gidiyordu. İhtiyar adamın yüzündeki kırışıklıklar ve saçındaki beyazlar kaybolmuştu. Biraz kilo almıştı ve dişleri tamamdı, içlerinden biri, altın olan şıkır şıkır parlıyordu. Bir de bakıyordum ki, o benim dostum Hüseyin olmuş. En azından rüyamda böyleydi. Gün ışığında belki de eski kervansarayın gizemli atmosferinin etkisinde kalmış olabileceğimi düşünüyordum. Aslında adamı tekrar görebilirsem daha emin olacaktım.

Ve eğer Hüseyin bana kendi varlığını hissettirmek istiyorsa bu çok hayati bir anlama işaret ediyor olmalıydı.

Ama ne yazık ki ortalarda yoktu, sanki yer yarılmış o da içine girmişti.

"Gördün mü?..." İsmihan arabanın perdesini tekrar kapatıp fısıltıyla söylemişti bunu.

"Hayır, adamdan hiçbir iz yok," diye cevap verdim.

"Kim? Derviş mi? Hayır ben onu sormadım. Ben..."

"Kimi kastettin?"

"Hiç, hiç kimseyi..." Sustu ve gözlerini kapatarak arkasına yaslandı.

Bunun üzerine dikkat edince biraz ötedeki sipahileri gördüm. Yine de buna fazla aldırmadım. İhtiyar dervişin sesi beynimde yankılanıyordu ve her ne kadar dişsizliğinden ötürü tıslasa da giderek bu ses bana daha tanıdık geliyordu.

❦

Konya'ya gelen bu dini ziyaretçileri ağırlamak büyük bir sevaptı Müslüman inancına göre, tabii aynı zamanda da iyi bir gelir kaynağı. Bütün gün boyunca dervişi arayıp durmuştum ama onu bulamasam da bir imarete ya da hayırsever birinin evine sığınmış olabileceğini tahmin ediyordum. Nasıl olsa ortaya çıkacaktı ve onu görecektim.

İsmihan'ın Konya'da pek çok tanıdığı vardı. Asi amcası Beyazıd uzun yıllar burada Sancak Beyliği yapmıştı. Babası Sultan Selim ise kardeşinin yöre halkı tarafından ne kadar sevildiğini, neredeyse kutsallaştırıldığını bildiğinden, öldürülen Şehzadenin adını ve izlerini ebediyen silebilmek adına büyük bir cami yaptırmıştı kendisi için. Cami bitmişti ama bazı süsleme işleri hâlâ devam ediyordu. Her taraf çiçeklerle süslü pırıl pırıl çinilerle kaplıydı ve bunlarda bol bol Sultan'ın adına rastlanıyordu.

Tabii ki Sancak Beyi burada kalacağımız uzun süreyi kendi evinde geçirmemiz için ısrar etti. Karıları ve kızları Osmanlı kanından bir prenses için en güzel odalarını verdiler, ben ise baş hadımın odasına yerleştirildim.

Konya'daki ilk günümüzü, sanırım pazardı, İsmihan çevreye alışarak ve dinlenerek geçirdi. Ben de dolaştım. Ama pazartesi erkenden uyandık ve hanımım tüm günü türbede dua edip, adaklar adayarak, yoksullara yemek dağıtarak geçirdi. Dervişe rastlamayı ummuyordum, çünkü pazartesi ve çarşamba günleri burası, rahat rahat ibadetlerini yapabilsinler diye kadınların ziyaretine ayrılmıştı.

İsmihan da diğerleriyle birlikte büyük bir coşku ve huşu içinde gün boyu dua etti durdu. Bana gelince her zamankinden daha fazla bir sıkıntı içindeydim. Normalde bununla başa çıkabilirdim ama rüyamın ruhumda yarattığı çalkantı ve gerginlik işleri zorlaştırıyordu. Türbe ise sessiz ve uhrevi havasıyla insanı dış dünyadan öylesine koparıyordu ki... Mırıltıyla tekrarlanan dua sözcüklerinden başka bir ses duyulmuyordu. Bu ortam kendi içselliğim üzerinde kolaylıkla ama alışmadığım bir biçimde yoğunlaştırıyordu beni, günlük yaşamın insanı oyalayan, sorunlarından uzaklaştıran küçük detayları yok oluyordu ve bu çok yorucuydu.

Akşamüstüne doğruydu. Türbeden ayrılmadan önce İsmihan "Taş"a oturmak istedi. Bu sade mermer kütle Mevlana'nın saatler boyunca oturup düşündüğü yermiş. Yine söylenenlere göre dilekte bulunan kişi bu taşın üzerine oturup, Kur'an'ın ilk suresini hatasız olarak okuyabilirse duaları kabul olunuyormuş. İsmihan bunun için önce hizmetkâr kızları yolladı. Ama öylesine çok kıkırdadılar ki sanırım Mevlana Hazretleri'nin böyle bir ortamda söylenen dilekleri ciddiye alması düşünülemezdi.

"Haydi sıra sende," dedi İsmihan.

"Benim hiçbir dileğim yok," diye bunu reddettim.

Bana baktı, iri gözleri nemlenmişti. Benim tek dileğimin ne olabileceğini iyi biliyordu, erkekliğimin bana geri verilmesi... Ve bunu Tanrı'dan istemek, onunla alay etmekle eşdeğer olabilirdi. Elimden tutarak ayağa kalktı "Taş"a doğru ilerledi.

."... Yalnız sana inanırız, yalnız senden yardım dileriz..."

Sure bu kadar mükemmel belki de ancak Peygamber tarafından okunmuş olabilirdi. İsmihan duası bittikten sonra bir süre hiç kımıldamadan orada kaldı. Bir anda cennete uçabileceğine inanır bir duruştu bu, yoğun duyguları onu taşlaştırmış gibiydi. Aptal hizmetkârlar bile bundan etkilenmiş, sessizce hanımlarını seyrediyorlardı. Bir mucize mi bekliyorlardı? Ama alışılmışın dışında bir şey olmadı. İsmihan'ın elinden tutarak onu tekrar ayağa kaldırdım ve oradan ayrıldık.

"Abdullah, Üstat, selamünaleyküm."

Bu sesle öylesine şaşırmıştım ki elimde tuttuğum perde yere düştü. Hemen eğilip, İsmihan'ı arabaya bi-

nerken erkeklerin bakışlarından koruyan uzun kumaşı
tekrar elime aldım, telaştan bu kez de onu gereğinden
fazla yukarda tutuyordum, yine de beni selamlayan ada-
ma bakabilmeyi başarmıştım.

Aklı başında biri böyle bir durumda kadının araba-
ya binmesine kadar bir kenara çekilir ve başka tarafa ba-
kardı. Ama bu adam hiç yol iz bilmez gibiydi, gözleri bi-
ze takılı öylece duruyordu. Hemen anladım ki bunun ne-
deni terbiyesizlik değildi. Heyecandan eli ayağı tutuldu-
ğundan kalakalmıştı. Çünkü bu adam genç sipahi Fer-
had Bey'di.

"Geçen gün yolda seni gördüm, ama askeri nizamı
bozamadığımdan seslenemedim. Nasılsın, nasılsın dos-
tum?

Yalnız benim hatırımı değil, neredeyse tanıdığım
herkesi soruyordu. Sanki kahvede oturmuş muhabbet
ediyorduk. Sanki, bizden hemen sonra İstanbul'dan ay-
rılmamış gibi... Tek eksik kalan İsmihan'ın nasıl olduğu-
nu sormaktı. Ama bunu yapmamasının nedeni nezaket
değil, zaten onu kendi gözleriyle görmüş olmasıydı.

Konya'da bulunuşunun detaylarını ince ince anlatı-
yordu:

."'.. Şah, Sultan Süleyman'ın ölümünü öğrendikten
sonra İran sınırında bir huzursuzluk başladı. Bu yüzden
oraya askeri birlik kaydırılıyor. Yukarı Ermenistan ve
Azerbaycan'a kadar önümüzde zorlu bir yol var. İnşallah
önümüzdeki hafta bunu başarmak için yola koyulaca-
ğız."

Bu konuşmayı duyan kimi kişiler onu geveze, boş-
boğaz bulabilirdi, hatta güvenilmez. Ama Sultan'ın ölü-
münden sonraki olaylar bana onun gerektiğinde ne ka-
dar sıkı ağızlı olabildiğini öğretmişti.

Durumu anlıyordum. Elimdeki perdenin arkasında duran gölgeye, ışığa yapışan bir pervane gibi çakılıp kalmıştı. Aslında orada saatlerce, İsmihan'ın varlığını hissederek, hiç konuşmadan ve hiç kımıldamadan durabilirdi. Bundan emindim. Ama duyduğu suçluluk onu böyle olur olmaz konuşmaya itiyordu.

İsmihan da tabii onu hemen tanımıştı. Adamın ses tonundaki mesajı aldığından da hiç kuşkum yoktu. Perdenin öbür tarafında, o da hiç kımıldamadan duruyordu. Pırıl pırıl, mor üstüne sırma işli üniformasının içinde alabildiğine yakışıklı görünen Ferhad'ı tanımaması zaten olanaksızdı.

İsmihan arabaya binmiyordu. Kollarım perdeyi tutmaktan yorulup acımaya başlamıştı. Ama canımı yakan aslında bu bedensel acı değil; birbirine düğümlenmiş iki yüreğin arasında, onlara böylesine yakın durmanın ruhumda yarattığı derin acıydı.

Artık tahammülüm kalmamıştı. Neyse ki, yaşadığı duygusal şokun üstesinden gelmeyi başaran Ferhad tam o sırada yanımızdan ayrılmaya karar verdi. Bunun üstüne İsmihan da arabaya doğru adımını attı.

İsmihan'ın oturmasına yardım ederken ondan yayıldığını hissettiğim tuhaf ve gizemli havayı çözümlemek benim için zor olmadı. Mevlana'nın "Taş"ı üzerinde canı gönülden yaptığı duadan sonra, loş türbeden gün ışığına çıktığında ilk gördüğü yakışıklı ve güçlü bir genç erkekti ve bunu nasıl yorumladığı malûmdu...

# XXXVI

*SALI GÜNÜ DAHA RAHATTIM*, İsmihan hiç dışarı çıkmadı. Ama çarşamba aynı şeyler tekrarlanabilirdi. O gün İsmihan tekrar "Taş"a oturmak istemedi. "Bunlar hemen olacak şeyler değil," diyordu. "İkide bir gelip, olur olmaz dileklerde bulunmak doğru değildir." Birkaç kez onu Ferhad'ı daha önce gördüğümüz yere bakarken yakaladım, neyse ki arada babasının yaptırdığı caminin duvarları vardı.

Ama hâlâ onu düşünüyordu. Hayal etmenin bazen gerçeğin kendisinden çok daha büyük etkisi olduğunu biliyordum. Bunun tek avantajı, her şeyin insanın beyninde kalmasıydı, başka biri göremiyordu hayal edilenleri ve şu anda benim de fazlasıyla önem verdiğim buydu, etrafa rezil olmamak.

İçinde kopan fırtınaya karşın İsmihan bana uyumlu davranıyordu. Belki de mantıklı olarak davranamayacağını bildiğinden karar vermek zorunda olmamak onu rahatlatıyordu. Bense omuzlarımda, vicdanımda ve ruhumda taşıdığım ağırlığın altında eziliyordum. O akşam yemekten sonra ev sahibimizden duyduklarım bunu kat kat artırdı.

"Bugün Divan'ı topladım. Kutsal yerler erkeklere kapatıldığında başka ne yapılabilir ki zaten?" Şakasına kendi de gülerek devam etti: " Yoksul köylülerin her zamanki sorunlarıyla uğraşıp durduk, ama neyse ki bugün bir konuğumuz vardı bizi oyalayan. Pırıl pırıl bir sipahi başı. Seni tanıyormuş. Adı Ferhad Bey."

"Evet, tanıyorum," dedim.

"Ne güzel bir rastlantı değil mi?"

"Zamanında efendime büyük hizmetleri olmuştur."
Aslında lafın uzamasını hiç mi hiç istemiyordum.

"Onun değerli biri olduğunu hemen anladım. Öylesine güzel akıl yürütüp konuşuyor ki, bir gün onu çok yüksek mevkilerde görürsem hiç şaşmam. Sancak Beyi bile olabilir..."

"Dua edelim de sizinkini almasın." Duygularım beni hırçınlaştırıyordu.

Ev sahibim şaşkın, "Aklından bunun geçmediğine eminim. Tüm yeteneklerine ve zekâsına karşın sinsi ve kötü niyetli biri değil o," dedi.

"Evet, doğru," diye alttan aldım, çok da kırıcı olmak istemiyordum. "Sanırım camide ibadetle günlerimi geçirmek beni filozoflaştırıyor. Şunu demek istemiştim; sancaklar belli sayıda ve bazen bir insanın kazanması, diğerinin kaybı anlamına gelebiliyor."

"Onu yarın akşam yemeğe davet ettim. Bir itirazın yoktur herhalde."

Ne diyebilirdim? Ben bir konuk ve bir hadımdım.

Bir hafta boyunca ne içerde, ne de dışarda huzur bulamadım, sinirden ve gerginlikten çatlayacak gibiydim. O çekip gidene kadar da bu durum devam etti. Gideceği için, İranlılar'a neredeyse dua edecek haldeydim. Yine de onun atının sırtında Konya'dan ayrıldığını kendi gözlerimle görmeme karşın bir iki gün daha diken üstünde yaşadım. Aniden barış imzalanabilirdi, bir şey unutup geri gelebilirdi. İşte böyle düşüncelerle kendimi yedim durdum.

Ancak perşembe günü kendimi toparlayabildim ve Allah'a, bir belâ çıkmadan bu işi atlattığımız için dua ettim. Çünkü İsmihan ve Ferhad, selamlıkla harem gibi evin ayrı bölümünde de olsa aynı çatının altında bir hafta geçirmişlerdi ve bu çok, ama çok tehlikeli bir durumdu.

Bu ayrılıktan emin olduktan sonra ruhen ve bedenen rahat, şehirde dolaşmaya çıktım. Adımlarım beni Alaaddin Camii'ne getirmişti. Burayı aslında hatırlıyordum. Rüyamın peşinde daha önce buraya uğramıştım. Ama sonra, Ferhad'a göz kulak olmaya çalışırken dervişi aramak tamamen aklımdan çıkmıştı.

Büyük yapıya girdiğimde ruhumu saran huzur yalnızca sipahilerin Konya'dan ayrılmalarına bağlı olamayacak kadar büyüktü. Buna akılcı bir neden aramaya çalışırken camilerle kiliseler arasındaki farkları düşündüm. Burada ayakkabılar çıkarılıyordu. Tıpkı Musa'nın dediği gibi: "Üzerine bastığınız toprak kutsaldır."

İçerdeki genişlik, ferahlık hoşuma gitmişti. Çıplak ayaklarımın altında halıyı hissetmek, kanat çırpan bir güvercinin taşıdığı taze havayı içime çekmek de...

Alaaddin Camii özellikle Mekke'ye dönük duvarındaki harikulade güzel nakışlarla süslü, çini minberiyle tanınıyordu. Daha yakından inceleyebilmek için oraya doğru yürüdüm. Birden ayağımın dibinde bir mırıltıyla olduğum yerde kaldım. Onu daha önce fark edememiş olmam çok normaldi. Okuduğu kitaba öylesine eğilmişti ki...

*"Buzlu sular aşkın ile kaynar*
*Yüce dağlar aşkın ile yanar*
*Yalnız gökten inen nurla kurtulur*
*Bu fırtınalı denizde çırpınan kullar"*

Dizelerin sahibini bilmiyordum, ama okuyan yamalı giysiler içinde bir dervişti.

Yere çömelip, hemen yanı başına ben de bağdaş kurdum. "Söyle dostum," dedim, gülümsüyordum, onunla birlikte denizlerde yelken açtığımız günleri hatırlamıştım. "Ermiş kişi burada denizi erkek mi, kadın mı olarak anlatıyor?"

Hüseyin, evet bu derviş oydu, parmağını dudağına götürüp bana susmamı işaret etti ve sesini benim söylediklerini rahatça duyabilmem için hafifçe yükselterek okumaya devam etti.

Bütün şiiri okudu. Onun hışırtılı ve tıslayarak dile getirdiği mistik kelimelerin ve beynimde şekillenen görüntülerin içinde kaybolmuş gibiydim. Çinilerin derin mavileri, yakıcı kırmızıları tıpkı vitrayların canlılığına bürünerek bir gökkuşağı olmuştu. Ve bu elle tutulabilecek bir şey değildi. Güneşin renkleri ruhumda dönüp duruyordu.

Hüseyin uzunca bir süre sessiz durdu. Sonra, en sonunda bana cevap verdi. Belki de şiirin gizemli dizelerinden başım döndüğü için ben bunun bir cevap olduğunu sanıyordum.

"O yüce varlığın ne bir eşi ne de bir çocuğu vardır."

Bunlar Kur'an'dandı.

Tekrar sustu, kitabı kapatıp, caminin imamına geri verdi.

*Ne kadar koyu bir dindarlık!* Düşünmeye başladım. Çıldırmış olmalıydı. Ancak Türkler kendi delilikleri içinde buna dindarlık diyebilirlerdi. Bu düşünce beni öylesine üzmüştü ki, oradan ayrılmaya karar verdim. Konuşmaya başlamak için boğazımı temizledim ama o sırada başlayan ezanla bu yarım kaldı. Herkes camiye koşarken ben dışarı çıkamazdım. Eski dostumu izleyerek avluya çıktım, birlikte abdest aldık, sonra yüzlerimizi Mekke'ye dönüp dizlerimizin üzerinde ibadete başladık.

Eğilip kalkarken kendimi bu Müslüman denizinde bir damla su gibi hissediyordum. Aklıma Hüseyin'in altın dukalar uğruna nasıl domuz yiyip, Hıristiyan duaları ettiği geldi. Şimdi ben bunun tersini yapıyordum. Buna bir dakika önce gülüp geçebilirdim, ama şimdi derinden etkilenmiştim. İbadet bittiğinde konuşsun, ya da konuşmasın dostumun yanından ayrılmamaya kesin kararlıydım.

Caminin avlusuna ulaştığımızda sonunda kendi gibi konuşmaya başladı. "Müritler bu gece toplanıyorlar. Gelmek ister misin?"

"Hiçbir şey beni bu kadar mutlu edemez."

Başka bir kelime söylemeden beni dışarı çıkardı Hüseyin. Geniş yollardan, dar aralıklardan geçtik ve Sufi dergâhına geldik.

Başlangıçta yalnızca izlemenin yeterli olacağını düşündüm ama olaylar çok daha başka gelişti. Önce içlerinden en yaşlı olanı, şeyh duaya başladı, ona birkaç kişi daha katıldı, yalnızca dinliyordum, sözleri bilmiyordum. Sonra bir ney sesi yükseldi, hemen ardından da tok davul sesleri ortalığı kapladı. Ve tüm salon tek vücutmuş gibi ayağa kalktı. Hiçbir şey düşünmeden ben de onlara uymuştum. Hüseyin'in yanında, tanımadığım bir yığın insanla birlikte daire halinde sıralanıp dönmeye başladık.

Bir yerlerden bir ses Allah'ın doksan dokuz adını sayıyordu. Hiç durmadan hem de... Müziğin ritmi ise giderek artıyordu. Uçuşan kıyafetlerden başka bir şey göremez haldeydim. Adımlarım hızlandıkça giderek daha fazla uyuşuyordum, sanki ayağımın altındaki yer kaybolmuştu, uçuyor gibiydim.

Gerçek dünyadan kopmakta olduğumu hissediyordum. Bu daha fazla sürerse kendi benliğimi kaybedip, bir varoluş okyanusundaki tek damlaya dönüşecektim ve bir daha da asla geri dönemeyecektim. Bu düşünce beni paniğe uğrattı.

"Hayır," diye mırıldandım. Başım dönüyordu.

"Hayır." Allah'ın doksan dokuz adına eşlik eden ritimden kendimi sıyırıp halkadan dışarı fırladım.

Dans bensiz devam ediyordu ve baygın gözlerle gördüm ki, kırdığım halka yeniden oluşmuştu ve sanki ben asla orada olmamışım gibi dönüp duruyordu. Bedenlerden çıkan ısı, koku ve davulların sesine eşlik eden ilahiler hala baş döndürücüydü. Dışarı çıktım.

Derin derin taze havayı içime çektim ve başımı gökyüzüne kaldırdım. Gecenin yarısından çoğu bitmişti, bunu yıldızlardan anlıyordum. Demek ki saatlerdir dönüp durmuştum. Biraz daha gökyüzüne bakınca yıldızların bana yalnızca zamanı göstermediğini anladım. Onlar bana şefkatle bakan bir adamın gözleri gibiydi.

"Allah büyüktür, merhametlidir ve her şeye kadirdir."

Sessizce bunları tekrarladım. Sonra yıldızlar Hüseyin'in gözleri oldu ve rüyam tekrarlanmaya başladı. Yaşlı dervişin gri sakalı ve saçları koyulaştı, adam gençleşti. Ama görüntü burada kalmadı daha da geriye gitti. Beş yıl önce başıma gelenlerin utanç ve acısı içinde ona rastladığım pazardaydık yine ve ben bunların dışında bir şeyi hissedemeyecek kadar acizdim.

Şimdi görüyordum, dostumun yanımdan nasıl bir acı ve suçlulukla ayrılmış olduğunu görüyordum. Onun beni oğlu gibi sevdiğini ve beni korumak için nasıl bir sorumluluk duyduğunu anlayabiliyordum artık.

Hüseyin vicdanında duyduğu bu ağırlığa dayanamamıştı, ailesine durumu açtığında duydukları ise yaraya tuz basmaktan farksız olmuştu. Delirebilirdi.

Sonunda intikamını almaya karar veren Hüseyin kasaplarımın peşine düşmüştü. Ve karanlık bir gece, dar bir sokak aralığında hançerini köle kasabı Cenovalı Selahaddin'e saplayıvermişti.

Onu öldürmekle hıncı bitmeyen Hüseyin, tüccarın erkekliği de tıpkı onun bana yaptığı gibi söküp atmıştı iki bacağının arasından. Bunu biliyordum, çünkü o cesedi ben yıkamıştım ve bunu gözlerimle görmüştüm. Ama artık dostumun ellerine kan bulaşmıştı. Beş para etmese de o kan toplum dışına itmeye yetiyordu bir insanı.

Böylece dervişlerin arasına saklanmanın iyi bir yol olacağını düşünerek yollara koyulmuştu Hüseyin. Eşkıya ini de böyle bir kaçış için birebirdi.

Ama giderek inancın gerçeğini içinde hissetmeye başlamıştı, hem de her geçen gün biraz daha artarak. Gözlerinde geçmiş günahlarından duyduğu utanç ve pişmanlığı görüyordum. Yalnızca benim kasabımı öldürmenin değil, para uğruna bir zamanlar yaptıklarının da izleri vardı orada. Yaya olarak ve yalnızca biraz sadaka dilenerek Mekke'ye gidip gelmişti. Artık o bir hacıydı. Ve binlerce kez ibadet ederek kendi özbenliğine sonunda kavuşmuştu.

Öylesine saflaşmıştı ki ruhu, rüyaları onu bana getirmişti. Ve oturup benim de onu bulmamı beklemişti. Bense günlük sorunların içinde çoğu kez onu dua ettiği yerde görmeden yanından geçip gitmiştim, ta ki bugün camiye gidene kadar.

Gökyüzünün merhametli yıldızları cuma gününün şafağında giderek kayboluyordu. Müzik ve dans sona ermişti, dışarı çıkan Hüseyin yanı başımda sessiz duruyordu.

"Dostum," dedim. Hissedip gördüklerimi ona anlatmak için yanıp tutuşuyordum. Ama yalnızca "teşekkür ederim," diyebildim. Onun vakur sessizliğinin yanında bu teşekkür bile gereğinden fazlaydı.

Böylece Sufilerle ilişkim başladı ve tüm bir yaz boyunca da devam etti. Onların yemeklerine, âyinlerine katıldım. Bu beni hem rahatlatıyor hem de oyalıyordu. Kaldı ki oturup şerbet içerek dedikodu yapmakla zaman geçirmek bununla kıyaslanamazdı bile. Ama bütün bunlardan daha fazla beni etkileyen, bu kendilerini Tanrı sevgisine adamış insanların beni aralarına hiçbir önyargı duymaksızın kabul edişleriydi. Bu öylesine bir kabul edişti ki, bu duyguyu amcamın kadırgasındaki gemicilerin arasına kabul edildiğimden bu yana hiç duymamıştım.

Ben bir hadımdım. Ama önemi yoktu. "Pek çok insan Allah aşkına gönüllü hadım eder kendisini," diye açıklamıştı bunu bir Sufi. "Seni buraya getiren Hacı gibileri çoktur. Onlar kadınların, çocukların insanı Allah' la bütünleşmekten uzaklaştırdığına inanırlar."

Ben bir köleydim. Bunun da bir önemi yoktu. "Biz hepimiz, senin adın gibiyiz, Allah'ın kullarıyız."

Bana anlatılanlara yürekten inanıyordum ama fiziksel olarak köle olmakla ruhen köle olmak arasında yine de birtakım farklılıklar vardı ve bu farklılıklar benim onların arasında geçirebileceğim zamanı somut olarak belirliyordu. Bana tam olarak onlar gibi olabilmem için bir an önce eğitime başlamam gerektiği birkaç kez söylenmişti. Ne yazık ki bunu yapamazdım, benim bir başka sahibim daha vardı ve onun isteklerini yerine getirirken şeyhin yanında olabilmem olanaksızdı. Gerçi insanın hem çalışarak bu dünyanın, hem de ibadet ederek öbür dünyanın parçası olabileceğini söyleyenler çoktu, ama bu daha çok kepengini kapayabileceği bir dükkâna sahip olanlara uyuyordu. İnsanın Allah'a giden yolla arasında bir sahibi olması ise çok daha farklı bir durumdu.

"Belki bir gün," dedim arkadaşıma.

"Bir gün, evet," diye Hüseyin başını salladı. "Allah'ın izniyle."

# XXXVII

$\mathscr{Y}$*AZ SONUNDA ORTALIK BİRAZ DÜZELMİŞE BEN-*
*ZİYORDU.* İranlılar'ın geri adım atarak, elçileriyle Babı-
ali'ye barış önerileri ve hediyeler yolladıklarını duyuyor-
duk. Asi şehzade Beyazıd'ın köleleri, atları ve diğer mal-
ları iade ediliyordu. Bunların yanında bir yığın çok de-
ğerli el işi, mücevherle bezenmiş Kur'an, halı, seccade ve
iri firuzelerden yapılmış tespihler de vardı.

Bütün bu dini içerikli hediyelere karşın Sünni Türk-
ler'in pek çoğu İranlılar'ı sapkın Şiiler olarak tanımlıyor-
du. Hatta İran elçisi, İstanbul'da merasim yürüyüşü sıra-
sında öldürülmek istenmişti. Suikastçı, bir dervişti. Bu
olayın etkisiyle bir süre için tekkeye gidemedim. Ev sa-
hibimiz, Sultan'a tekke ve türbelerle dolu sancağın kont-
rolünün elinde olduğunu gösterebilmek için küçük çap-
ta bir katliamı yapıp yapmamayı düşünüyordu.

Neyse ki böyle bir şeye gerek olmadı. Sancak Beyi
de, diğer dindar arkadaşlarım gibi bu olayı kaderci bir
biçimde yorumlamıştı: "Yüce Allah bize isteğini nasıl da
gösterdi. Suikastçının emeline ulaşamadan elçinin atının
çifteleriyle ölmesi bunun en somut kanıtı değil midir?"

Peygamber'in doğumunun kutlanması sırasında,
İran'da bir iç savaş başladı. Osmanlı siyaset ve din
adamları bu gelişmelerle oldukça rahatlamıştı. Bizim vali
bile evinde mevlit okutmak için dostum Hüseyin'in der-
gâhından birilerini ayarlamanın peşine düşmüştü.

Ben o gece haremde, hanımımın yanında olmayı ter-
cih etmiştim. Bunun iki nedeni vardı: Birincisi, yılın ilk
karının Konya'yı beyaz bir battaniye gibi kapladığı bu
geceyi harıl harıl yanan bir ocağın başında geçirmek çok

daha zevkliydi. İkincisi ise perdenin bu tarafı için bir kadın hafızın geleceğini bilmemdi. Erkek hafız arkadaşımdı ve nefis bir sesi vardı ama bu kadın çok daha iyiydi. Aslında kadınlar bu konuda bence erkeklerden daima daha üstündüler, çünkü onlar teknikten çok duyguyu ön plana çıkarıyorlardı. Tıpkı doğanın renklerini bir halıya taşımaktaki hünerleri gibiydi bu da.

Tam haremin kadınları ve misafirleri yerlerine oturuyorlardı ki, evin küçük oğlu içeri girdi. Herkes bu sevimli çocuğu okşayıp sevmeye başladı, ona iltifatlar edip, eğleniyorlardı: "Aman da ne kocaman olmuş bu delikanlı? Artık büyümüş de mevlidi selamlıkta dinleyecekmiş, maşallah da maşallah. Ama gördünüz mü, yine de koşa koşa annesine geliyor."

Dört yaşındaki afacan bu dalga geçmelerle kendine göre kahramanca mücadele ediyordu ama hırsından gözünün yaşarmasını engelleyememişti. Konuşmaya çalışsa da kadınların kahkahalarından sesini duyuramıyordu. Neyse sonunda bunu başardı: "Ben bebek değilim. Babam buraya beni devlet işi için yolladı."

"Ooo!" diye bağırdı kadınlar. "Devlet işi?" babasının çocuğu heveslendirmek için bunu söylediği kesindi.

Çocuk bu alaycı tavırlara aldırmayarak bana döndü ve "Kadınların aptallıklarıyla boşa zaman harcayamayız, değil mi?" dedi.

Bir kadının devlet işlerini aptalca bulmasının onda aranan en büyük haslet olduğunu söyleyerek çocuğun kafasını karıştıracak değildim.

"Üstat," dedi çocuk. "Babam seni çağırıyor, mevlidi beraber dinleyecekmişsiniz."

"Küçük amcam," diye cevap verdim. "Baban çok yüce gönüllü ama ben ona daha önce söylemiştim, bu geceyi hanımımla geçirmem gerekiyor."

"Ama , hayır, çağırıyor," diye ısrar etti çocuk. "Konukların arasında yeni biri var. Kim olduğunu asla bilemezsin, onun için ben söyleyeyim, Ferhad Bey yine geldi."

Ayağa kalktığımda hanımımın gözleriyle karşılaştım. Bana merak dolu bakışlarla bakıyordu ve sanki bu merak benim gözlerimi de doldurmuştu. Bunu haremden çıkıp erkekler dünyasına giderken bir nişan gibi taşıdım. İçeri girdiğimde selamlık hâlâ gürültü içindeydi. Haremde küçük bir fırtına yaratan kişi belli ki burayı da epey karıştırmıştı.

Hanımımın gözlerime emanet ettiği merak, evsahibimizin yanındaki onur koltuğunda oturan adamı görünce tatmin oldu. Ayağa kalkıp, derin bir saygı ve sevgiyle beni selamladığında benim haremden buraya gelişime dair bazı özel mesajları almış olduğunu anladım. Aşkından bir küçücük haber alabilmek için gözlerimin bebeğine bakıyordu, başımı çevirdim ve hırçın sayılabilecek bir ses tonuyla buraya neden geldiğini sordum.

Yalnızca, "ben, efendimizin, Sultan'ın emrindeyim," dedi.

Detayları vali açıklamaya girişti. "İranlılar'a karşı savaşırken göstermiş olduğu kahramanlıklardan ötürü dostumuz Ferhad Bey Alaybaşı olmuş. Allah'a şükürler olsun ki, bizimle birlikte kalacak."

"Konya'da mı?" diye aptalca sordum.

"Tabii ki Konya'da," diye cevap verdi vali, sonra Ferhad'a dönerek iltifatlarını sürdürdü: "Dostum artık önünde bir yığın kapı açılacak."

*Harem kapıları mı?* Adama doğru sert bir bakış attım ama o bambaşka bir havadaydı, bunun farkına bile varmadı. Paniğim artıyordu, sordum. "Ne kadar kalacaksınız?"

"Bu Sultanımıza bağlıdır ve tabii ki Allah'ın iznine," diye cevap verdi Ferhad.

"İnşallah," diye ekledi ev sahibimiz, "inşallah uzun yıllar olsun."

Ferhad buna kendisi de "inşallah," diye katılmak yerine kibarca gülümseyip başını öne eğdi.

"Efendim Sokullu Paşa'nın bu yükselmeyle bir ilgisi var mı?" diye sorularımı sürdürdüm.

Paşa'nın bile haremine karşı aldırmazlık içinde olabileceğine inanamazdım. Sorumun gerçek nedenini anladığından emindim ama Ferhad nazik bir tavır içinde, ben sanki efendimden haber almak istiyormuşum gibi, Sokullu'nun kabul ettiği yabancı elçilere varana kadar bir yığın detayı anlatmaya başladı.

"Sokullu adı dört bir yanda isyankârların ödünü patlatıyor artık."

*Sen korkmuyor musun?* Bakışlarımla onu ikaz etmeye çalıştım, ama konuşmasını kesmedim.

Konya'da meğerse ne huzurluymuşuz! Ferhad daha önce dedikodu olarak kulağımıza gelen şeyleri ateşli bir hızla ballandırarak anlatıyordu. Yemen'deki isyanın bastırılışı, Piyale Paşa'nın deniz zaferleri, bu nedenle ikinci vezirliğe yükseltilmesi, Selim'in dirayetsizliklerine karşın Sokullu'nun yönetimde gösterdiği büyük beceri...

Bu gösteriyi sesimi çıkarmadan dinliyordum, vali ise belki de bütün bunlar ona, kendisinin anlatılan dünyadan ne kadar kopuk olduğunu hatırlattığı için konuyu bir an önce kapatmak istercesine, "Ne müthiş bir zekâ," dedi.

Bunun üzerine ben de cesaretlenerek, "Nerede kalacaksınız?" diye sordum.

Vali yine lafa karıştı. "Tabii ki burada kalacak. Kışlada rahat edemez, bir yer kiralayıp otursa yalnız kala-

cak, bu rahatsızlıktan da beterdir. Evet, bizim misafiri-
miz olacak Ferhad Bey. Ona gel seni evlendirelim, de-
dim. Yakışıklılığından yoksun bırakmamalı haremleri,
değil mi?" Vali gevrek gevrek güldükten sonra sözlerine
devam etti:

"Ona, büyük kızımı vereyim sana, bile dedim ama
kabul etmiyor. Başkası olsa alınırdı ama ben alınmadım.
Bunca yıllık ömrüm ve bulunduğum makamlar bana ev-
liliğin ne kadar önemli olduğunu gayet güzel öğretti. Ev-
lilik bir yükselme kozudur. Ferhad da bunu şimdilik
elinde tutuyor. Öyle değil mi Ferhad? İlerde bir gün
Sultan'ın ona uygun göreceği bir eş çok daha işe yaraya-
caktır. Belki kendi haremin den bir köle kız? Belki de
kendi kanından bir prenses, kim bilir? Vezir-i Âzam So-
kullu Paşa da bekledi ve sonunda muradına erdi. İrade!
Bu Osmanlı'yı yönetecek adamın en büyük işaretidir
bence.

Kendime sorup durmuşumdur: Eğer bir an evvel
bir oğlan çocuğa sahip olmanın peşine düşmeseydim,
belki ben de asil kandan bir prensesle evlenebilirdim..."

Ev sahibimiz bu konuşmasının beni ve Ferhad'ı ne
kadar sıkmış olduğunun farkında bile değildi. Allah'tan
ki küçük oğlu, belki de sıkılıp, gelip babasının kucağına
tırmandı ve adam çocuk sahibi olmanın dezavantajlarını
unutuverdi. Arkasına yaslanıp mevlidi dinlemeye hazır-
landı.

Ne dervişi dinleyebildim ne de haremdekini düşün-
düm. Hiçbir şiiri dinleyemeyecek kadar gergindim. Erte-
si gün de bu ruh halim devam etti. İsmihan meraklı ba-
kışlarıyla dolaşıp durdu etrafımda, bunu yapmadığında
da hayallere daldığı belliydi. Bu sırada gözlerinin dolup,
yanaklarının kızarması hem duyduğu mutluluğun, hem
de suçluluğun belirtisiydi.

Onu alıp bir an önce efendimin evine, İstanbul'a dönmeliydim. Orası çok daha güvenliydi.

Ne yazık ki bu şu an için bu olanaksızdı. Kış başlamıştı ve böyle bir yolculuğu göze alamazdık. İsmihan yağan kara karşın içinde yeniden ateşlenen duygularla kendini her fırsatta türbeye atıp dua ediyordu. Dolayısıyla onun açısından ortada bir can sıkıntısı ya da bezginlik söz konusu değildi. Bana gelince, dini konulara ilgi ve merakım eriyip gitmiş gibiydi. Geride kalan yalnızca başım sıkıştıkça tekrarladığım "Tanrım bana yardım et" cümlesiydi. Çok canım sıkıldığında, "Eğer varsan, söyledikleri gibi merhametli değilsin. Sen olsa olsa yakaladığı kuşu işkence ederek öldürmeye çalışan bir küçük çocuksun" diyerek isyan ettiğim bile oluyordu.

Ve korktuğum başıma geldi, haberleşme başladı.

Önce valinin küçük oğlu bu iş için kullanıldı. Çocuk zaten Ferhad'a tapıyordu. Bunu anlar anlamaz onu öylesine azarladım ki, çocuk bir daha gözüme görünmez oldu. Arkasından ufaklığın ablasını kullanmaya kalktılar. Henüz çocuk olduğu için kız rahatlıkla dışarı çıkabiliyordu. Babasıyla uygun bir dille konuşmaya karar verdim. Allah'tan adamı artık kızının da kapanma çağına gelmiş olduğuna inandırmam zor olmadı. Ama âşıklar pes etmiyordu. Hadımlarımdan birini mektupçuluğa ikna etmeyi bile başardılar. Öylesine öfkelendim ki, adamı hemen sattım, hem de oldukça zarar ederek.

Ne kadar uğraşırsam uğraşayım meyve sepetleri, çiçek buketleri arasında şiirlerin, mektupların gidip gelmesine engel olamıyordum. Bir keresinde İsmihan'ın odasında koca bir demet mor çiçekli kekik gördüm. Bunu kırlara çıkmadıkça kimse toplayamazdı ve bu özgürlük ancak harem dışında birine ait olabilirdi. Bunu kimin yaptığını asla öğrenemedim, ama baharlı tohumlarının ertesi akşam Ferhad'ın iftarda yediği pirzolaları tatlandırdığını görünce tahmin etmekte de zorlanmadım.

Öylesine bir endişe içindeydim ki, bunun etkisiyle zaman zaman haksızlıklar yaptığım olmuyor değildi. Bir gün yine İsmihan'ın odasında, yatağının başucundaki saksıda yeni tomurcuklanmaya başlayan alızları görünce kendimi tutamayıp olduğu gibi camdan dışarı fırlattım. Ama bu kez yanılmıştım, alızların Ferhad'la bir ilgisi yoktu, hanımımın odayı bir parça şenlendirmek için yaptığı bir şeydi bu. Ama doğrusu bir suçluluk duymadım, çünkü benim her türlü engelleme çabama karşın haberleşmelerinin olanca hızıyla devam ettiğinden emindim. Hatta anlayabildiğim kadarıyla aşkları artık tomurcuk olmaktan çıkıp bir çiçeğe dönme yolundaydı.

Bir gün bu kaygılarımı olanca titiz bir dille valiye anlatmaya çalıştım.

"Bizim Ferhad?" diye şaşkınlıkla sordu. "Onun kafasında kadınlar en arka plandadır. Ata binmek, talim... Onu en çok ilgilendiren işler bunlar. Ona Kıbrıs'tan gelmiş nefis bir kırmızı şarap ikram etmek istedim geçenlerde. Ne yaptı biliyor musun? Kibarca ama çok kesin bir dille reddetti, öyle ki artık onun yanında ben bile içemiyorum. Belki böylesi daha iyi ama, kışı şarapsız geçirmek yine de zor. Yaşlılıkta insan onun değerini daha iyi anlıyor..."

Validen bir şeyler ummak yararsızdı. Konuyu kapattım.

Âşıkları yüzlemek de anlamsız olacaktı. İçinde bulundukları durumun ciddiyetini benden daha iyi bildiklerinden emindim. Ferhad bu yasak aşka karşın onurlu bir adamdı. Zavallı İsmihan ise elimi tutarak saatlerce oturuyordu benimle birlikte, hiç konuşmadan. Belli ki benim onu kendi çılgınlığından korumamı bekliyordu. Başkala-

rının gıpta ettikleri konumlardaydılar. Ferhad imparator-
luğun sipahi alayı komutanıydı, İsmihan'a gelince hem
Sultan kızı, hem de Vezir-i Âzam karısı olmayı kim iste-
mezdi? Ama şu gerçek göz ardı edilemezdi, her ikisi de
bu durumun bedelini büyük acılar çekerek ödüyorlardı.

Ama galiba bu uzaktan uzağa ümitsiz aşkı besleyen
şey de acıydı. Bir sipahi acılara, zorluklara herkesten da-
ha çok dayanabilmekle övünürdü; bir kadınsa çocuk sa-
hibi olabilmek uğruna çektiği acılarının lafını bile etmez-
di. Evet, onlarınki acı dolu, umutsuz bir aşktı.

Yardımcılarımdan bana ihanet edeni sattıktan sonra
elimde kalanlarla işleri idare edebilirdim. Ama ne yazık
ki eskisi kadar kolay olmayacaktı bu, çünkü içlerinde en
zeki ve yetenekli olan oydu. İstanbul'a dönene kadar da-
ha iyisini bulmam olanaksızdı. Geriye kalan dört hadım-
la bu sorunu halletmek de. Yani her zamanki gibi iş yine
başa düşmüştü, Ferhad'ın hakkından tek başıma gel-
mem gerekiyordu.

Ve bir gün onu girmemesi gereken bir yerde, hare-
min kafesli pencerelerinin olduğu avluda görünce bunun
zamanının geldiğini düşündüm. Ama o tek bir kelime
bile söylemeden, önümde saygıyla eğilip dışarı çıktı. Yü-
zündeki acı gülüş durumunu kabul eden bir göstergeydi.
Güreşte yenildiği rakibini saygıyla selamlayan bir pehli-
vana benziyordu.

Ama bu bir spor karşılaşması değildi. İşin sonu kan-
la bitebilirdi ve kimin kanı akarsa aksın, şerefli insanla-
rın bu kanla lekeleneceği kesindi.

Eğer başarısız olursam hem Ferhad, hem de İsmi-
han ölümle yüz yüze gelecekti. Ferhad gerçek bir düş-
man değildi. Kafam karmakarışıktı. Kendilerini düşmana
karşı korumaktan aciz iki çocuğu kollamaya çalışan bir
silahşör gibiydim.

# XXXVIII

*O YIL RAMAZAN KIŞ ORTASINDA BAŞLADI.* Bu durumda oruç tutmak çok zor olmuyordu. Tabii yine de eve kapanarak geçirilen günler oldukça sıkıcıydı. Ay sonuna doğru karla kaplı yol kenarlarında, bahçelerde yabani sümbüller görünmeye başladı.

Ramazan neredeyse bitiyordu, son birkaç gün daha da sabırsızlanıp, zorlanıyordu insan. Sanıyorum İsmihan ve Ferhad'ın yaşadıkları zorluk çok daha büyüktü. Aynı evin çatısı altında, birbirinden ayrı olmak...

Ve karlar erimeye başladı, çok kısa bir süre sonra yollar tamamen temizlenip açılacaktı ve burada geçirdiğimiz bir yıllık kutsal ziyaret en sonunda bitecekti. Âşıkları o güne kadar birbirinden ayrı tutabileceğimden emindim.

Aslında kendimi başarılı buluyordum. Bu Kütahya yollarındaki eşkıyanın, ya da Sakızlı Guistiniani'lerin fiziki tehditleriyle savaşmaktan çok daha zor bir işti. Aşkla başa çıkmak bunların hiçbiriyle kıyaslanamazdı.

Artık daha rahattım ve endişelerim azalmıştı. Kafamı dinleyebilmek için salı akşamları tekrar Hüseyin'in dergâhına gitmeye başladım. Aslında daha önce düzenli olmasa da bir iki kez gitmiştim. Ama o sıralar içinde bulunduğum ruh hali tam olarak o âlemi yaşamama engel olmuştu. İlahi ve semaya katılmadan izlemiştim müritleri.

Ama artık kendimi daha iyi hissediyordum ve Sufi birliğine katılmakta bir sakınca görmedim, halka içinde ben de dönmeye başladım. Ne yazık ki aynı sonuçla karşılaştım, yine allak bullaktım, kendimi avlunun sert ve temiz havayla dolu karanlığına attım.

Ve yine şafağa doğru Hüseyin yanıma geldi. Birlikte gökyüzünü seyrettik. Samanyolunu, diğer yıldızları. Müritlerin sessizce çektikleri esrar kadar sakinleştiriciydi bu da... Aklımdan geçenleri okuyabiliyor muydu acaba? Bazı dervişlerin böyle üstün sezgileri olduğu söyleniyordu. Sanıyorum Hüseyin de onlardan biriydi. Belki de beni iyi tanıması, yakınlığımızdı bunun nedeni. Konuşmaya başladı:

"İlyas," dedi, sesi gecenin soğuğu kadar keskindi. "Allah'ın yarattığı varlıkların en zekisiydi. Rumi'nin ondan çoktan etkilendiği söylenir. Musa'yı eğiten de odur. Başlangıçta bunu yapıp yapmamakta kuşkuluydu ama Musa öylesine ısrar etti ki ve İlyas da ondaki cevheri bildiği için bu eğitimi vermeyi kabul etti.

'Pekâlâ', dedi Musa'ya, 'benimle gelebilirsin ama asla ve asla yaptıklarımı sorgulamayacaksın, Allah yolunda yürümek böyle bir iştir.' Musa da tek isteğinin Allah yolunda yürümek olduğunu, ona hiçbir şey sormayacağını söyledi. Böylece iki adam dünyayı dolaşmaya başladılar ve denize ulaştılar. Yanlarında onları karşı kıyıya geçirecek kayıkçılara ödeyecek paraları yoktu. Ama iki yoksul balıkçı onları bedava karşıya geçirdi. Oraya ulaştıklarında İlyas kayığın tabanını deldi, sonra da yürümeye devam etti. Musa şok geçirmişti. 'Bu zavallı yoksul balıkçılar bize yardım ettiler, kayıkları onların tek geçim kaynağıydı...' diye düşündü öfkeyle, ama dünyadaki yaratıkların en zekisine asla soru sormamak için yemin ettiğinden sesini çıkarmadı.

İki adam bir süre sonra bir ağaca ulaştılar. Ağacın dibinde uyuyan bir çocuk vardı. Çocuk o kadar güzeldi ki Musa hayran oldu. Tam Allah'a bu güzellik için dua etmeye hazırlanırken, birden İlyas çocuğun kafasını tek bir darbeyle koparıp attı.

Musa öylesine şaşırmıştı ve üzgündü ki ağzını bile açamadı. Bunu istese de yapamayacak kadar kahrolmuştu. Şehirden oldukça uzaktaydılar, boş, ıssız bir araziydi bulundukları yer. Arazinin ortalarında bir yerde bakımsızlıktan neredeyse çökmek üzere olan eski bir duvar vardı. İlyas orada durdu, Musa güneşin altında bunalarak duvarı tamir etmek zorunda kaldı.

En sonunda Musa patladı ve konuşmaya başladı: 'Efendim', dedi, 'Anlamıyorum, bu çok saçma bir iş. Arazi ve duvar tamamen terkedilmiş, hiç kimseye bir yararı olmayacak bu işi neden yapıyoruz? Bütün günü şiddet ve zulümle geçirdikten sonra bunun anlamı ne? O zavallı yoksulların kayığını batırmak, melek yüzlü bir çocuğu öldürmek, bütün bunlar Allah'a karşı çıkmak değil de nedir? Senin İlyas mı, yoksa Şeytan mı olduğundan kuşku eder oldum.'

'Allah'ın yolunda öğrenmen gereken ne çok şey var?', dedi İlyas. Gelecekte peygamber olacak müridinin inancında bir gedik görmüştü, hafifçe başını salladı. ' Sana bu duvarı tamir ettirdim çünkü, bunun altında iki yoksul yetimin mirası var. Eğer bunu yapmasak, çocuklar büyüyüp de kendi elleriyle burayı kazıp onu alana kadar başkaları çoktan gelip defineye sahip olacaktı. Kayık işini de anlamadın. O adamların tek mal varlığı, geçim kaynağı o kayık. Şehirde birtakım eşkıya türedi, bunlar hırsızlık yapıyorlar, insanların mallarını ellerinden alıyorlar. Delik bir kayığı kimse çalmaz. Ve bu adamlar ortadan yok olana kadar iki balıkçı kayıklarını ancak tamir ederler.'

'Ya çocuk?' diye sordu Musa. 'Tanrı'ya kendini affettirebilmek için bu konuda bir gerekçe yoktur.'

'Ama var', dedi İlyas. 'Bu çocuk büyüdüğünde kötü ve zalim biri olacaktı. Güzelliği ile de insanları kolaylıkla etkileyip aldatacaktı. Ve o küçük eller büyüdüğünde insanların yalnız malını değil, canını da alacaktı.'"

Hüseyin tekrar sözlerine devam etti, "Bazen," dedi, "Allah'a ulaşabilmek için onun koyduğu kuralları çiğnemek de gerekebilir. Yollar bir araçtır, amaç değil..."

Hiç konuşmadan gökyüzüne bir süre daha baktıktan sonra gidip sahur yemeğimizi yedik, az sonra güneş doğacaktı ve yine oruca başlayacaktık.

Bu öyküyü Ramazan bitip de biz İstanbul'a dönme hazırlıklarına girişene kadar sık sık hatırladım. Hele de son kez çarşamba günü tekrar türbeye gittiğimizde... Hüseyin'in sözleri beynimde yankılanıyordu: "Allah'a ulaşmak için bazen onun kurallarını çiğnemek de gerekebilir."

Dualarımızı bitirmiştik, İsmihan, Mevlana'nın "Taş" ına tekrar oturmakta ısrar ediyordu. Tekrarın işin ruhuna aykırı bir davranış olduğunu biliyordum. Önceleri umutsuzluktan buna aldırmadığını düşündüm ama onun "Taş"a oturmasına yardım ederken bu ısrarın içinde yatan gerçeği anladım. Konya'da kaldığımız süre içinde dileği değişmişti. İlk dileği bir çocuktu ve bu genç bir sipahinin ona görünmesiyle anlamlanmıştı. Yeni dileğinin gerçekleşmesini bana dayandırdığı umutsuzca gözlerime diktiği bakışlarından belliydi.

Gidip oturmamı istediğinde yine "hayır," dedim. Ses tonum dile gelen sözlerine değil, gözlerine bir cevaptı.

"Belki de hiçbir arzun yok Abdullah," dedi. "Ama sevgili İsmihan'ının mutluluğu için olsun biraz dua edemez misin? Kalbi kırık bir kadına hizmet etmek güzel bir şey değil mi?"

Tekrar reddettim, ama söylediği şeylerden çok etkilenmiştim. İsmihan'ı ve diğerlerini arabalara bindirip eve yolladım. Ne yapacağımı biliyordum. Onun nerede olduğunu da...

Her kadınlar gününde yaptığı gibi, caminin olduğu meydanda dolanıyordu. "Yönetimimiz altındaki insanları yakından tanıyıp ona göre planlar yapmaya çalışıyor," demişti vali. "Burada yanı başımda oturmaktan çok daha yararlı bir iş yapıyor halkın arasında dolaşarak..."

Oysa iş bu kadar basit değildi. Gerçek arzusunun İsmihan'ı bir an için olsun görebilmek olduğunu biliyordum.

İsmihan da bunu hissediyordu, kendine olağanüstü dikkat ettiğinin farkındaydım; saçları, elbiseleri, tülleri hepsi de büyük bir özen ve güzellik içinde oluyordu. Bu konuda bir kuşkum olsaydı bile o gün bu ortadan kalkmıştı. Herkes evine gitmişti, bir garip köylü gibi meydanda oturan bir tek o kalmıştı. Neyi bekliyor olabilirdi, beni aldatamazdı.

Bana döndüğünde gözlerindeki yaşları gördüm, belki de yağmur damlalarıydı bunlar, ama beni esas şaşırtan elindeki kınından sıyrılmış hançeri oldu.

Sipahilerin tümü de bu hançeri İslam'ın ve imparatorluğun düşmanlarına karşı kullanmak için yemin ederlerdi, bunu biliyordum. Ama bu kez hançer düşmana değil, sahibine dönüktü.

Beni görünce ne yapacağını bilemeden, şaşkınlıkla elini kesti, ciddi bir yara değildi. Yine de bileğini saran kanın kızıllığı ikimizi de etkilemişti. Kendini çabuk toparlamıştı, sanki böyle bir şey hiç olmamış gibi konuşmaya başladık. Bir iki resmi hatır sormadan sonra:

"Abdullah, dostum," dedi. "Vahşi Avusturyalılar'la, Kürtler'le ve iyi eğitilmiş savaşçı İranlılar'la karşılaştım. Ama bilmiyorum önümüzdeki pazar, sizden ayrılırken aynı cesareti gösterebilecek miyim? Bu bana ölümden de beter geliyor."

"Sen delisin," dedim. "Aşk seni çıldırtmış."

Bunu zaten biliyordu. Umutsuz aşkının onu sürüklediği acı tufanının içinde sürükleniyordu genç sipahi. Ölüm bile aklından geçiyordu. Hiç konuşmadan elini sarmasına yardım ettim. "Vezir-i Âzam'a hizmet ederken oldu," diye şaka yapmaya çalıştı. Onunla birlikte konağa kadar yürüdüm.

Allah, kendi hizmetindeki sadık bir kulunu aşk uğruna, bir kadın uğruna ölüme yollayamaz, diye düşünüyordum. Kendisine yürekten bağlı, tek dileği bir çocuk ve sevgi olan bir kadını da gözden çıkaramayacağı gibi... Ki o kadın koskoca Anadolu'yu bu amacın gerçekleşmesi için baştan başa katetmişti.

Ve ben Venedikli Giorgio ne kadar yabancıydım bu insanlara. Ama onların Tanrısı hakkında fikir yürütmeye hakkım var mıydı? Arnavut Ferhad'ın da buna hakkı yoktu... Hatta belki İsmihan'ın da... Evet, babası Osmanlı Sultanı'ydı ama ya anası? İsmihan'ın annesi de bir Çerkez'di. O bile bir yabancıydı. Hiçbirimizin bu insanların Allah'ına karşı çıkmaya hakkımız yoktu. Böyle düşünerek zihnimdeki isyankâr çıkışları bastırmaya çalışıyordum.

Öte yandan, Hüseyin'den öğrendiğim o cümle aklımdan gitmiyordu. Tanrı mutlaka kendini dine adamış bir dervişi herkesten fazla severdi.

"Bazen, Allah'a ulaşabilmek için gidilen yollarda onun kurallarını bile çiğnemek gerekebilir. Yollar birer araçtır, amaç değil."

Yine de bu yöntemin kutsallığından çok emin değildim. Bazen bunun bir çılgınlık olmasından korkuyordum.

# XXXIX

*P*ERŞEMBE, CUMA VE CUMARTESİ birbiri ardına geçti, her zamanki gibi. O gece her yeri tıpkı düşmanın saldırısına karşı savunma hazırlığı yapan bir komutanın titizliğiyle tekrar gözden geçirdim. İki ayrı dünyanın arasındaki kafesleri kontrol edebilmek için yardımcılarım nöbetleşe sabaha kadar bekleyeceklerdi. Bütün kapı ve pencerelere düşman, baltalarla parçalayabilirmişçesine defalarca baktım. Evet, her yer güvenlik içindeydi. Saldırgandan daha üstün ve güçlüydük, tek zayıf yer benim yüreğimdi.

İsmihan'a iyi geceler dilemek için yanına gittiğimde onu gözyaşları içinde buldum. Valinin karısı ve kızının kollarında hıçkıra hıçkıra ağlıyordu, onlar da bu üzüntünün nedeninin ayrılık olduğunu düşünerek hanımımı teselli etmek amacıyla gece başından ayrılmamaya yemin etmişlerdi. Böyle değerli bir insanın sevgisine layık olabilmek için çırpınıyorlardı.

Hizmetkârlara yatağı hazırlamalarını söyledim, bir yandan da lambaları söndürüyordum, ama İsmihan o gece uyumayacağını ve karanlığın onu daha da kötü yapacağını söyleyerek buna itiraz etti. Onun tombul, sevimli yüzünü böylesine perişan görmenin üzüntüsüyle ben de bir kenara çöktüm, içimde odama gitmek için hiçbir arzu yoktu, vicdanım bu umutsuz tablo karşısında acılar içinde kıvranıyordu.

O sırada pencerenin kafesi arkasından bir ses duyuldu. Bir bülbül ötüyordu, bu yılın ilk bülbülü...

Hepimiz nefeslerimizi tutarak bu içli ötüşü dinlemeye koyulduk. Şairler bülbülün güle âşık olduğunu yazıp dururlardı. Kavuşamayan iki sevgiliydi onlar, gülün kıskanç dikenlerinden bülbül bir türlü ona sarılamazdı şiirlerde. Bülbülün acıklı sesinin nedeni bu öyküye dayandırılırdı.

Eğer olanaksız olduğunu bilmesem, bunun Ferhad'dan koruma altındaki aşkına yollanmış bir ayrılık mesajı olduğunu söyleyebilirdim.

Hiçbir şairin bülbülün İlyas'ın sesi olduğunu söylediğini duymamıştım ve böyle bir şey düpedüz küfür olarak kabul edilirdi mutlaka, ama nedense birden aklıma bu gelivermişti. Ne sıradan, ne de ulvi olan bir şekilde, baş hadım odasının ortasında durup, hareme ve selamlığa açılan iki kapıyı gördüğümde öğrendiğim ilk şeyi hatırlatmıştı bu ses bana. Ne erkek ne de kadın olduğum halde, iki cinsi biraraya getirip onları bütünleştirebilecek biriydim ben. Bu ne güçtü! Kutsaldı bu gerçekten de. İnsanların ayırdığını birleştirmek, uyumsuzluğu ahenge çevirmek ve kederden neşe yaratmak... Sınıf, ırk, ulus ve cinslere göre yarattıklarını harem ve onun gibi ayrılmalara yönlendiren Allah uyumsuzluk ve kederi de yaratmıştı. Evet bunlar gerekliydi, çünkü bunların zıddını başka türlü öğrenemezdik. Eğer İslam âleminin Tanrı'sının işi şefkat ve merhamet göstermek değil ise, demek ki ben ne bu sonradan edindiğim dinden, ne de daha öncekinden bir şey anlamamıştım.

Bülbülün sesi hanımımı da derinden etkilemişti, ama o kendini bir bütünün yarısı olarak gördüğü için bu ses onu daha da büyük bir kedere boğmuştu. Gözyaşlarını tutacak gücü kalmamıştı artık, yanaklarından ip gibi süzülüyordu yaşlar, belki de bayılacağını düşündüm. Valinin karısı ve kızı da ağlıyordu, İsmihan'ın bileklerini ve alnını kâfuru ve gülsuyuyla ovmaya başladılar.

Sesimi duyduğum ritme uydurmaya çalışarak onlarla konuşmaya başladım: "Hanımlar," dedim. "Sanırım bu gece onunla kalmam daha doğru olacak, böylece hem size zahmet vermemiş oluruz, hem de o biraz dinlenir."

Kadınlar bundan hiç hoşlanmadılar. Bu son saatleri nasıl onlardan esirgeyebilirdim? Kendi cinsleriyle olan paylaşımlarını bile algılamaktan aciz bir donuk, soğuk hadım nasıl böyle bir şeyi teklif edebilirdi?"

Söylediklerinden etkilenmeyecek kadar kendime güveniyordum. Gerçi onlar bunu anlamadılar, ama İsmihan derhal anladı. Gözlerini açtı ve dikkatle benimkilere baktı. Ben de onun bu bakışına neredeyse dindar ve sakin bir bakışla cevap verdim. Bunu da anladı. Yerinden doğrulacak gücü kendinde buldu ve etrafındakileri bir el hareketiyle uzaklaştırdı.

"Lütfen bizi biraz yalnız bırakın," dedi. "Size ihtiyacım olduğunda kesinlikle çağıracağım, söz veriyorum."

Kadınlar çok hoşlarına gitmese de bu sözler üzerine dışarı çıktılar. Hizmetkârlar da odadan uzaklaştırıldı ve İsmihan bana dönerek, "yapacak mısın Abdullah?," diye yalvaran bir sesle sordu.

"Bu benim isteğime değil, Allah'ınkine bağlı," dedim. "Ama elimden geleni yapacağım."

Onu bırakıp selamlığa yürüdüm, Ferhad ev sahibiyle oturuyordu.

"Vay Abdullah," dedi adam, "tam zamanında geldin. Ferhad da benimle bir kadeh şarap içmeye karar vermişti. Ben baskı yapmadım, kendi istedi, sen de bize katılır mısın?"

Ferhad kadehini bana doğru kaldırdı, söyleyecek bir sözü yoktu. İçtiği ilk yudumla suratında oluşan ifadeden aslında bundan hoşlanmadığını anladım, ama belli ki kadehten medet umuyordu. Hızla içmeye devam etti.

Onu durdurmalıydım, böyle giderse ne kendine ne de İsmihan'a bir yararı olacaktı.

Kibarca içki davetini geri çevirdim ve dedim ki, "Üzgünüm, sizi rahatsız etmek istemezdim ama küçük bir ricam olacak. Aslında önemli bir şey değil, İstanbul'a kadar bekleyebilir. Efendim çok iyi Farsça bilir."

"Nedir Abdullah?" dedi vali.

"Aslında önemsiz bir şey. Hanımım şiir okuyordu da, şair pek fazla Farsça mecaz yapmış. Şiir çok güzel, gül ile bülbül hakkında. Ne yazık ki bilgisizliğimiz tam tadına varmamızı engelliyor. Kitap bende var, odamda ve..."

Vali gülerek, "Korkarım ki benim Farsçam yalnızca savaş alanlarında öğrenilmiş bir Farsçadır."

"Ben biraz anlarım," dedi Ferhad. Her iki cevabı da daha önceden tahmin etmiştim.

"Eğer bu gece vakit bulabilirseniz memnun olurum. Nasıl olsa hazırlık yaptığım için ben ayakta olacağım..."

İkisini de eğilerek selamladım. Şifreli aşk mesajlarının ustası olan genç sipahi benimkini anlamakta hiç zorluk çekmemişti, bunu gözlerinden anlamıştım. Kadehini masaya koydu. Bir anda havası değişmiş, eski özgüvenli Ferhad oluvermişti.

Hareme döndüğümde İsmihan kendisine çok yakışan koyu pembe elbisesini giymiş, saçına başına düzen vermişti. Eğer yarım saat önce onu kendi gözlerimle görmemiş olsam, böylesi bir değişikliğe asla ve asla inanmazdım. Ama hâlâ içinde birtakım korkular, kuşkular vardı. Benim aylardır yaşadığım duyguları şimdi o yaşıyordu.

"Ama eğer..." dedi ve bu başlangıç derin bir sessizlikle devam etti. *Ya gelmezse... Ya gelir de beni beğenmezse... Ya yakalanırsak?... Bunun cezası ölümdür...* Bu düşünceler sırtını buz gibi yapsa da yanaklarının al al olmasını engellemiyordu.

Bana gelince, geçen aylara göre çok soğukkanlıydım. Artık işler benden çıkmıştı ve kendimi kuşlar gibi özgür hissediyordum. Elini tutup sıktım, beni şaşırtarak yanağıma bir öpücük kondurdu. Sonra tuvalete gidecekmişim gibi dışarı çıktım. Geri döndüğümde İsmihan'ın odası boştu. Sinirli olacağımı, kızının gerdek gecesinde bekleyen bir anne gibi sıkıntıyla bekleyeceğimi sanıyordum. Yakalanma korkusuyla her sesi deli gibi dinleyeceğimi sanıyordum. Ama ışıkları söndürüp, kavuğumu çıkardım, hançerimi bir kenara koydum, yatağa uzanıp kendi odamdaymış gibi bir rahatlıkla kısa zamanda uykuya daldım. Uzun zamandır bu kadar güzel uyumamıştım.

Uyandığımda kendi odama döndüm. Yatağım dikkatle bir kenara toplanmıştı, sanki hiç dokunulmamıştı, ama odanın havasında kesin olan bir şey vardı: Sevişmenin o taze hoş kokusu, bir hadımın odasında asla olmayacak olan... Camı açtım, hiç iz bırakmadan çıkıp gitti, tıpkı sabah güneşiyle uçuveren çiğ damlaları gibi. Bülbül yerini tarla kuşuna bırakmıştı.

Eve doğru uzun yolculuğumuza çıkarken arabaya atlayan İsmihan hiç görmediğim kadar mutluydu. Geçirdiği gecenin hayatındaki böyle geçecek tek gece olmasına aldırmıyordu. Sevilmiş ve sevmişti, aşkın mutluluğunu yaşamıştı, bu onun daima istemiş olduğu şeydi. Aslında onun bu neşeli hali belki de ev sahiplerini gücendirmiş olabilirdi, ama buna ne İsmihan, ne de ben aldırıyorduk. Yola koyulduk. İsmihan yüksek sesle şarkılar söylüyordu, sesi arabadan taşıp kırlara yayılıyordu. Ve sanıyorum bunu uzaklarda bir tepeden, at üstünde bize bakan Ferhad bile duyuyordu.

Bu durum epey bir sürdü, çok iyi vakit geçiriyorduk, hizmetkârlar bile kahkahalar atıyordu.

Ne olursa olsun, dedim kendi kendime, bunu yaptığım için asla pişman olmayacağım.

Böyle şeyler, tıpkı iyi havalar gibi sonsuz değildi. İki haftayı aşkındır yoldaydık ve İsmihan birden hastalandı. Birkaç gün mola verdik ama hiç iyileşmedi, en titiz tedaviye bile cevap vermiyordu. Sonunda bu halde de olsa yola devam etmekte ısrar edince onu dinledim. İstanbul'a bir an önce ulaşmalıydık. İsmihan neredeyse her yarım saatte bir kusmaya başlamıştı. Su bile içse kusuyordu.

Önce zehirlenmiş olabileceğini düşündüm, ama böyle bir şey olsa bizler de hastalanırdık, kaldı ki mevsim böyle hastalıklara uygun değildi, kaynak suları buz gibiydi, karlar daha yeni eriyordu dağlarda. Ne düşüneceğimi bilemiyordum, efendim kim bilir ne kadar kızıp üzülecekti. Ona karısını Konya'dan sağlıklı ve güzel bir çiçek değil paçavra gibi getiriyordum. Sözümü tutamamıştım.

Sonunda bu üzüntüyle İstanbul'a vardık. İsmihan'ı kendi haremimize yerleştirince biraz rahatlamıştım, selamlığa gidip geldiğimizi ve karısının durumunu Paşa'ya haber vermeye hazırlanıyordum ki, İsmihan eliyle beni durdurdu.

"Hayır Abdullah, durumumu söylememelisin ona," dedi. "Kendisini bu gece beklediğimi söyle, lütfen."

"Ama, hastasın, zor yürüyorsun."

"Hayır, mecburum buna. Sağlıklı ve çekici olmalıyım." Ayağa kalkıp bir iki adım atmaya çalıştı.

Yüzümdeki ifadeden umutsuzluğa düşmüş olacak ki, kolumdan tutup tekrar yanıma oturdu. "Oh Abdullah!" dedi. "Korumaya çalıştığın kadınlarla ilgili olarak bu kadar az mı bilgin var? Onların hamile olduklarını anlayamıyor musun?"

Duyduklarıma inanamıyordum, şaşkınlıkla, "ama daha önce hiç bu kadar hastalanmamıştın," dedim.

"Çünkü bu defa yaşayacak. Bunu biliyorum, Abdullah. Allah dualarımı kabul etti."

"Ve dileğini yasak aşkla yerine getirdi."

"Evet," diye cevap verdi, sesinde hiçbir pişmanlık izi yoktu.

"O halde efendimizle buluşmalısın bir an önce, hatta bu gece, kuşkuya düşmemeli."

"Evet," dedi İsmihan, sesinde yine bir korku ya da kararsızlık yoktu. O görevini yapacaktı.

# XL

*İ*ŞLER YOLUNA GİRİP, İsmihan da biraz kendine gelince bu güzel haberi vermek üzere birlikte Saray hareminin yolunu tuttuk. Soğuk içecekler ve dedikoduyla geçirilecek bir öğleden sonraydı. Yaşlı Ayva, bebeği güçlendirmek, ona iyi şans getirmek için bütün maharetini kullanacaktı ve bunun yanında tabii ki cinsiyetini de başta anne adayı olmak üzere tüm meraklılara müjdeleyecekti. Bunun karşılığında İsmihan da kutsal yerlere yaptığı geziyi ince ince anlatacaktı. Bazıları da bir köşede daha da özel şeyleri öğrenecekti; nasıl dilek tutulduğunu, nasıl bunun için dua edildiğini...

İsmihan kendisine sarılıp öpenler arasında Safiye'yi görmeyince önce üzüldü. "Ya benim Safiye'min güzel bebeği nerelerde? İki yaşına geldi neredeyse, ikisini de görmeyi ne kadar istiyorum!"

"Oo, duymadın mı?" Kızlardan biri çenesini tutamayıp konuşmaya başlamıştı. "Şehzade Murad babasını dinlemeyip bu sabah İstanbul'a geldi."

Artık ok yaydan çıkmıştı, hepsi bir ağızdan konuşmaya başladı:

"Sancağı bırakmış."

"Gece gündüz hiç durmadan at sürmüş."

"Safiye onun bütün Manisa çağrılarını reddetmiş."

"Çocuk büyüdüğü halde bile gitmedi."

"Diyorlar ki," diye kıkırdadı kızlardan biri, "Şehzade arzudan yanıyormuş."

"Bu kız..." dedi Nur Banu. Yeni oluşmuş bir nefret sanki elle tutulur gibiydi buz gibi sesinde. Bu, sıradan, her zamanki kıskançlık değildi, belli ki oğlunun gelince onu hemen mabeynde görmemesine çok bozulmuştu.

Saray'ın hadımları bu sırada beni çağırıp yardımımı istediler. Neredeyse hepsi zehirlenmişti hadımların. Dün akşam, bizi yumuşak başlı yaptığı iddia edilen özel et yemeğinden yiyenlerin hepsi yataklardaydı. Hadımbaşının yüzü bile yemyeşildi. Benden ona mabeynde yardım etmemi rica etti. Şehzade aniden geldiği için, uzun zamandır durgun olan hayat, mabeynde aniden hareketlenmişti. İsmihan nasıl olsa Saray hareminde, şu anda güvendeydi, bu ricayı kabul etmemde bir sakınca yoktu.

Zaten o da bunu sorduğumda, "Tabii Abdullah, gitmelisin," dedi. "Konuşmalarımız belki çoktan canını sıkmıştır, haydi git."

Hemen başıma Saray hadımlarına ait beyaz bir kavuk ve üstüme de kenarı yeşil tüylü bir hırka verildi. Koridorda benimle birlikte bekleyen hadımların karınlarına ağrı girdikçe nasıl duvara yapıştıklarını görüyordum. Aslında bu adamlar neredeyse on adım aralıkla dizilip nöbet tutuyorlardı. Ama bugün benden başka birinin duvarların arkasındaki konuşmaları duyacak hali yoktu.

Duyduklarım Safiye ile Murad'ın konuşmasıydı. Şehzade'nin sesi öfke doluydu.

"Burada seni çeken nedir? Beni neden bir kenara atıyorsun? Niye burada kalmak zorundasın? Manisa'da yapamadığın neyi yapıyorsun İstanbul'da?"

"O saman arabası işinde başarılı olamadığım için hayal kırıklığına uğradığını biliyorum. Ama Şehzadem bana güvenmelisin, bunu başarmak için bir yığın yeni yöntem deniyorum."

"İsyan işini bir yana bırak. Bu hem senin, hem de oğlumuzun geleceği için çok tehlikeli. Ayrıca eğer sen benim yanımda olmayacaksan Sultan olmaktan bana ne?"

"Evlenebilir..."

Murad onun sözünü bıçak gibi kesti, "Anneme söz verdim."

"Ve bir erkek çocuk bile bunu değiştiremiyor."

"Onun sende de bir değişiklik yaptığı söylenemez."

"Niye, ben çocuğumuza bakıyorum..."

Bir çocuk ağlaması duydum, küçük Mehmed de içeride olmalıydı, babasını ilk kez görüyor sayılabilirdi.

"Gel tatlım, haydi git annene."

Bu ses bir başka kadına aitti. Demek ki Mehmed'in dadısı da içerdeydi. Kadını biliyordum; tombul, yumuşak huylu, tatlı bir kadındı. Kocası ve çocukları Manisa'daydı ve doğduğundan beri Mehmed'i o emziriyordu. Bu sayede Safiye; Divan'ı, limanı, karargâhları, müftüyü hadımının yardımıyla kontrol edip bilgi alabilmek için bol bol vakit buluyordu. Bebekse annesinden daha fazla bu kadına bağlanmıştı, ona güveniyordu. Özellikle de odanın ortasında böyle azgın bir boğa varken. Çocuk, Safiye ona doğru sahte bir ilgiyle yaklaşınca ağlamaya başlamıştı.

"Evet, görüyorum," dedi Murad. "Sana bala giden arı gibi geliyor."

Kavga giderek büyüyordu.

"Manisa'nın hiçbir şeyi eksik değil. Benim orada doğup büyüdüğümü unutma."

"Ah evet, nasıl unutabilirim ki? Annen durmadan anlatıp duruyor küçük Murad'ıyla orada geçirdiği güzel günleri... Neden onu alıp yanında götürmüyorsun, ikiniz pek mutlu olursunuz."

"Manisa bir çocuğun büyümesi için çok uygun bir yer. Ne kalabalık ne de pislik. İstanbul'a benzemez."

"Orada sıkıntıdan patlıyorum."

"Ne dedin?"

"Dedim ki orada sıkıntıdan ölürüm. O sessizlikte insanın kulakları hissizleşiyor."

"Sıkıntı? Orada benden mi sıkılacaksın?"

"Bunu sen söyledin, ben değil."

"Senin derdin ne? Ben, Osmanlı tahtının varisi, sana yetmiyor muyum?"

"Ben böyle bir şey söylemedim." Ses tonu söyledikleri kadar masum değildi.

"Yoksa beni aldattın mı?"

"Hahaha, güleyim bari, bu çok komik. Evet, bu duvarların arasında, etrafta bir yığın hadım ve her adım attığım yerde göz göze geldiğim sevgili annenle..."

"Çocukken haremde anlatılan hikâyeleri unutmadım ben. Çamaşır sepetlerinde içeri alınan sevgililer..."

"Eğer bir sevgili arasam, çamaşır sepetlerinde saklanacak kadar aşağılık birini seçmezdim. Hayır efendim, bir âşığım yok. Ama doğrusu arada yeşil taze hıyarlara gözüm ilişmiyor da değil, kendime bir iyilik yapmayı..."

"Ne? Seni orospu seni, aşağılık fahişe, parayla satın alınan bir fahişesin sen."

Dadının alçak bir sesle, korku içinde bebeği annesinden almaya çalıştığını duydum, herhalde bu rezilâne sözleri duymaması için kulaklarını kapatacaktı.

Safiye güldü, "Elinden ne gelir bu durumda, söyle, ben senin ilk oğlunun anasıyım. Sen bana mecbursun artık. Ne yapacaksın, küçük piçini öldürecek misin?"

Dadı inledi, "Allah korusun ya Rabbim."

"Hayır, ama başka bir karı alabilirim kendime. Bu haremdeki herhangi bir kadını, her kadını. Bu ülkedeki her kadını. Bu dünyadaki..."

"Umurumda bile değil. İstediğin kadarını al."

"Aldırmıyorsun öyle mi?"

"Kimle yatarsan yat, ilk doğan Şehzade benimki. Sana bacaklarının arasındaki kuşunu uçurmayı ben öğrettim."

"Sana göstereceğim kahpe. Şu Allah'ın cezası dünyadaki herhangi bir kadın, herhangi bir kadın... Hatta işte şu kadın... Şimdi hem de."

"Ne , ihtiyar dadı mı?"

"Evet, Allah'ın belası. Yapabilirim, yapacağım."

"Efendimiz, efendimiz..." Dadı önce şaşkınlık ve korku, sonra da acıyla bağırmaya başlamıştı.

Çevredeki diğer hadımlara endişeyle baktım. Biri yerde iki büklüm kıvranıyordu, diğerleri ise onun şakaklarını ve bileklerini ovuyordu. Adam birden ayağa fırlayıp tuvalete doğru koşmaya başladı, midesi yine bulanıyordu. Hiçbir şey duymamışlardı, duysalar bile buna aldıracak halde değillerdi. Ayrıca zaten içerdekilerin ne konuştukları onları ilgilendiremezdi.

Durup, dinlemeye devam ettim. Dadı ağlayarak yalvarıyordu, "Lütfen efendimiz, acıyın."

Çocuk da dadısı ağladığı için ağlamaya başlamıştı. Safiye'nin haşin bir şekilde onu susturmaya çalıştığını duydum, sonra alaycı bir kahkaha attı ve "Bak babana aslanım," dedi, "azmış bir sokak kedisi gibi..."

"Orospu!" Murad da bağırıyordu.

O sırada kapı açıldı ve zavallı dadı perişan bir halde dışarı fırladı, bana bakmadan koşarak hareme kaçtı. Düşük şalvarına da, düğmeleri açık yeleğine de aldırmıyordu.

"Sen tek değilsin," diye devam ediyordu Şehzade, "istediğim an istediğimi alırım."

"Böyle işlere kalkıştığında onların kaçıp gitmelerine izin vermemeyi öğrenmelisin önce."

Çocuk avaz avaz ağlıyordu.

"Al götür şu Allah'ın belası veledi, yoksa."

Bebeğin yumuşacık yanağında patlayan bir şamarın ardından dehşet verici bir sessizlik oldu ve sonra zavallı masum yavru acı dolu bir çığlık attı. Koridorun ucundaki hadım irkilerek bana dönmüştü. Ben ona bir şey söyleyemeden kapı açıldı. Bu Safiye'ydi. Öfkeden yüzü kıpkırmızıydı, belki de biraz korkudan. Ama bunu belli etmemeye çalışıyordu.

"Ah sen misin Veniero," dedi. "Koş hemen çocuğa bakacak birini çağır."

Kucağındaki bebeği tutmakta zorlanıyordu, bunun nedeni ne acemiliği, ne de bebeğin huysuzluğuydu, zavallı çocuğun yüzünden akan kanın elbisesini lekelemesinin peşindeydi kalpsiz Sofia.

Çocuğu ben almak istedim. Daha önce kucağıma hiç bebek almamış olmama karşın bu işi daha iyi yapabileceğimden emindim.

Safiye sert ve kesin bir şekilde, "Hayır, sen değil," dedi. "Ne yaptığını bilen birini bul getir."

Babasının iri taşlı yüzüğüyle yanağı boydan boya açılan çocuk, acıdan tıkanmıştı, sesi çıkmıyordu, yüzü morarmıştı, birden patlar gibi tekrar bağırdı ve ağlamaya başladı. Artık daha fazlasına dayanamazdım. Çocuğu Safiye'nin elinden kapıp, koşarak birini bulmak için uzaklaştım. Zavallıyı Allah'ın belası anası ve babasıyla bırakamazdım. Ben hareme ulaştığımda arkamdan Safiye'nin İtalyanca küfürleri ve Murad'ın hakaret dolu naraları koridorlarda yankılanıyordu.

Haremin revirinde genç bir zenci kız, yaşlı dadıya yardım etmeye çalışıyordu. Zavallı kadın bir kenara külçe gibi çökmüş ağlayıp sızlanıyordu, "Allahım, Allahım, sen bana acı da canımı al. Mansur'um bu olanları duymadan al canımı Allahım..."

Kucağımdaki Mehmed'i görünce kadın kendi acılarını unutup hemen ileri atıldı. Çocuğun yüzünün yarısı yok olmuş gibiydi, neredeyse kemikleri dışarı çıkmıştı ve kolum oradan boşalan kanla kıpkızıldı.

Çocuk kadının kollarında ya biraz olsun huzur bulduğundan, ya da artık iyice kendinden geçtiğinden susmuştu. Dadı gözyaşlarıyla onun yüzünü yıkıyordu adeta, kolunun kenarıyla ve mendiliyle kanı durdurmaya çalıştı.

"Bu kanama durmaz!" diye bağırdı. "Sana neler yaptılar? Meleğim benim." Yanındaki kıza döndü, "haydi çabuk ol, koş, Ayva'yı çağır," dedi.

Kalfa Kadın gelene kadar bekledim. Yaradan hâlâ kan fışkırıyordu. Ayva burnundan soluyarak işe girişti. Rengi iyice yeşermişti. Durumun ciddiyeti tavrından belliydi. Öylesine öfkeyle doluydum ki, her şeyi göze alarak Sofia Baffo ve Murad'a iki çift laf etmek üzere dışarı fırladım.

Kapının ağzında durdum. Şiddet başka bir şekle dönüşmüştü. Azgın sevişmelerinin inilti ve bağırışları dışarı taşıyordu. Midem bulandı, kusmak üzereydim.

Hâlâ karın ağrılarıyla kıvranan bir hadım beni görünce, "Şu Allah'ın belası yemek, değil mi?" dedi. Benim de kendilerini zehirleyen dün akşamki sofradan nasibimi aldığımı sanmıştı.

❧

Bir ya da iki hafta sonra tekrar Saray'a gittik. Safiye yine canlı ve neşe doluydu. Ne oğlundan, ne de Manisa'ya gitmekten söz etti. Haremde dolaşırken zenci kıza yeniden rastlayınca son durumu sormadan edemedim. Çocuğu öyle merak ediyordum ki, kızın revir yerine neden en alt tabaka hizmetkârların çalıştırıldığı çamaşırhanede olduğunu sormak aklıma bile gelmedi.

Büyük bakır bir kazanın arkasından bana bakıyordu, gözyaşlarının önce buhardan ötürü olduğunu sandım ama sonra anladım ki hayal kırıklığı ve üzüntüden ağlıyordu.

"Bana yanağının iltihaplandığını söylediler," dedi. "Yüzünde daima bir iz kalacak, o güzel, mükemmel yüzde! Ona iyi bakmadılar. Eminim. Belki üzerine sineklerin konmasına bile izin verdiler. Allah biliyor, eğer ben orada kalsaydım canım gibi bakardım ona. Gözümü bir an bile üzerinden ayırmazdım. Gece gündüz başından ayrılmazdım."

"Ama onun dadısı da çok dikkatli ve titiz bir kadındır."

"Duymadın herhalde."

"Hayır bir şey duymadım."

"Dadı artık burada değil."

"Nerede?"

"Evine döndü."

"Mehmed'i bıraktı mı?"

"O mecbur etti kadıncağızı?

"O?"

"Gözde, Safiye. Çocuğun başına gelenin nedeninin dadının dikkatsizliği olduğunu söylüyor. Bu doğru değil."

"Hayır," dedim. "Doğru olmadığını biliyorum."

"Bunu kıskançlığından, kötülüğünden yaptı. Dadı bana olanları anlattı. Safiye'yi, Murad'ın yapmak istediklerini... Safiye şimdi Saray'daki durumunun sandığı kadar emin olmadığını biliyor. Şehzade kolaylıkla bir başkasını alabilir. Kolaylıkla, kolaylıkla. Neden yapmasın? Belki bu onun aklını başına getirir de çocuğuyla biraz ilgilenir. Aslında çocuğu demek istemiyorum. O kadın anne olmayı hak etmiyor. Zavallı dadı çok daha yakındı bebeğe, onun annesi gerçekte o kadındı.

Ama tabii Safiye çıldırdı. Kadının hayatını zindana çevirdi. Kendiliğinden gitmeyi istesin, diye elinden geleni yaptı. Ama dadı çocuğa öylesine bağlıydı ki, her şeyi sineye çekti. Sonunda Safiye onu kovdu.

Ne kadar üzücü bir gündü. Hiç unutmayacağım dadının ve çocuğun birbirinden ayrılışlarını, daha doğrusu koparılışlarını. Kadın arka kapıdan sokağa atılırken çocuk devamlı ağladı. Hem de saatlerce ve tabii yüzündeki yara tekrar açıldı ve sonra da iltihaplanmış... Bildiğim bu kadar. Dadıyı uzaklaştırdıktan sonra beni de onun yardımcısı olduğum için buraya attılar."

O sırada çamaşırcıbaşı içeri girdi. "Hâlâ aynı yerde misin kız?" dedi. "Hâlâ küçük şehzadenin sütten kesilme ağlamalarından mı bahsediyorsun? Unutma herkes er ya da geç memeden kesilir. Hem dadının sevinmesi lazım, iki yıldır ailesinden uzaktaydı, artık kafasını dinler."

"Süt meselesi değil yalnızca, dilerim Şehzade Murad ölene kadar bunun azabını çeker."

Çamaşırcıbaşı iri kıyım bir kadındı, kolları güreşçi gibiydi, yüzü çiçek bozuğuydu ama iyi bir insandı, yumuşak bir sesle konuşmaya devam etti. "Bunlar bizim anlayacağımız işler değildir," dedi.

"Ben de annemden küçücükken koparıldığım için biraz olsun anlayabilirim," diye cevap verdi kız.

"Murad buradayken Safiye'nin biraz kendini topladığını duydum. Oğlunun, kendi geleceği açısından ne anlama geldiğini artık iyice biliyordur ve belki bir tane daha yapar bu uğurda."

"İhmal edeceği bir ikinci?" dedi kız, öfkeyle önündeki kaynar suyun içindeki çamaşırları bir tahtayla karıştırıyordu.

"Artık Şehzade Manisa'ya döndü, burada her şeyin yola girdiğinden emin ve yaza Safiye'yle oğlunu yanına bekliyor."

"Şehzade olunca hayatından memnun olmak çok kolay oluyor galiba."

"Bunlar asil aşkın nağmeleri. Sen..." Kadın kızın simsiyah tenine baktıktan sonra eliyle izlerle dolu kendi yüzünü işaret etti. ."..ve ben bunu asla bilemeyeceğiz."

"Bence bu aşk değil, öyle olsa aşkın meyvesine karşı bu kadar kayıtsız kalabilirler miydi?"

"Haydi kendine gel, çocuk çok küçük. Bunu unutur gider. Hem biliyorsun insan üç hatta dört yaşından öncesini hatırlamaz."

"Evet, belki de. Ama o iz daima yüzünde kalacak. Ve eminim ona her dokunduğunda, ne olduğunu hatırlamasa da içini bir karanlık, bir korku kaplayacaktır. Ölene kadar bu duyguyu yaşayacağından da eminim."

Kadın başını iki yana salladı. Kıza karşı yumuşak davranmak istiyordu, ama onları bekleyen bir yığın iş vardı. "Haydi," dedi, "Şunları asalım. Daha bir yığın çamaşır var hakkından gelinecek. Güneş kaybolacak gibi, haydi gel, acele et."

Kız yanındaki sepeti aldı, en tepede artık rastlantı mıydı, değil miydi bilmiyorum ama, küçük bir yelek duruyordu. Elinin tersiyle gözyaşlarını silerken onu bırakıp dışarı çıktım.

# XLI

*S*ARAY'A BİR SONRAKİ GİDİŞİMİZDE Safiye, İsmihan'ı kolundan tutup bir köşeye çekti. Ben kısa, İsmihan ise daha uzun bir süre, onun gebelik nedeniyle böyle yakın davrandığını sandık. İsmihan, her ne kadar haremin bu en güzel kadınından özel ilgi görmekten mutlu olsa da, ikisi birbirinden çok farklı iki kadındı.

"İsmihan, yeniçeri avlusundaki davul seslerini duyuyor musun?"

"Evet," diye cevapladı hanımım, bir yandan da hafifçe büyüyen karnını sıvazlıyordu. "Bütün sipahiler gitti, Anadolu'dakiler de onlara katıldı..."

"Kocanı özlemişsindir." Safiye sempatik bir ifadeyle gülümsüyordu. İsmihan buna aynı şekilde cevap vermedi, yalnızca başını sallamakla yetindi. Alt dudağını ısırdı, aklından Safiye'nin bu yakınlığı karşısında acaba ona çocuğun gerçek babasını söylesem mi, gibi bir şey geçmişti galiba.

"Bu yıl kuzeye yürüyorlar," dedi Safiye.

"Öyle mi?" İsmihan onların ne tarafa yürüdüğüyle pek ilgili değildi. Yalnızca İstanbul'dan geçerken içlerinden birinin bıraktığı tek bir gülü düşünüyordu.

"Bence bu çok ilginç."

"Dünyanın dört bir yanı Allah'a ve onun gölgesine

aittir," dedi İsmihan. Bunda hiçbir ilginç taraf görmüyordu.

"Ama baban bu yıl başında Avusturyalı Maksimilian'la barış imzalamıştı, bunu biliyorsun. Kuzeyde Avusturya'dan ve Macar ovalarından başka bir yer yok ki... Sultan anlaşmayı bozmayı mı düşünüyor acaba? Buna inanmak zor. Zaten öyle bir anlaşmayı imzalamak yeterince güçsüzlüktü. Süleyman olsa, asla böyle bir şey yapmazdı. Ama senin baban Süleyman değil, o anlaşmayı bozabileceğini de sanmam."

"Tabii ki Hıristiyan olduklarına göre Avusturyalılar'ı da yenmemiz gerekir."

İsmihan kendince bu politik konuşmaya katkıda bulunuyordu, ama bu sözler üzerine Safiye sıkıntı içinde saçıyla oynadı. "Evet, bu da var. Ama daha önemlisi Avusturya'nın şu anda çok güçsüz olması. Onlarla anlaşma yapmak bile çok saçmaydı."

"Zayıf birini yenmek bir zafer midir?" diye sordu İsmihan. "Başka biri olmalı."

"Kesinlikle," dedi Safiye, "ama kim, kuzeyde başka kim olabilir?"

İsmihan'ın bu konuda hiçbir fikri yoktu, omzunu silkerek ilgisizliğini gösterdi. Bunun üzerine Safiye yüksek sesle düşünmeye başladı. Belli ki günlerdir bunları geçiriyordu aklından.

"Aslında güneye gideceklerinden emindim. Yemen isyan etti, diğer Araplar da onları izleyebilir. Baban bile, o kadar güçsüz olmasına karşın..."

"Babam güçsüz değildir, o Allah'ın gölgesidir."

"Afedersin İsmihan, haklısın. Kutsal şehirler ve Mekke'ye yansıyabilecek isyanları göze alamazdı."

İsmihan bu isim geçince, küçücük bir dua mırıldandı.

"Ama Arabistan güneydedir."

"Öyle mi?"

"Tabiii, o tarafa dönüp namaz kılıyoruz."

"Ah, evet."

"Gazanfer onları bir gün boyunca izledi. Hadımım Gazanfer'i biliyor musun? Parlak, hırslı ve bu özelliklerinin yanında çok da disiplinli."

Konuşurken bana bir bakış atmayı ihmal etmemişti. Bu söyledikleri ona göre bende olmayan şeylerdi. Herhalde onları duyamayacağım bir yerde olmamı tercih ederdi. Gülümsedim, ona cevap vermek gereğini duymadığımı belli etmiştim. İsmihan bu imalı konuşmayı anlamamıştı bile ve bana gitmem de söylenmediğine göre Safiye, çaresiz bıraktığı yerden sözlerine devam etti.

"Gazanfer bana ne dedi biliyor musun? Ordu yürürken bir yandan da, İstanbul'un kenar mahallerinde yaşayan bir yığın evsiz barksız göçmen, bazı yeniçerilerle birlikte Karadeniz'e açılan gemilere binmiş. Hem de bir yığın... Nereye gidiyor olabilirler?"

Safiye tekrar sordu: "Nereye?" Tam İsmihan bunların onu ilgilendirmediğini söyleyecekti ki, Safiye onu da niye ilgilendirmesi gerektiğini açıklamaya başladı. "Eğer baban onların nereye gittiğini biliyorsa bile, yaptığı konuşmada buna ait hiçbir bilgi yok. Baban büyükbabana benzemiyor, savaşla ilgisi yok onun. Konuşması tamamen dini ve alışıldık cümlelerden ibaretti. Gazanfer bana kelime kelime aktardı. Şeyhülislam ne dediyse baban da onları tekrarlamış. Başka bir şey yok. Üstelik orduyla gitmiyor! Süleyman ölüm yatağında bile bunu yapmadı. Eğer baban bu konuyu bilse de bu kararla bir ilgisi yoktur, olsa Gazanfer ya da başka bir hadım bunu duyardı. Yani İsmihan, orduyu baban yönetmiyorsa, kim yönetiyor?"

"Üzülme Safiye," dedi İsmihan. "Ordularımız gayet iyi yönetiliyor. Kocam onların başında ve bunu ondan daha iyi başarabilecek bir Müslüman yoktur."

"İşte durumu anladın!" dedi Safiye, gözleri cümleyi tamamlıyordu. *En sonunda.* "Ve senin kocan, Vezir-i Âzam da bu konuda Divan'da tek kelime etmedi."

"Bunu nereden biliyorsun Safiye?" dedi İsmihan.

"Eğer vaktim olursa Sultan'ın Gözü'ne kendim gidiyorum, olmazsa her gün Gazanfer'i yolluyorum."

"Galiba Gazanfer her yerde hazır ve nâzır."

"Sana onun ne kadar mükemmel bir hadım olduğunu söylemiştim."

"Onu nereden buldun?"

"Şu anda durup bunu anlatamam. Başka bir sefere. Senden bana söylemeni istediğim şey, sizin evde böyle bir toplantı yapıp yapmadıkları. Güvenlik için böyle yapmış olabilirler. Saray'da yapmadıkları kesin."

İsmihan bunu hatırlayamadığını söyledi. "Öyle çok toplantı yapıyor ki, hangi birini hatırlayayım."

"İmparatorun sipahi alayı komutanı da orada olmalıydı," diye yardım etmeye çalıştı Safiye.

İsmihan kızarmıştı. "Evet, sen söyleyince hatırladım, vardı..."

"Haydi devam et. Demek ki sizin evde buluştular."

İsmihan kızarıp bozarmaya devam edince Safiye ona başka ipuçları da verdi. "Yeniçerilerin başı da orada olmalıydı."

*Ve diğer vezirler ve Kaptan Paşa, çünkü donanma da kullanılmıştı.* Devamını içimden ben getiriyordum, *çünkü o toplantıyı gayet iyi hatırlıyorum. Ve Şeyhülislam da oradaydı. Her yapılacak iş için onun onayı şarttı. Sonunda bunu yapmıştı da. İslam'ın yönettiği toprakların bir kısmı on yıldır Ruslar'ın elindeydi, bunun geri alınmasına nasıl fetva vermemezlik edebilirdi zaten?*

"Böyle bir toplantıyı hatırlar gibiyim," dedi İsmihan. "Ama ne konuştuklarını bilemiyorum. Tek aklımda kalan kanal yapmaktan söz ettikleri, bu da bir savaş değil, barış işi."

"Kanallar mı?" Safiye bir süre düşündü.

"Akdeniz'le Kızıldeniz'i birleştirecek büyük bir kanal konusunda Sokullu'nun parlak düşünceleri olduğunu biliyorum. Böyle kısa bir su yoluyla Hindistan'dan Çin'e kadar olan bölgelerin ve hatta daha da ilerilerinin kontrolü sağlanabilir. Bu şekilde aylar süren yolculuklarla Afrika'yı dolaşarak Hindiçin'den mal getirecek Portekizliler ve İspanyollar da ticarette Osmanlı'yla rekabete giremezler."

İsmihan, "Kocam çok akıllı biridir," dedi.

"Gerçekten de öyle," diye onayladı Safiye. "Ama şu sıralarda, Yemen olayları sürüp giderken kimsenin böyle Kızıldeniz'in boğazını kesmeye kalkışacağını sanmıyorum."

İsmihan'ın coğrafya ile de bir ilgisi yoktu ama yine de bir denizin boğazının kesilmesi benzetmesi çok hoşuna gitmişti.

O bunu düşünürken Safiye de konuşmaya devam ediyordu. "Ve ordu kuzeye yürüdüğüne göre, demek ki şimdilik Sokullu Paşa bu projeyi tehlikeye atmak istemiyor, ileriye erteledi."

Safiye'nin düşüncelerini istifleme biçimi inanılmazdı. Ve hatta küçücük bir ipucundan yola çıkarak yarattığı senaryoların mükemmelliği korkutucuydu. Sebep ve sonuç ilişkilerini inanılmaz bir akıl bütünlüğünde değerlendiriyordu. Aslında İsmihan haklıydı. Konuşulan konu kanallarla ilgiliydi. Lala Mustafa Paşa, ikinci vezir, Suriye ve Mısır'la yakından ilgileniyordu ve neredeyse Safiye'nin söylediklerinin aynını söylemişti o toplantıda. Şeyhülislam da Hicaz'la ilgili benzer görüşler ileri sürmüştü.

Bunun üzerine efendim eski bir kitabı ortaya çıkarmıştı, bu onun uzun uykusuz gecelerini paylaştığı bir kitaptı. Yunanca'ydı, Şeyhülislam bunu gördüğünde öksürüp 'Allahsız bir dil' diye itiraz etmişti. Ama Sokullu okumakta ısrarlı davranmıştı.

"Büyük İskender zamanında, Seleucus Nicator adında bir adam, Don ve Volga arasında bir kanal açılmasının gerekliliğinden söz ediyor."

"Hıristiyanlardan bile beter," demişti Müftü. "Bir Allah'sız."

Lala Mustafa Paşa güce tapardı ve Büyük İskender sözleriyle konuya kilitlenmiş gibi dinliyordu. Ama yine de sormuştu, "bu kadar uzak bir yerdeki kanalın ne faydası olabilir, yıllarca sürer bu ve amacı nedir?"

"O kadar da uzun sürmez," demişti Sokullu. "Bu iki ırmak bir noktada birbirlerine çok yaklaşıyorlar. Yürüyerek bir günlük mesafe, derinlik de çok az."

"Hâlâ bunun ne anlama geldiğini anlamış değilim."

Bunun üzerine Sokullu bir harita çıkarmıştı ortaya. "Don, Karadeniz'e dökülüyor, buradan kolaylıkla oraya gidebiliriz. Nehir boyunca teknelerimiz ilerleyebilir, kanalı geçer ve oradan da Volga'ya , o da..."

"Hazar'a!" Lala Paşa kendini tutamayıp bağırmıştı.

"Ki o tam da kalbine iner..."

"İran'ın!"

"Evet. Ermenistan ve Kürtler'in yaşadığı dağlık bölgelerde çektiğimiz zorlukları düşünün. İran'a karşı her savaşta heba etmek zorunda kaldığımız binlerce adamı düşünün, hayvanları, malları, parayı ve zamanı... En az iki ay gidiş, iki ay dönüş. Ve her şey aynı zamanda kara bağlı."

"Ayrıca o dağlardan istediğimiz kadar silah da geçiremiyoruz, geçitler çok dar," diye destek vermişti Lala Mustafa Paşa.

"Şu İranlılar'ı Sünnileştirebilirsek, bundan daha büyük başarı olabilir mi iki cihanda?" Şeyhülislam bile konunun önemini kavramış görünüyordu.

"Yalnızca bu değil, İran'dan ötesi de var. Volga bizi Asya'nın göbeğine kadar götürür. Süveyş kanalı için harcayacağımız insan ve paradan daha azıyla aynı amaca ulaşabiliriz bu yöntemle. Böyle bir şey ülkemizi yüzyıllar boyu refah içinde yaşatacak yolları açar."

"Allah'ın izniyle, inşallah."

"Böylece Astragan'ı da kontrol altında tutabiliriz," diye eklemişti Lala Paşa.

"Evet," demişti Sokullu. "Bir kez güçlü Tatar kardeşlerimize ulaştık mı her şey kolaylaşır. Astragan, barbar Ruslar'ın elinde. Ölüler ortada kaldı, yaşayanlar hâlâ zincir altında, buradaki kentlerimiz göçmen dolu, kendilerine bile bakmaktan aciz bir yığın insan. Osmanlı'nın sırtındaki ağır yükler..."

"Aslında canavar gibi insanlardır Tatarlar," demişti Lala Paşa, "ve bu kanalın yapılmasında onlar da canla başla çalışacaklardır, eminim. Bundan sonra da bize bağlanmakta bir itirazları olacağını hiç sanmıyorum, bu da büyük bir gelir demektir."

Planın kabul edilmesi ve fetvanın çıkması uzun sürmemişti. Safiye bunları öğrenebilmek için İsmihan'ı sıkıştırıp duruyordu. Ama benim ağzımı açmaya hiç mi hiç niyetim yoktu. Sustum. İsmihan'ın sabrı ise artık taşmıştı, konuyu değiştirmek için, "Benim tatlı Mehmed'im nerede?" diye sordu.

"Oh, içerlerde bir yerde olmalı. Dadısı ona iyi bakıyor, merak etme."

"Yanağı nasıl, iyileşiyor mu? İz kalacak mı?"

"Ne yazık ki kalacak."

"Allah'ım sen koru onu."

"Bu konuda senin ya da benim yapabileceğim bir şey yok tatlım," dedi Safiye sıkıntıyla. "Bana bu yıl ordunun ne niyetle yola çıktığını söylesen daha yararlı olursun. Kocanın bu kadar ketum olması insanı deli ediyor."

"Casuslardan korkuyordur haklı olarak."

"Mutlaka ama ben casus değilim ki. Ben Osmanlı' nın çıkarlarını düşünüyorum. Oğlumun geleceğini..."

"Bana kalırsa onun yanında daha fazla zaman geçirirsen daha yararlı olabilirsin bebeğine.," dedi İsmihan cesaretle. Aslında yine de ondan çekiniyordu. Güzel kadınlar, erkekler üzerinde olduğu kadar kendi cinslerinin üzerinde de etkili olabiliyorlardı, bunu harem deneyimlerimden öğrenmiştim. Onlarla yalnızca hadımlar başa çıkabiliyorlardı, çünkü onların cinsiyeti yoktu.

"Allah izin verirse, oğlum büyüyüp adam olacak ve Sultan... Divanı, yeniçerileri, savaşı bilmesi gerekecek. Allah izin verirse orduları savaşırken haremde eğlenen cinsten bir beceriksiz olmayacak benim Mehmed'im."

"Ama yine de annesiyle daha fazla vakit geçirse iyi olmaz mı?"

"Ama eğer bunları bilmezsem, ona nasıl öğretebilirim?"

İsmihan sesini çıkarmadı, bunun cevabını bilmiyordu. Belki de taşıdığı bebeğe neler öğretebileceğini düşünüyordu.

Diğer kadınların yanına döndüğümüzde Safiye dikkatle gözlerime baktı. Dönüp benimle İtalyanca konuşmaya başladı, "Biliyorsun, öyle değil mi Veniero? Sen o toplantıyı biliyorsun, neler konuşulduğunu da."

Sessizce gülümsedim.

"Söyle bana," diye yalvardı. "Söyle bana nereye gittiler ve niye gittiler?"

"Sanıyorum hanımım çok haklı," dedim, Türkçe konuşuyordum. "Belki de çocuğunla daha çok zaman geçirsen herkes için daha iyi olur."

✥

# XLII

$\mathcal{B}$EN VEZİR-İ ÂZAM'A karısının zamanının geldiğine dair Astragan'a haberci yolladıktan hemen sonra oradan da bir haberci geldi. Belki de yolda birbirlerinin yanından geçmiştiler, hatta selamlaşıp birbirlerine iyi yolculuklar bile dilemiş olabilirlerdi.

Ne yazık ki gelen haberler gidenler kadar iyi değildi. Astragan'ın geri alınması gerçekleşmemişti. Başlangıçta olaylar başarılı gelişse de sonradan on beş bin Rus bunu püskürterek kanalın yapımını engelemişti. Belki Allah da buna karşıydı, her şey ters gitmiş görünüyordu, çünkü orada ölümden kurtulan yedi bini tekrar gemilere binip geri dönüş yoluna koyulduğunda bu kez denizde kopan fırtına bunların yarısından fazlasını alıp götürmüştü.

Haberci, Sokullu'nun haberlerin İstanbul'a kendisinden önce ulaşacağını bildiğini, karısının bu nedenle telaşlanmaması için kendisini yolladığını söyledi. En azından, Allah'a şükürler olsun, o eve dönebiliyordu.

Adam karargâha döndükten sonra doğum odasına girip girmemekte kararsızdım. Bunları çocuk doğduktan sonra söylemeyi düşünüyordum, ama İsmihan beni görür görmez yüzümden bir şeylerin ters gittiğini anlamıştı.

Sözlerimi bitirdiğimde küçük bir çığlık attı, acısından mı, sözlerimden mi bilmiyordum.

"Ne olur korkma," dedim. "Bak kocan geri geliyor sağsalim korkma."

"Ama ya?..."

Sözlerini tamamlayamamıştı, yine bilmiyordum acı mı, endişe miydi bunun nedeni. Ama sanıyorum çocuğunun gerçek babası için ağlıyordu.

Ben dışarı çıkarken o derin derin soluklanıyordu.

Hezimeti henüz bilmeyen sokaklarda dolaşıp durdum. Geri döndüğümde beni Ayva karşıladı.

"Çok zorlanıyor," dedi.

Kalfa Kadın doğum odasının eşiğine barut tozu dökmüştü, bunun anlamını biliyordum, eğer içeri girersem bir daha dışarı çıkamazdım, çünkü bu durumda sancılı kadının dayanma gücünün de odadan çıkıp gideceğine inanıyorlardı. Bunu yapmadım, orada bir yararım olamazdı, kapı önünde durup, olan biteni izlemek daha yararlı olabilirdi. Dışardan gördüğüm kadarıyla oda neredeyse karanlıktı, yakılan tütsülerle havası iyice ağırlaşmıştı. İsmihan'ın nefes alabilmesine bile şaşıyordum, zavallı ter ve gözyaşı içinde acı çekiyordu. Başucunda bir Kur'an asılıydı. Çevresinde ona cesaret vermek için dualar edip duran bir yığın kadın vardı.

"Bebek ters geliyor, hâlâ döndüremedim," diye söylenen Ayva'nın sesini duydum.

Kadınların bu dünyasıyla ilgili fazla bir bilgim olmamasına rağmen, köle bir kızın böyle bir nedenle daha geçenlerde ölmüş olduğunu biliyordum. İçim çaresizlikle buruldu. Ama yapabileceğim bir şey yoktu, odama gittim, zihnimi dağıtmaya çalışıyordum.

Kadınların sesleri odama kadar geliyordu ve hiçbir şey yapamaz durumdaydım. Yardımcılarım ve Saray'dan gelen kadınların hadımları yan taraftaki salonda muhabbet ederek, oyun oynayarak vakit geçiriyorlardı. Sanki bu kahkahalar onları kadınların acılı dualarından ayrı bir dünyaya götürüp, yarı kadın olduklarını unutturuyordu. Oyalanıyorlardı. Bu kahkahalara katılmak için içimde en ufak bir arzu yoktu.

Her şeyi bırakıp tekrar sokağa fırladım, karanlık İstanbul sokaklarına… Bir cami avlusuna ulaştığımda bile o sesleri hala duyuyor gibiydim. Orada çaresiz bir şekilde eğilip kalktım, yalvardım, ağladım.

Camide yalnız değildim. İki oğluyla birlikte battaniyelere sarınıp uyumaya çalışan bir adam daha vardı. Yanıma gelip beni teselli etti, karısı altı tane doğurmuştu ve bir yenisini bekliyordu, bunda korkacak bir şey yoktu.

Karısının bir zorlukla karşılaşıp karşılaşmadığını sordum.

"İlki kolay değildi," dedi, büyük oğlunun başını okşuyordu. "Beni odaya çağırdılar, karım eğer benim tohumlarım onu terk edip çıkarsa üzerimdeki bütün haklarından vazgeçeceğine yemin etti ve mucizevi bir şekilde çocuk doğuverdi. Allah'a şükürler olsun, böyle oldu. O günden sonra istesem onu boşayabilirdim ama neden yapayım ki? İyi bir kadın, Allah ondan razı olsun ve şimdi kolayca doğuruyor."

Adamın bu duyarsız konuşmasına deli olmuştum, keşke yalnız olsam, diye geçirdim içimden. Ama yine de beni oyalıyordu. Biraz sonra kızı gelip bir erkek kardeşinin daha olduğu müjdesini verdi, beni bırakıp gittiler. Neredeyse gece yarısı olmuştu. Ama bana kimse gelip rahatlatıcı bir haber vermiyordu.

İsmihan'a da böyle bir âdet uygulansaydı keşke. Ama bu aptalcaydı. Ayva İstanbul'un en iyi ebesiydi, daha iyisi yoktu, bunu biliyordum. Eğer böyle bir şeyin yararına inansa mutlaka yapardı zaten. Ayrıca kimi çağıracaktı ki? Sokullu Paşa burada olsaydı bile, İsmihan ve belki Ayva da bu tohumun sahibinin o olmadığını biliyordu. Ferhad yaşıyor muydu? Eğer öldüyse tohumuna sahip çıkabilirdi, şehit olduğuna göre cennette olmalıydı nasılsa. Aşkını da öbür dünyaya mı taşımaya çalışıyordu? Çünkü İslam'a göre doğum yaparken ölen kadınlar da şehit sayılıyordu.

Bu düşünceler beni öylesine büyük bir üzüntü içine sokmuştu ki, kendimi tutamadan hıçkırdım. Ya ben ne olacaktım? Ben cennete gidebilecek miydim onunla beraber? Baba olamadığıma göre ben ne olacaktım? Doğmaya çalışan bu bebekle ne yasal ne de bedensel bir ilgim vardı. İkisi de öylesine olanaksızdı ki, insanlar buna kahkahalarla gülebilirdi.

Ama birden üç-dört hafta önceki bir an gözlerimin önüne geliverdi. İsmihan'la ocağın başında satranç oynuyorduk. Ona üç yıl önce Ferhad'ı ilk gördüğümüz geceyi hatırlatmıştım. Odada başkaları olduğu için bunu ima ederek söylemiştim. Sessiz kalınca da, herhalde ne demek istediğimi anlamadığını düşünmüştüm.

Ama bir süre sonra gülümseyerek şöyle fısıldamıştı: "Onu ilk gördüğümde sana ne kadar benzediğini söylemiştim, hatırlıyor musun Abdullah?"

"Eğer gerçek bir erkek olsaydım..."

"Evet."

İsmihan sonra ani bir hareketle benim tamamen gözden kaçırdığım, zekice bir atak yapmıştı oyunda. Tam bunun zevkini çıkarmak için bir çığlık atmaya hazırlanıyordu ki, başka bir sürprizle karışmıştı yüzü. "Bak

Abdullah kımıldıyor," diye bağırmıştı. "Bebek kımıldı-
yor, gel de bak. İşte yine attı tekmeyi. Akşamları çok
oyunbaz oluyor. Gel Abdullah, utanma."

Ben de gidip elimi onun karnının üstüne koymuş-
tum. Yüzüm yüzüne çok yakındı. İçindeki canlının kı-
mıltısıyla heyecanlanmıştı, ama gördüğüm canlılık elimin
hissettiğinden daha fazla değildi. Bir gün bu şen yüz yok
olacaktı, yanaklarının altındaki kemikleri görür gibi ol-
muştum, ölümün yüzünü... Ben dokunurken bebek bir
tekme daha atmıştı, işte hepimiz gelip geçiyorduk... Bu
deneyden, belki de kendimi savunmak adına o anda,
ölümcül bir anlam yerine başka bir anlam çıkarmayı ter-
cih etmiştim. Hayat bir zıtlıklar yumağıydı, yaşamak ve
ölmek gibi. Ona anlam katan da buydu ve tıpkı bu ak-
şam olduğu gibi bazen, bu kutupların arasında bir uyum
oluştuğunda, tıpkı aynalar gibi birbirini yansıtmaya
başlıyorlardı ama aradaki görüntüyü yakalamayı başara-
mazsak, o da sonsuzluğa karışıp gidiyordu.

Gerçek, kalıcı olan İsmihan, bence ne Ferhad'ın
gözlerinin peşinde yanıp tutuşan beden, ne de Sokullu
Paşa'yla yapılan evlilik anlaşmasına asılı kalan ağır ceset-
ti. Onun ruhu bambaşkaydı, bir yansımanın ruhunu an-
latmak kadar zordu bunu da anlatmak. Ona rastladığım,
bir gelin gibi giyindiği ilk geceyi hatırladım ve Kütah-
ya'dan dönerken aramızda geçen o sessiz, içsel, ruhsal
konuşmayı bir de... Onun gerçek kocasının ben olduğu-
mu düşünmüştüm o an. Ne erkek ne de kadın olup ama
içimde her ikisine ait özellikleri de taşıyarak, onun ne
ölü ne de canlı olan sonsuz yansımasını gerçek anlamda
sevebilecek olan da yalnızca bendim. Ve hangi cinsten
olursa olsun iki insan arasındaki veya Tanrı'yla insan ara-
sındaki gerçek aşk da böyle bir şeydi. O zaman bu çocu-
ğun babası bendim. Kendi savaşlarının peşinde dolaşan

o iki erkek değildi, sessiz bir kış gecesinde İsmihan'ın yanında oturup bebeğin ilk hareketlerini hissetmek de, sonsuzluğun aynalarındaki yansımaları görmek de onların umurunda değildi.

Bu düşünceyle sarsılmıştım. O halde İsmihan'ın çektiği bu korkunç acılardan da ben sorumluydum. Zina yaptığı anlaşılan kadınlarla birlikte hadımlarının da öldürülmesi galiba kör bir intikam duygusundan daha fazla bir şeyleri içeriyordu. Eğer isteklerini yanlış anladığım bu garip tanrı "Allah" hiç kimsenin bilmediği bir günahı cezalandırmanın peşindeyse, o zaman benim de yakamı bırakmayacaktı. İsmihan ölürse, onun o güzel yansıması sonsuzluğa karışırsa yaşayamazdım. Böyle bir durumda, Sokullu beni öldürmese bile ben kendimi öldürecektim, buna kararlıydım.

Yalnızlığım sabah namazına gelen insanlarla bozulmuştu, ben de onlara katıldım ama doğrusu büyük bir inançla bunu yaptığım söylenemezdi. Bu Allah o sırada bana güvenemeyeceğim kadar kaprisli geliyordu. Sonra çıkıp eve gittim.

Ben yokken o gece, bebek annesinin rahminde dönüp doğum kanalına girmişti.

"Allaha şükürler olsun," dedim.

Ayva başını salladı, çok yorgundu, saatlerdir doğumla uğraşmaktan kendine, daha doğrusu kendini oyalayacak şekerlemelerine zaman kalmamıştı.

"Bir sorunumuz daha var," dedi. "Hanımın ıkınamıyor, bilmiyorum bunu başarabilecek mi? Allah bilir..."

Bunu duyunca yeniden kendimi İstanbul'un sokaklarına attım.

Ordunun geri döndüğü haberi yayılmaya başlamıştı. Akşamüstüne doğru herkesin dilinde iki sözcük vardı: Bozgun ve felaket... Pera'dan gemilerin geldiğini görenler olmuştu, bu durumda gece bastırmadan limana girmiş olurlardı.

"Sokullu artık insan içine çıkamaz," dedi yaşlı bir adam. "Şu sözlerimi unutma, Sultan onu görevden alacaktır."

Geri döndüm. Ne eve getirdiğim, ne de evde beni bekleyen bir müjde vardı.

"Yararsız," dedi Ayva. "Daha fazla yapabileceğimiz bir şey yok. Doğum masasında bile duracak hali yok. Yapılacak tek bir şey kalıyor, bebeği kesip almak..."

Çocuğu öldürmek anayı öldürmekle aynıydı. "Eğer bunu yaparsan, senin kullandığın o bıçağı üzerindeki kan soğumadan alır kendime saplarım," diye bağırdım.

Bunu söyler söylemez de yolumun üstündeki yaşlı kadını iterek doğum odasına daldım. Eşikteki barut tozu ben üstünden geçerken dağılmıştı, zaten artık ne kadar zamanımız kaldığından emin değildim, zavallı İsmihan ölmek üzereydi. Etrafta dua edip, tespih çeken kadınların arasında, yerde yatan hanımımı kucakladım. İşe yaramaz boş bir çuval gibi yığılıp kalmıştı oracıkta. Kollarıma aldığımda yüzü yeni bir acıyla buruştu.

"Abdul..." diye mırıldandı.

Dudakları bembeyaz, kuru ve kasılmıştı. Sanki taşlaşmış yüzüne ölümün gölgesi inmişti. Haftalar önce aklımdan geçtiği gibi... Ama bunu bir yana ittim ve öbür aynadaki pırıltının peşine düştüm. Sırtı göğsüme yaslanmış, bacaklarımın arasında yatıyordu, kollarımı beline sardım, yeni bir ağrının geldiğini hissetmiştim.

"Haydi ıkın," dedim.

"Yapamam."

"Yapmalısın."

"Çok acıyor."

"Yapmalısın. Yapmazsan öleceksin."

"Ben zaten..."

"Hayır, Allah korusun. Bebeğini düşün." Diğer kadınlar duymasın diye eğilip kulağına fısıldamaya başladım, ama tabii ki duyuyorlardı. Bu, o anda hiç umurumda değildi. "Ona nasıl sahip olduğunu düşün. Mevlana'nın "Taş"ını, onun senin dualarını nasıl kabul ettiğini düşün, bülbülü düşün."

Cevap olarak yalnızca bir inilti çıktı dudaklarından.

Yeni gelen ağrıyı da hissetmiştim, kollarımı sıktım.

"İsmihan!" diye bağırdım. "Ikın, ıkın..."

"Allahım..."

"İsmihan ölmene izin vermeyeceğim. Eğer sen ölürsen, ben de ölürüm. Tüm kutsallıklar adına yemin ediyorum, sensiz yaşayamam. Seni seviyorum İsmihan, hayattan daha fazla. Beni de öldürme."

Neredeyse bir ceset gibi soğumuş boynuna dökülen gözyaşlarımın sıcaklığını hissedebiliyordum, bundan emindim.

"Abd..." Adımı söylemeye çalışırken bu bir ıkınmaya dönüştü.

"İşte!" diye bağırdım. "Haydi bir daha."

"Hayır..." dedi, ama yine de yaptı, sıkıca kollarıma yapışmıştı.

"Haydi."

Ve aniden ortalığı sular kaplayıverdi. Ayaklarım, yerler patlayan kesenin ılık suyuyla ıslanmıştı, Ayva'nın ellerinde kaygan ve yapışkan bir kırmızı kordon vardı.

Kadınlar bir mucizeye tanıklık etmiş gibi sevinçle bağırdıktan sonra hemen ciddiyetle kendilerine verilen görevleri yerine getirmeye koşturdular.

"Ne... ne?..." Ayva bebeği çekip aldığında İsmihan da bu soruyu soracak kadar güç bulmuştu kendinde.

Kadın hafifçe gülümseyerek, "Kordonu bağlıyorum hanımım," dedi. "Çok sağlıklı güzel bir kız. İşte oldu."

İsmihan, "hatırlamıyorum," diye mırıldandı, yüzünde bir rahatlama vardı ve kendinden geçti.

Zavallı bedeninden ıkınmayla çıkan sanki yalnızca bebeğin değil kendisinin de canlılığıydı. Öyle yorgundu ki. Perişan görünüyordu, bir insandan çok paçavrası çıkmış bir cesede benziyordu. Ama yine de küçük küçük soluk aldığını görüyordum.

Eğilip, utangaç bir şekilde kapalı gözlerini öptüm. Sonra başımı kaldırdım ve bebeğinkine uygun bir sesle ben de ağlamaya başladım.

"Efendimize haber vereyim mi?"

Bunu bana soran hadımlardan biriydi, artık herkes dilediği gibi barut tozunun üzerinden gelip geçebilirdi. Efendi lafıyla kimi kasdettiğini anlayamamıştım.

"Sokullu Paşa," dedi. "Evde. Ya bir, ya da iki saat oluyor geleli."

"Hayır," dedim. "Ben haber veririm."

Yerimden kalktım, yüzümü yıkamak için dışarı çıktım.

"Hanımım sizin yüzünüzü kara çıkardığı için çok üzgün olduğunu söylüyor," dedim. "Ama bu Allah'ın emri." Sokullu'nun tam karşısında duruyordum. Adamın giderken koyu olan sakalı bembeyazdı. Geçen sürede onu boyamakla geçirecek zamanı olmadığı belliydi.

Dikkatle yüzüme baktı, geleneksel olarak ona söylediklerimden emin olmak istiyordu. "Bir kız," dedim. Bunun üzerine gülümsedi, "Bir kızı olduğu için utanan, ya da yüzünün kara çıktığını düşünen biri Kur'an'da yazılanları tam olarak bilmiyor demektir," dedi.

"O zaman sizi kutlayabilir miyim efendimiz?"

"Kutlama?" Sokullu kaba ve soğuk bir kahkaha attı.

"Kutlama... Astragan'ı kaybettik, bunun için mi kutlanacağım?"

"Efendimiz, ben..."

"Abdullah biliyorum."

Sıkıntılı birkaç saniye geçti.

"Gencecik insanlar dökülüp kaldı toprağa," dedi hüzün içinde. "Binlercesi... Yarın artık vezir olmayabilirim, bunu bilmelisin Abdullah. O zaman hanımını boşamak zorunda kalırım ve çocuk... Bunların hepsi de Lala Mustafa Paşa'nın yüzünden, Allah onun belâsını versin. Evet, yerime gözünü diktiğini biliyorum. Vezir-i Âzam olmaktan başka bir şey düşünmediğini... Bayazıd meselesinden beri bu işin peşinde. Eğer Lala onu fiştiklemeseydi o güzel Şehzade asla ve asla isyan etmezdi. Evet çok canlı, güçlü, sevilen biriydi ve asi bir oğul değildi aslında. Ama Paşa ve Şehzade'nin anası, o Rus..."

Daha fazlasını söylemekten korkar gibi burada sustu Sokullu. Sonra tekrar bana bakarak gülümsedi.

"Köleler arasında dedikodunun ne demek olduğunu bilirim," dedi. "Ben de bir köleyim ve bir zamanlar Saray'ın en alt kademelerinde görev yaptım. Dedikodu beni Selim'in gözünden bir anda düşürebilir. Eğer bu konuda konuşulduğunu duyarsan, ki mutlaka duyacaksın, Lala Mustafa ve Astragan konusunun aslını onlara anlat Abdullah. Sanki bu işi desteklermiş gibi görünmesine karşın, bunun başarısızlıkla sonuçlanmasını istedi o. Benim için bunun önemini biliyordu, yürümeye başladığımız günden beri askerlerin arasında nifak yayıp durdu Paşa.

'Bu Rusya da neyin nesiymiş?' diyordu, 'burada kışın geceler upuzun, yazın da gündüzler. Allah'a ibadet edebilmek için insanın geceleri sağlıklı bir uykuya gereksinimi vardır. Ramazan'da, o uzun, kuru yaz günlerinde bir mümin buna nasıl dayanır? Belli ki burası dinsizler, sapkınlar için bir topraktır, Rusya'da kimse iyi Müslüman olamaz.'

Müftüyü de kendine inandırdı. Biz oraya vardığımızda hiç kimsede savaşma isteği kalmamıştı. Bu Allah'ın isteğine karşı, diye düşündüler, bu durumda silahın ne yararı olabilir? Çoğu kılıçtan geçirildi. Artık kanalı yapma şansımız kalmadı, İran asla başka türlü ele geçirilemez. Şimdi yine birbirimizle savaşacağız, yorgun düşene dek, sonra da Hıristiyanlar'a yem olacağız her ikimiz de. Bunları unutma, göreceksin, bir gün... Beni bunun için mi kutlamak istiyordun?"

Sokullu başını hiddetle ve umutsuzlukla salladı. Sonra nerede olduğunu, benim ona getirdiğim haberi hatırladı.

"Ama nasıl bu kadar kederli olabilirim?" diye sordu. "En sonunda bu gece baba oldum. Abdullah, git de hanımına iyi dileklerimi götür. Ne zaman uygun olursa gelip bebeğe bakacağım. Bu arada, bu da kız için bir armağan."

Sokullu avucuma küçük bir tahta biblo koydu. Bu, tombul, hiç Müslüman olmayan renkli giysili bir kadın şeklindeydi. İç içe geçmiş yedi kadın. Çok hoşuma gitmişti, gülerek Sokullu Paşa'ya baktım. Onun aklından böyle bir şeyin geçebileceği kimin aklına gelirdi ki?

O da bana gülümsüyordu ama bu gülüş başka bir şeyi saklar gibiydi. "Bunu ben yapmadım," dedi dürüstçe. "Ordu paramparça olurken böyle bir şeye vaktim olabilir miydi? Sen gidip benim yerime alışveriş yapacaksın Abdullah ve kutlamalar için ne gerekiyorsa hepsini al. Her şeyi, her şeyi... Konuklar için, anne için, bebek için, ne gerekirse... Bir babanın yapması gereken..."

Tahta biblolara tekrar baktım, sormaya korkuyordum. Sokullu bunu anlamış gibi bana baktı, "bu Sipahi Alayı Komutanı'ndan," dedi. "Parlak bir genç adam. O ve alayı Ruslar'ı şaşkına çevirdi, pek çok düşman öldürdüler, atlarını ele geçirdiler. Bu da ganimetten benim payıma düşenmiş, öyle dedi. Bunu çocuğuma armağan etti."

Sokullu son olarak bana baktı, onu artık yalnız bırakmam gerekiyordu, saygıyla önünde eğilip odadan dışarı çıktım.

Doğruca hareme koştum. İsmihan ve koynundaki bebeği uyuyordu. Uyanınca görebileceği bir yere bibloları dizdim, sonra sessizce karşı divana oturup ana kızı seyre daldım. İkisinin de yüzleri yorgun ve incinmişti, ama kafesli pencerelerden üzerlerine vuran ışığın altında, birbirine tıpatıp benzeyen alınlarına düşen siyah saçları, kaşları ve yuvarlak ağızlarıyla sanki cennetteki yuvalarında uyuyan iki küçük kuş gibiydiler.

Ve düşündüm... Düşündüm ki, tanıyacağı tüm erkeklerin içinde bu minik bebeği böyle uyurken oturup seyredebilmiş olan yalnızca ben olacaktım.

"Her şey Allah'tan gelir: O yüce Allah'tan,
Merhametli ve Şefkatli olandan."

Bunlar kendiliğinden dudaklarımdan dökülüvermişti. Adına ne denirse densin, bana bu kaderi veren Güç'e sonsuz bir teşekkür borçluydum.

−SON−

Ann Chamberlin'in Osmanlı İmparatorluğu' nu, haremin kalın duvarlarının arkasından yöneten kadınları ve hadımları ustaca anlattığı üçlemenin üçüncü kitabı, "SÖZÜM Kİ TEK SANA GEÇMEZ, CELLADIMSIN EY ZAMAN" yakında kitapçılarda...

*Üçüncü kitaptan . . .*

Kubbeli çatısındaki buzlu camlardan sızan bulanık ışık, Kapalıçarşı'ya kasvetli bir hava veriyordu. Birbirine bitişik, daracık dükkânların sahipleri en güzel mallarını gururla küçümen tezgâhlarına yaymışlardı. Ama ne yazık ki, böyle bir donuk aydınlatma altında alıcılara sunulan altın bolluğu kendi değerini gösteremiyor ve daha çok insanda sarı, ucuz bir metal yığını izlenimi uyandırıyordu. En azından benim için yan yana duran pirinci altından ayırmak gerçekten zordu.

Etrafa boş gözlerle bakarak yürürken, Safiye'nin hadımı Gazanfer'in de benimle aynı yönde ilerlediğini gördüm. Demek ki öngörümde yanılmıyordum, bu bir rastlantı olamazdı. Yahudi karı kocanın dükkânının hemen yanındakine attım kendimi.

"Evet, buyurun," diyerek yanıma yaklaşan satıcı yerlere kadar eğilerek beni selamladı.

Ne diyeceğimi bilemeden bir süre şaşkın kalakaldım.

O sırada adamın arkasında pırıl pırıl duran kocaman pirinç vazoya gözüm takıldı. Öylesine parlaktı ki, en azından dışarıdaki elli adımlık mesafede olan biteni bir ayna gibi yansıtabiliyordu. Ve oradan Venedik'in genç ataşesi Andrea Barbarigo'nun bizim yönümüze doğru yaklaştığını görebiliyordum.

Kendimi tutamayıp, "Bu konuşmayı dinlemeliyim!" diye bağırdım ve hiç düşünmeden dükkân sahibine dönüp "Dükkânınızın gizli bir üst katı var mı?" diye sordum.

Adam, "Evet" diye cevap verdi, ama ses tonu daha çok bir soru anlamı taşıyordu. Pırıltılı pirinçleriyle, renkli halılarını görmek istemiyor muydum?

"Peki, yan dükkânla bir bağlantısı var mı?"

İnce dudaklı ağzında belli belirsiz bir gülüş dolaştı. Belli ki böyle bir istekte bulunan tek kişi ben değildim, ama şu anda daha fazla detayla uğraşmaya hiç mi hiç niyetim yoktu.

"Evet," dedi adam. "Eskiden kullanılmış bir kapı gerçekten de var, ama…"

"Bir saatliğine orası için beş kuruş veririm," dedim.

"Aslında oranın fiyatı normalde yirmi beştir."

"Yirmi beş mi?" diye bağırdım. "Buna hırsızlık denir."

"Çok güzel bir odadır," diye cevap verdi satıcı. Yüzündeki ifade pazarlığa açık olduğunun kanıtıydı.

"On beş vereyim," dedim.

"Bu taraftan üstat," diyen adam eliyle bana merdivenleri gösterdi.

Penceresiz küçük oda, tozlu kutular ve denklerle doluydu. İnsanın oturmak için kendine bir yer bulabilmesi oldukça zordu. Adamın sözünü ettiği, İstanbul'da pek çok yerde örneğine rastlanabilen kapı, bir zamanlar duvardaki alçak kemerin altında olmalıydı. Ama artık kapı yerine bir tahta perde vardı. Ahşabının rengi diğer duvarlarınkinden çok farklıydı. Yüz yıllar boyunca kimbilir kaç kez şekil değiştirmiş ve sonunda bugünkü haline gelmişti küçük geçit. Tahtaları dikkatle gözden geçirirken ince bir aralık buldum. Sanki bilerek, titizlikle ayarlanmış bir gözetleme deliğiydi bu. Gözümü uydurup baktığımda Gazanfer'le Kira karşımdaydı. Yahudi kadın, hadıma nargilesini henüz getirmişti.

Dönüp dükkân sahibine şaşkın şaşkın baktım. Adamın gülüşü, Moşe ve karısının nasıl bir bilgi kaynağı olduğunu yalnızca İtalyanlar'ın değerlendirmediğini belirtircesine imalıydı.

Ona parasını verdim, iyi bir alışveriş yaptığımdan emindim. Adam tekrar gülümsedi, tekrar önümde eğildi ve yanımdan ayrıldı. Az sonra elinde iki bardak şerbet ve oturmam için bir minderle geri döndü. Öylesine saygılı bir tavır içindeydi ki, bir an kendimi Divan'ı gözetleyen Sultan gibi hissettim.

Gazanfer'in adı, "cesur aslan" anlamına geliyordu. İkimizin de adları hadımlar için kullanılanlara hiç mi hiç benzemiyordu. Burada, harem kadınları hadımlar için genellikle "Sümbül" gibi çiçek, ya da hanımımın bir zamanlar bana vermeye çalıştığı "Lülû" gibi kıymetli taş isimlerini kullanıyorlardı.

Gazanfer, kaslıdan çok şişman olarak tarif edilebilecek bir vücut yapısına sahipti. Ama yine de öküz gibi güçlü olduğu belliydi. Nasıl olduğunun hikâyesini bilmediğim birtakım izlerle doluydu her tarafı. Arasında rahatlıkla ceviz kırabileceği belli olan kalın parmaklarının hepsi de işkenceden yamuk yamuktu. Kırık burnu –büyük bir olasılıkla elmacık kemikleri de böyleydi–, darmadağınık saçları, solgun teniyle daha çok bir Moğol'a benziyordu ve bu, insanın aklına kıraç, vahşi stepleri getiriyordu. Hadım edildiği için yanaklarında tek bir tel sakal yoktu. Genel yapısıyla hiç uymayan bu durum ona diğer erkeklerin arasında çok şaşırtıcı bir görüntü veriyordu.

Ama ben onun Moğol olmadığını çok iyi biliyordum. Kavuğunun altındaki saçları aslan yelesine benzerdi, mavi gözlerinde yeşil kıvılcımlar dolaşırdı. Onun Macaristan'da doğmuş olduğunu da, hanımının çıkarlarının peşinde koşarken Macarlar arasındaki asileri desteklediğini, hatta yönlendirdiğini de biliyordum.

Gazanfer'in arkasındaki kireçli duvarların boyanma zamanı gelmiş de geçmişe benziyordu. Bakışlarından buraya çok alışık olduğu ve pek buna aldırmadığı belliydi. Koca gövdesi neredeyse tüm odayı doldurmuştu. Odanın eşyası, hadımın oturduğu divan, nargile ve daracık bir yataktan ibaretti. Başka birine kolay kolay yer yoktu asma katta, ama Gazanfer'in sakin sakin nargile içmekten başka bir amacı olduğundan emindim, kesinlikle önemli bir buluşma için gelmişti buraya.

Yanılmıyordum. Tam ben bunları aklımdan geçirirken Andrea Barbarigo içeri girdi ve Gazanfer genç adama yanında yer açtı. Her ikisini de ayrı ayrı defalarca görmüştüm ama nasıl da birbirine zıt tipler olduğunu ilk kez fark ediyordum. Ufak tefek Barbarigo ve iri yarı Gazanfer yan yana oturunca doğrusu çok garip bir manzara çıkmıştı ortaya. Venedikli sıkıntıyla sakalını, saçını, pantolonunu, yeleğini düzeltti, burnunun ucuna dokundu, arada bir de parmağındaki yüzüğü evirip çeviriyordu.

Hadımın yüzü tertemiz görünüyordu, sanki her kadın bir ustura etkisi yapmıştı bu yüzde ve onlarla olan sürekli ilişki adeta perdahlamıştı adamın tenini. Ataşeye gelince, sanırım onu son gördüğümden bu yana böylesi bir "dişi bıçağın" kenarını bile görmemişti. Evet onu son gördüğüm anı iyi hatırlıyordum; Safiye'nin oğlunu doğurduğunun hemen ertesiydi ve beni Barbarigo'ya yollamıştı Baffo'nun kızı. O günlerde bunun gerçekten de bir rahip arayışından kaynaklandığını düşünmüştüm. Bir kez daha Venedik'in buraya adam yollarken mutlaka evli barklı birini tercih etmesi gerektiğini düşündüm.

Barbarigo'ya çok uzun yıllar önce, Foscari soyundan dayımların evlerinde verdikleri bir davette rastlamıştım. O günlerde boy, bos, yaş, akıl, yetenek olarak ne kadar da aynı olduğumuzu düşünürdüm. O da benim gibi sapına kadar Venedikli'ydi. Ve ben kadere lanet ederdim onun sahip olduklarını düşününce. Oysa şimdi her şey değişivermişti. Benden geriye kalan ortadaydı, ona gelince tamamen Türkleşmediyse de doğrusu çok farklı bir hayat sürdüğü söylenemezdi. Aynı yerlerde dolaşıp duruyorduk sonuçta...

Barbarigo'nun başında bir sarık vardı. Tepesine kondurduğu tüyün yeri ise gerçekten İtalyan tarzıydı. Ayakkabıları, külotpantolonu Avrupa işiydi ama üzerindeki beli kuşakla sıkılmış yelek tamamen Doğu'ya özgüydü. İki ayrı dünya, birbirini inkâr etmeden kaynaşmıştı bu giyim biçiminde. Genç ataşenin boynundaysa Kira'nın kadife kaplı kutusunda görmüş olduğum madalyon sallanıyordu.

"Haydi söyle, hanımın ne âlemde?" diye soruyordu Barbarigo soluk soluğa. "Ne âlemde Sofia Baffo?"

Bir Türk, bir hadıma asla hanımını bu çeşit bir cümleyle sormazdı. Barbarigo her ne kadar Doğu-Batı sentezi giysilerle dolaşıp aksanlı bir Türkçe'yle konuşuyor olsa da belli ki, genç adamın aklında ne bir tek Türkçe düşünce, ne de bu dünyaya ait bir değer yargısı vardı.

Gazanfer, adamın davranış biçiminin kusuruna bakmıyor gibiydi. Buna alışık olmalıydı, büyük bir olasılıkla bu konuda Safiye'den talimatlıydı. Genç ataşe, Safiye'yi hoşnut ettiği müddetçe bunun hiçbir sakıncası olmadığına inanmıştı Gazanfer. Adamın ateşli telaşına kendini kaptırmadan sakin bir şekilde yarım bir gülüş belirdi hadımın yüzünde. Ama birden hızla ayağa kalktı ve devasa elleriyle Barbarigo'yu yoklamaya başladı.

"İsa ve Meryem adına!"

Gazanfer'in ilk dokunuşuyla genç adam İtalyanca bağırmaya başlamıştı. Aslında ben de içimden aynı sözleri söylüyordum. İsa ve Meryem adına! Buradan ne çeşit bir tuhaflığı izleyecektim?

"Bunu yalnızca kendimi tatmin etmek için yapıyorum," diye ince, kadınımsı ses tonuyla konuştu hadım.

"Bunu biliyorum hadım," diye homurdandı Barbarigo.

Hadımın isteklerine uyarak soyunmaya başladı. Ataşenin sarığı yere düşüp dağılmıştı. Kıvrık lüleli saçlarıyla artık hiç de Türk'e benzemiyordu Andrea Barbarigo, aslında bir hadımın saçları da asla Türk'e benzemezdi.

Benimkiler de...

Safiye'nin hadımı hakkında garip dedikodular olduğunu biliyordum, haremde dolaşıp duran sözlerin onda birine bile inanmamam gerektiğini de... Ama şimdi?

Ayakkabılar da çıkmıştı, kuşak da. Neredeyse tiksinti içinde başımı çeviriyordum ki, Gazanfer, Barbarigo'nun yanından geri çekildi. Yine her zamanki sakinliğine bürünmüştü, başını salladı. Macar asıllı hadım, hanımının huzuruna yabancı erkeklerin girmesine izin vermediği gibi, bu tarz adamları kendi elleriyle arayarak en ufak bir kötülüğe bile izin vermemenin peşindeydi demek. Onun aradığı tatmin buydu. Hanımını ve kendini güvenlik içinde tutmak... Bu adamda hiçbir silah yoktu, yalnızca bir hadım kasabının bıçağıyla ortadan kaldırılabilecek olan bedensel tehdit dışında... Gazanfer eğilip dışarı çıktı.

Ama ataşenin telaşı bitmemişti. Kira'nın arka odasının kapısı açılıp da içeri sıradan bir Türk kadını girdiğinde, o eğilmiş, külotpantolonunu toparlamaya çalışıyordu. Çarşafı ve peçesiyle herhangi bir kadındı bu.

...